24节气与健康人生

YangSheng

24节气与食疗

王颖 彭学峰◇编著

中国物资出版社

图书在版编目（CIP）数据

24节气与食疗／王颖，彭学峰编著.－北京：中国物资出版社，2005.6

（24节气与健康人生）

ISBN 7-5047-2364-9

Ⅰ.2… Ⅱ.①王… ②彭… Ⅲ.食物疗法 Ⅳ.R247.1

中国版本图书馆CIP数据核字（2005）第042841号

责任编辑 黄 华
责任印制 方鹏远
责任校对 王云龙

中国物资出版社出版发行
网址：http://www.clph.cn
社址：北京市西城区月坛北街25号
电话：（010）68589540 邮编：100834
全国新华书店经销
利森达印务有限公司印刷

开本：787×980mm 1/16 印张:24.25 字数：322千字
2005年6月第1版 2005年6月第1次印刷
书号：ISBN 7-5047-2364-9/R.0036
印数：0001-5000册
定价：72.00元（全二册）

前言

二十四节气是中华民族古代先贤的智慧结晶，数千年来，它对中华民族的生存、繁衍和发展，对中国古代的农业文明乃至今天的社会生活，都起着不可磨灭的作用。

早在2500多年前的春秋战国时代，我们的祖先就发现，太阳除东升西落外，每天在天空中所处的位置都在变化，在一年中要走一个来回，于是就有了太阳南至和北至的概念。随后古人们又观察了每个月的月初、月中的日月运行位置，并且研究了天气、植物，特别是庄稼的生长规律同大自然现象之间的关系，由此发现了他们之间的内在联系，进而把一年的时间平均分为二十四个等份，并且给每等份取了专有的名称，这就是二十四节气的诞生。

二十四节气主要表示气候变化，物象差异，并且每个节气都与农业生产挂钩，将每个节气在农事上该如何行动表述得十分清楚。我国古代的劳动人民正是根据二十四节气来掌握季节的变化，并由此决定对农作物的适时播种与收割。

二十四节气的制定，综合了天文学、气象学和农作物生长规律等多方面的知识，它比较准确地反映了一年中的自然物候的发展。尽管历经2000多年的历史，这些规律至今仍在农业生产中广泛地使用。二十四节气真实地反映出数千年前我国已成为世界上农耕文明古国的地位，真实地彰显出中华民族祖先的博大精深的智慧以及对人类的伟大贡献。

二十四节气不仅是指导农业生产的“圣经”，而且也是指导人们的养生、保健的秘宝。这是因为，人与自然界是统一的整体，人的生命活动也必然与二十四节气紧密相联。一年四季的变化随时影响着人体，二十四节气的变化也必定会引起人的生理和心理机能不断地发生更替。因此，我们非常有必要顺从二十四节气的要求，进行人生的养生与保健。

人们对养生保健的研究和实践已经延续了几千年，对二十四节气与养生的研究也进行了数千年。无论是祖国的传统医学还是现代医学研究都证明，人的养生要顺从自然，顺从四季冷暖变化，顺从二十四节气变化。比如，中医理论证明，人体的心、肝、脾、肺、肾5个脏器的盛衰与春、夏、秋、冬四季有相应的变化规律；人的脉象变化也与四季有关，脉象是冬偏沉，夏显浮，春秋处于过渡状。西医则证明，人体的体温、血压、脉博、呼吸、尿量与尿的成分、激素、酶等内源性生理节律都与四季、昼夜规律变化有关，即“生物节律”。顺应这些节律，身体就会保障健康，反之就会觉得不舒服，甚至会发病。自古以来，我国民间就根据二十四节气的不同，形成了种种保健习俗，这些习俗代代相传，经久不失，对中华民族的健康起着巨大的作用。

随着社会的发展、科技的进步，人们的生活方式已发生了巨大的变化，人对大自然的依赖明显的减少，因而使得不少人逐渐忽视了季节节气的变化对人的健康的影响。然而，现代生活带来的“文明病”、“富贵病”的困扰，又使人们不得不反思现代的生活方式，健康与自然环境、健康与季节节气变化的关系又重新引起人们的关注。

为了深入探讨二十四节气与人的健康的关系，揭示顺应二十四节气的养生奥秘，笔者经过多年的努力，编写了这本《二十四节气与健康》，它包括两个分册，即《二十四节气养生》与《二十四节气饮食》。前一分册通过介绍二十四节气的气候特征及其对生命健康的影响，提出了顺应二十四节气保健养生的基本原理和方法，后一分册则深入分析二十四节气与人的饮食的关系，详细介绍了饮食养生的具体方案。本书力求通俗易懂，贴近生活，实用性强。

随着我国逐步进入小康社会，人们的养生保健要求越来越强烈，而养生保健的发展趋势表明，自保自疗是最好的养生保健方式。它不仅能有效地保障人的生命健康，而且还可以降低养生保健的成本、节省费用。根据二十四节气进行养生保健，正是一种符合时代潮流的自保自疗方法。愿这本书能为您的健康带来福祉。

编著者

2005年春

目 录

春季篇 /63

一、春季六节气饮食进补的基本原则 /65

二、春季六节气宜食食物 /69

三、立春进补食谱 /78

四、雨水进补食谱 /85

五、惊蛰进补食谱 /93

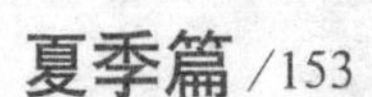

总论篇

二十四节气与生命和饮食

一年四季，二十四节气形成了气象万千的自然现象。人与自然界是统一的整体，一年四季二十四节气的变化，随时都影响着人体的生理变化。遵循天人相应的整体观，人的饮食养生也必须顺应时节，符合四季二十四节气更替变化的客观规律。所以，顺从四季二十四节气的饮食之道不可不察。

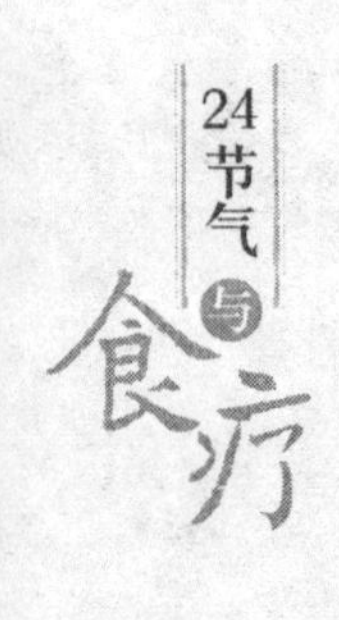

只有顺应自然，掌握四季二十四节气的变化规律，“顺时气而善天和”，注意饮食调养，我们才能预防疾病的发生，延长生命的时限，使人生更加精彩靓丽。

一、二十四节气及其特征

天有四时，春、夏、秋、冬，春暖春种，夏热夏长，秋凉秋收，冬寒冬藏。再往细分，便又有二十四节气。二十四节气各有不同的特征，认识和掌握二十四节气的特点及更替变化规律，对饮食养生具有十分重要的意义。

1.二十四节气简述

二十四节气表征一年中天文、季节、气候的更替变化，是我国古代劳动人民独特的创造。

地球每365天5时48分46秒，围绕太阳公转一周，每24小时还要自转一次。由于地球旋转的轨道面同赤道面不是一致的，而是保持一定的倾斜，所以一年四季太阳光直射到地球的位置是不同的。以北半球来讲，太阳直射在北纬23.5度时，天文上就称为夏至；太阳直射在南纬23.5度时称为冬至；夏至和冬至即指已经到了夏、冬两季的中间了。一年中太阳两

次直射在赤道上时，就分别为春分和秋分，这也就到了春、秋两季的中间，这两天白昼和黑夜一样长。

反映四季变化的节气有：立春、春分、立夏、夏至、立秋、秋分、立冬、冬至8个节气。其中立春、立夏、立秋、立冬叫做“四立”，表示四季开始的意思。

反映温度变化的有：小暑、大暑、处暑、小寒、大寒5个节气。

反映天气现象的有：雨水、谷雨、白露、寒露、霜降、小雪、大雪7个节气。反映物候现象的有惊蛰、清明、小满、芒种4个节气。

二十四节气的划定，是我国古代天文和气候科学的伟大成就。两千多年来，它不仅在安排和指导农业生产过程中，发挥了重大的作用，而且在养生方面也有重要的指导作用。

2.春季六节气的气候特征

春季，从立春之日起到立夏之日至，包括立春、雨水、惊蛰、春分、清明、谷雨六个节气。春季六个节气，寒冷渐退，春风送暖，草木萌发，万物复苏，一派万象更新、生机蓬勃的景象。

（1）立春

立春在每年阳历2月4日前后。自秦代以来，我国就一直以立春作为春季的开始。立春是从天文上来划分的，而在自然界、在人们的心目中，春是温暖，鸟语花香；春是生长，耕耘播种。

在气候学中，春季是指候（5天为一候）平均气温10℃到22℃的时段。时至立春，人们明显地感觉到白昼长了，太阳暖了。气温、日照、降雨，这时常处于一年中的转折点，趋于上升或增多。虽然立了“春”，但是大部分地区仍会有霜冻出现，少数年份还会有“白雪却嫌春色晚，故穿庭树作飞花”的景象。这些气候特点，在保健养生都是应该考虑到的。

人们常爱寻觅春的信息在哪里呢?那柳条上探出头来的芽苞，“嫩于金色软于丝”；那泥土中跃跃欲出的小草，等待“春风吹又生”；为了身心健康、祛病延年的人们，正在创造着生命的春天。

（2）雨水

雨水在每年阳历2月19日或20日。雨水节气的涵义是降雨开始，雨量渐增，在二十四节气的起源地黄河流域，雨水之前天气寒冷，但见雪花纷飞，难闻雨声淅沥。

雨水之后气温一般可升至0℃以上，雪渐少而雨渐多。但是，寒潮仍有入侵的可能，届时可引起强降温和暴风雪，对健康危害极大。所有这些，都要特别注意预防。

光阴易逝，季节催人，“一年之计在于春”。人们应该在这个时节里让生命更加蓬勃旺盛。

(3) 惊蛰

惊蛰在每年阳历3月5日或6日。反映自然物候现象的惊蛰，含义是：春雷乍动，惊醒了蛰伏在土中冬眠的动物。这时，气温回升较快，长江流域大部地区已渐有春雷。

惊蛰时节，春光明媚，万象更新，生机盎然。通过细致观察，积累物候知识，对于因人制宜地安排保健养生活动是会有帮助的。

(4) 春分

春分在每年阳历3月20日或21日。“春分者，阴阳相半也。故昼夜均而寒暑平”。一个“分”字道出了昼夜、寒暑的界限。农历书中记载：“斗指壬为春分，约行周天，南北两半球昼夜均分，又当春之半，故名为春分。”

春分日还是春季九十天的中分点，南北半球昼夜相等。从这一天起，太阳直射位置渐向北移，南北半球昼夜长短也随之而变，北半球昼长夜短，南半球与之相反。春分一到，雨水明显增多，我国平均地温已稳定超过10℃，这是气候学上所定义的春季温度。而春分节气后，气候温和，雨水充沛，阳光明媚，我国大部分地区的越冬作物进入春季生长阶段。

北宋文学家欧阳修对春分也曾有过一段精彩的描述：

南园春半踏青时，风和闻马嘶，青梅如豆柳如眉，日长蝴蝶飞。

无论南方北方，春分节气都是春意融融的大好时节，我国的台湾省更是兰花盛开的时候。

(5) 清明

清明在每年阳历4月4日或5日。清明是表征物候的节气，含有天气晴朗、草木繁茂的意思。清明这天，民间有踏青、寒食、扫墓等习俗。

常言道："清明断雪，谷雨断霜。"时至清明，气候温暖，春意正浓。但在清明前后，仍然时有冷空气入侵，需要严防开春后的强降温天气对健康的危害。

(6) 谷雨

谷雨在每年阳历4月20日或21日。谷雨，有"雨水生百谷"的意思，是二十四个节气中的第六个节气，也是春季的最后一个节气。

常言道"清明断雪，谷雨断霜"，我国大部分地区的平均气温都在12℃以上。谷雨后的气温回

升速度加快，从这一天起，雨量开始增多，其丰沛的雨水使初插的秧苗、新种的作物得以灌溉滋润，五谷得以很好地生长。

谷雨节气后降雨增多，空气中的湿度逐渐加大，此时我们在促使养生中不可脱离自然环境变化的轨迹，通过人体内部的调节使内环境（体内的生理变化）与外环境（外界自然环境）的变化相适应，保持正常的生理功能。

3.夏季六节气的气候特征

夏季从立夏之日起，到立秋之日止，包括立夏、小满、芒种、夏至、小暑、大暑六个节气，是一年中阳气最盛的季节，气候炎热而生机旺盛。

（1）立夏

立夏在每年阳历5月5日或6日。立夏有两层涵义，一是指夏季开始，二是指万物至此皆已长大，“夏”原意为“大”之意。但是，全国各地冷暖不同，入夏时间实际上并不一致。立夏时节炎暑将临，气温升高，雷雨增多，动植物进入生长旺季。

（2）小满

小满在每年阳历5月21日或22日。小满是指麦类等夏熟作物灌浆乳熟，籽粒开始饱满。此时节雨水充沛，光照充足，温度适宜，对植物生长有利，在江南一带，气温平均22℃左右，最高气温可达35℃。

（3）芒种

芒种在每年阳历6月5日或6日。芒种是表征麦类等有芒作物的成熟，是一个反映农业物候现象的节气。芒种时节进入典型的夏季，我国中部的长江中、下游地区，雨量增多，气温升高，空气非常潮湿，天气异常闷热，各种什物容易发霉，所以又称这段时间为霉雨时节。

（4）夏至

夏至在每年阳历6月21日或22日。夏至这天，太阳直射北回归线，是北半球一年中白昼最长的一天。从这一天开始，进入炎热夏季，万物在此时节生长最旺盛。

（5）小暑

绿树浓荫，时至小暑。小暑在每年阳历7月7日或8日。

此时天气虽热，但未达到极点，小暑是全年降水量最多的一个节气，并会出现大暴雨、雷击和冰雹。

（6）大暑

大暑在每年阳历7月23日或24日。“暑”是炎热的意思，表明它是一年中最热的节气。此时正值二伏前后，长江流域的许多地方，经常出现40℃以上的高温天气，使人酷热难耐。但是，燠热的大暑正是茉莉、荷花盛开的季节，馨香沁人的茉莉，天气愈热香愈浓郁，给人洁净芬芳的享受。高洁的荷花，不畏烈日骤雨，晨开暮敛，诗人赞美它“映日荷花别样红”。生机勃勃的盛夏，正孕育着丰收。

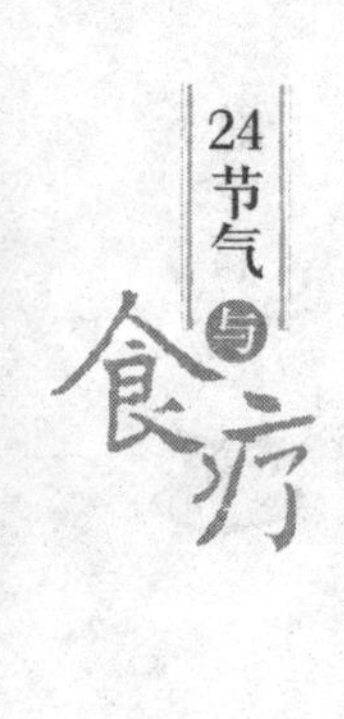

4.秋季六节气的气候特征

秋季从立秋之日起到立冬之日止，包括立秋、处暑、白露、秋分、寒露、霜降六个节气。秋季六节气阳光和煦，气温渐降。硕果累累，万物成熟，气候干燥，进入由热转寒的过渡阶段。

（1）立秋

立秋在每年阳历8月7日或8日。立秋，预示着秋天的到来，秋是肃杀的季节。从这一天开始，天高气爽，月明风清，气温逐渐下降。

有谚语说：“立秋之日凉风至”，即立秋是凉爽季节的开始。但由于我国地域辽阔，幅员广大，纬度、海拔高度不同，实际上是不可能在立秋这一天同时进入凉爽的秋季的。

从其气候特点看，立秋由于盛夏余热未消，秋阳肆虐，特别是在立秋前后，很多地区仍处于炎热之中，故素有“秋老虎”之称。气象资料表明，这种炎热的气候，往往要延续到九月的中下旬，天气才能真正凉爽起来。

(2) 处暑

处暑在每年阳历8月23日或24日。处暑，是暑气结束的时节，“处”含有躲藏、终止的意思，顾名思义，处暑表明暑天将近结束。这时的三伏天气已过或接近尾声，全国各地也都有“处暑寒来”的谚语，说明夏天的暑气逐渐消退。但天气还未出现真正意义上的秋凉，此时晴天下午的炎热亦不亚于暑夏之季，这也就是人们常讲的“秋老虎，毒如虎”的说法。这也提醒人们，秋天还会有热天气的时候，也可将此视为夏天的回光返照。

处暑节气正是处在由热转凉的交替时期，自然界的阳气由疏泄趋向收敛，人体内阴阳之气的盛衰也随之转换，此时起居作息也要相应地调整。

(3) 白露

白露在每年阳历9月7日或8日。白露是典型的秋天节气，是真正的凉爽季节的开始。从这一天起，天气已凉，空气中的水气每到夜晚常在树木花草上凝结成白色的露珠，鸟类也开始做过冬准备。同为白露节气，在我国的

不同地区其景致也有所不同，北方已是水汽凝结，而南方有些地区仍是花香四溢，曾有“白露时分桂飘香”的说法。

（4）秋分

秋分在每年阳历9月23日或24日。秋分这天，进入了凉爽的秋季。“一场秋雨一场寒”。一股股南下的冷空气，与逐渐衰减的暖湿空气相遇，产生一次次降雨，气温也一次次下降。候鸟，如大雁、燕子等都开始成群结队地从逐渐寒冷的北方飞往南方。

（5）寒露

寒露在每年阳历10月8日或9日。寒露时节已是露气寒冷，将凝结为霜了。此时气温更低，气候从凉爽逐渐转寒，早晚温差更为明显。

（6）霜降

霜降在每年阳历10月23日或24日。霜降有天气渐冷、开始降霜的意思。

此时气候已渐寒冷，夜晚下霜，晨起阴冷。开始有白霜出现。一天中温差很大，常有冷空气侵袭，而使气温骤降。

5.冬季六节气的气候特征

冬季从立冬之日起到立春之日至，包括立冬、小雪、大雪、冬至、小寒、大寒六个节气。冬季六节气，气候寒冷，草木凋零，虫蜇冬伏，万物闭藏，自然界充满了寒冻之意。

(1) 立冬

立冬在每年阳历11月7日或8日。“立，建始也，冬，终也，万物收藏也”，表示冬季自此开始。“立冬之日，水始冰，地始冻”。

(2) 小雪

小雪在每年阳历11月22日或23日。雪是寒冷天气的产物。其时天已积阴，寒未深而雪未大，故名小雪。这时的黄河以北地区已到了北风吹，雪花飘的孟冬，此时我国北方地区会出现初雪，虽雪量有限，但还是提示我们到了御寒保暖的季节。小雪节气的前后，天气时常是阴冷晦暗的。

(3) 大雪

大雪在每年阳历12月7日或8日。“大者盛也，至此而雪盛也”，表示从此开始降雪大起来。大雪节气常在十二月七日前后到来，此时我国黄河流域一带渐有积雪，北方则呈现万里雪飘的迷人景观。人们盼着在大雪节气中看到“瑞雪兆丰年”的好兆头，可见大雪节气的到来，预示着来年的吉祥与否。

(4) 冬至

冬至在每年阳历12月21日或22日。冬至是个非常重要的节气，冬至这一天的白天是一年中最短的一天，太阳几乎直射在南回归线上。过了冬至后，随着太阳直射的北移，白天的时间逐渐长起来。俗话说：吃了冬至饭，一天长一线。

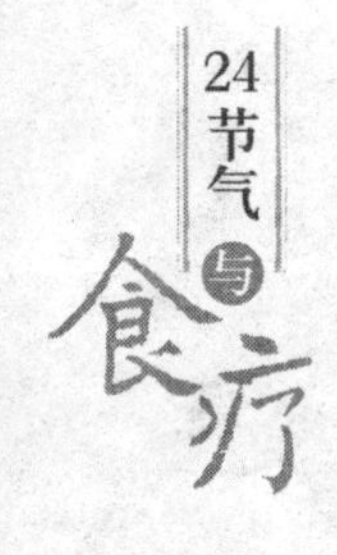

从这一天以后到立春的45天，阳气渐升，阴气渐降。

我国大部分地区习惯自冬至起“数九”，每九天为一个小节，共分为九九八十一天。民间流传着一首歌谣：“一九、二九不出手，三九、四九冰上走，五九、六九沿河看柳，七九河开，八九燕来，九九加一九，耕牛遍地走。”这首歌谣生动形象地反映出不同时间的季节变化，也表现了我国劳动人民的智慧。三九是天气最冷、地面积蓄热量最少的日子，所以也有“冷在三九”的说法。在我国长江流域更有“天虽寒，独有腊梅来争妍”的迷人景观。

(5) 小寒

小寒在阳历1月5日或6日。寒是寒冷之意，表示冬季的寒冷已经开始。民间有句谚语：“小寒大寒，冷成冷团。”小寒表示寒冷的程度，从字面上理解，大寒冷于小寒，但在气象记录中，小寒却比大寒冷，可以说是

全年二十四节气中最冷的节气。常有“冷在三九”的说法，而这“三九天”又恰在小寒节气内。之所以叫小寒而不叫大寒，是因为节气起源于黄河流域，《月令七十二候集解》说：“月初寒尚小……月半则大矣”，按当时的情况延续至今而已。

（6）大寒

大寒在每年阳历1月20日或21日。大寒是一年中最后一个节气，也是一年中的寒冷时期。这一节气里气候比较干燥，降水稀小，常有寒潮、大风天气。

二、二十四节气对人体生命的影响

自然界一切生物都与四季二十四节气息息相关，人也不能脱离天地气息而存在。人体的五脏六腑、四肢九窍、皮肉骨筋等组织的机能活动无不受四季二十四节气变化影响。

《内经素问·宝命全形论》里说：“人以天地之气生，四时之法成。”《内经素问·六节脏象论》里云：“天食人以五气，地食人以五味。”这些都说明人体要依靠天地之气提供的物质条件而获得生存，同时还要适应四时阴阳的变化规律，才能发育成长。明代医学家张景岳所说：“春应肝而养生，夏应心而养长，长夏应脾而养化，秋应肺而养收，冬应肾而养藏。”说明人体五脏的生理活动必须适应四时阴阳的变化，才能与外界环境保持协调平衡。这与现代科学认为的“生命产生的条件，正是天地间物质与能量相互作用的结果”的看法是基本一致的。人类需要摄取饮食，呼吸空气，与大自然进行物质交换，从而维持正常的新陈代谢活动。

1.四季二十四节气和人体的关系

四季二十四节气和人体关系密切，主要表现在以下几个方面：

（1）四季二十四节气影响人体的精神活动

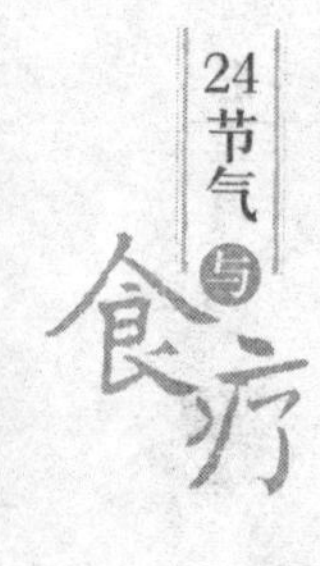

我国古代医学名著《黄帝内经》里有一篇专门讨论四时气候变化对人体精神活动的影响，即《素问·四气调神大论篇》第二。对于此篇，《黄帝内经直解》指出：“四气调神者，随春夏秋冬四时之气，调肝、心、脾、肺、肾五脏之神志也。”著名医学家吴鹤皋也说：“言顺于四时之气，调摄精神，亦上医治未病也”，所以篇名叫“四气调神”。这里的“四气”，即春、夏、秋、冬四时气候；“神”，指人们的精神意志。四时气候变化，是外在环境的一个主要方面，精神活动，则是人体内在脏气活动的主宰，内在脏气与外在环境间取得统一协调，才能保证身体健康。

(2) 四季二十四节气影响人体的气血活动

我国中医学认为，外界气候变化对人体气血的影响也是显著的，如《内经素问·八正神明论》里说："天温日明，则人血淖液而卫气浮，故血易泻，气易行；天寒日阴，则人血凝泣而卫气沉。"意思是说，在天热时则气血畅通易行，天寒时则气血凝滞沉涩。

《内经素问·脉要精微论》里还说：四时的脉象，春脉浮而滑利，好像鱼儿游在水波之中；夏脉则在皮肤之上，脉象盛满如同万物茂盛繁荣；秋脉则在皮肤之下，好像蛰虫将要伏藏的样子；冬脉则沉伏在骨，犹如蛰虫藏伏得很固密，又如冬季人们避寒深居室内。

以上充分说明了自然界气候的变化对人体气血经脉的影响是显著的。若气候的变化超出了人体适应的范围，则会使气血的运行发生障碍。如《黄帝内经》里说："经脉流行不止，环周不休。寒气入经而稽迟，泣而不行，客于脉外则血少，客于脉中则气不通，故卒然而痛。"这里的泣而不行，就是寒邪侵袭于脉外，使血脉流行不畅；若寒邪侵入脉中，则血病影响及气，脉气不能畅通，就要突然发生疼痛。

(3) 四季二十四节气与人体的五脏活动密切相关

在《内经素问·金匮真言论》里曾明确提出"五脏应四时，各有收应"的问题，即五脏和自然界四时阴阳相应，各有影响。在《内经素问·六节脏象论》里则具体地说："心者，生之本……为阳中之太阳，通于夏气；肺者，气之本……为阳中之太阴，通于秋气；肾者……为阴中之少阴，通

于冬气；肝者，罢极之本……为阳中之少阳，通于春气……”此外在《黄帝内经》里还有肝主春、心主夏、脾主长夏、肺主秋、肾主冬的明文记载。

事实上，四时气候对五脏的影响是非常明显的。就拿夏季来说，夏季是人体新陈代谢最为活跃的时期，尤其是室外活动特别多，而且活动量也相对增大，再加上夏天昼长夜短，天气特别炎热，故睡眠时间也较其他季节少一些。这样，就使得体内的能量消耗很多，血液循环加快，汗出亦多。因此，在夏季，心脏的负担特别重，如果不注意加强对心脏功能的保健，很容易使其受到损害。由此可见，中医提出“心主夏”的观点是正确的。

这里需要说明的是，在我国古代，对一年季节的划分，一向有四季和五季两种方法，因人体有五脏，故常用五脏与五季相配合来说明人体五脏的季节变化。

(4) 四季二十四节气影响人体的水液代谢

关于这一点，早在《黄帝内经》中，就有过论述，如《内经灵枢·五癃津液别》篇里说：“天暑衣厚则腠理开，故汗出……天寒则腠理闭，气湿不行，水下留于膀胱，则为溺与气。”意思是说，在春夏之季，气血容易趋向于表，表现为皮肤松弛，疏泄多汗等；而秋冬阳气收藏，气血容易趋向于里，表现为皮肤致密，少汗多溺等，以维持和调节人与自然的统一。

2.不顺应“四时之法”对人体的危害

所谓“四时之法”，是说人类要适应四时阴阳的变化规律才能发育成长。春、夏、秋、冬，四时自然气候的变化，与人的生命活动也是对立的两方，人体必须适应四时气候变化来维持生命活动。否则，人体生理节律就会受到干扰，抗病能力和适应能力就会降低。即使不会因感受外邪而致病，也会导致内脏功能失调而发生病变。

《内经素问·四气调神大论》里明确指出：

“夫四时阴阳者，万物之根本也。所以圣人春夏养阳，秋冬养阴，以从其根，故与万物沉浮于生长之门。逆其根，则伐其本，坏其真矣。故阴阳四时者，万物之终始也，死生之本也，逆之则灾害生，从之则苛疾不起，是谓得道。”

这清楚地说明了人们在养生中要顺应四时阴阳这个根本。

它围绕着“从阴阳则生，逆之则死”的基本观点，讨论了养生的原则，提出了平调阴阳、以合四时的理论，即主动调节内脏与外部环境的协调，才能保证身体健康。

如果不顺应四时阴阳，人又会怎样呢?《内经素问·四气调神大论》里说：

“逆春气则少阳不生，肝气内变；逆夏气则太阳不长，心气内洞；逆秋气则太阴不收，肺气焦满；逆冬气则少阴不藏，肾气独沉。”

这段话的大意是说：若在春天不好好养生，违背了春生之气，体内的少阳之气不能生发，就要发生肝气内郁的病变；若在夏天不注意保养，违逆了夏长之气，太阳之气不能生长，就要发生心气虚的病变；到了秋天，若违逆了秋收之气，太阴之气不能收敛，就要发生肺热胀满喘息的病变；到了冬天，不好好养生，违逆了冬藏之气，少阴之气不能闭藏，就要发生肾气不能蓄藏的病变。

这段话告诫人们，若破坏了五脏适应四时阴阳变化的正常规律，不可避免地要导致人体内外环境的平衡失调而发生病变，甚至危及生命。

所以，中医养生学把适应四时阴阳看作是一切生物维持生存的重要条件。所谓“适者生存”，仍是生物界不可逾越的客观规律。

3.春季六节气与人的生命健康

(1) 春季所引起的人体的生理变化

春天是给万物带来生机的季节。当自然界阳气开始生发之时，“人与天地相应”，此时人体之阳气也顺应自然，向上向外疏发，其生理变化主要体现在以下几点：

①气血活动加强，新陈代谢开始旺盛

中医学认为，外界气候变化对人体气血的影响是显著的，如在天热时气血畅通易行，天寒时则气血凝滞沉涩。而春天之气候介于炎热的夏天和

寒冷的冬天之间，气候温和，故气血活动亦介于二季之间的状态，即春天的气血活动逐渐增加。这种情况可从脉象上反映出来，正如《索问·脉要精微论》说："春曰浮，如鱼之游在波"，意思是说春天人体的脉搏浮而滑利，好像鱼儿游在水波之中。阳气，在某种意义上来说，即代表着人体新陈代谢的能力，阳气的生发意味着人类新陈代谢开始旺盛起来。

②肝主春，肝气开始亢盛

《素问·金匮真言论》曾明确提出"**五脏应四时，各有收受**"的问题，即人体五脏和自然界的四时阴阳相应，各有影响。具体到春天，即是"肝者……为阳中之少阳，于春气"。此外，在《黄帝内经》里还有"肝主春"的记载，所谓"肝主春"，即是说人体肝脏与春季相应，肝的功能在春季比较旺盛，具体表现为肝主藏血、肝主疏泄的功能逐渐加强。由于气候温和，人们的户外活动逐步多起来，因此，肝所藏之血流向四肢。春天随着气候的转暖和户外活动的增多，人们的精神活动亦开始活跃起来。这些生理上的变化，都给春天的饮食提出了新的要求。

(2) 春季有害物质对人体的影响

然而，春季六节气里一些对人体有害的东西，如致病

的微生物、细菌、病毒等，也会乘机而动、乘虚而入，各种病虫害猖獗，给人们造成巨大的祸害，在我国南方这种情况尤为明显。

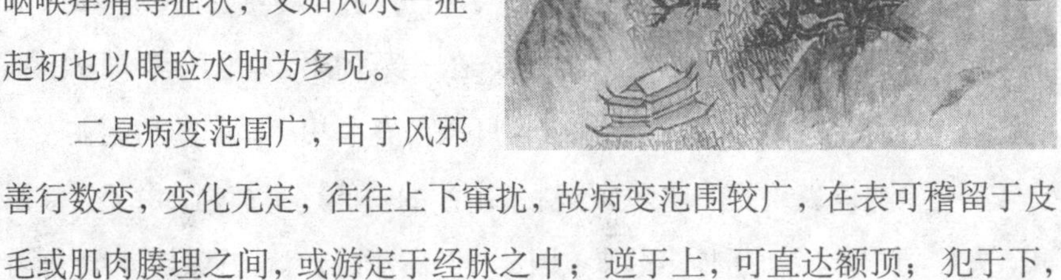

中医学认为，春天的气候特征是以风气为主令，而风邪既可单独作为致病因素，也常与其他邪气兼夹为病。当风邪侵袭人体后，一般可产生下述病理变化：

一是伤人上部，如伤风感冒中常见的头项疼痛、鼻塞、流涕、咽喉痒痛等症状，又如风水一症起初也以眼睑水肿为多见。

二是病变范围广，由于风邪善行数变，变化无定，往往上下窜扰，故病变范围较广，在表可稽留于皮毛或肌肉腠理之间，或游定于经脉之中；逆于上，可直达额顶；犯于下，可侵及腰膝胫腓等。

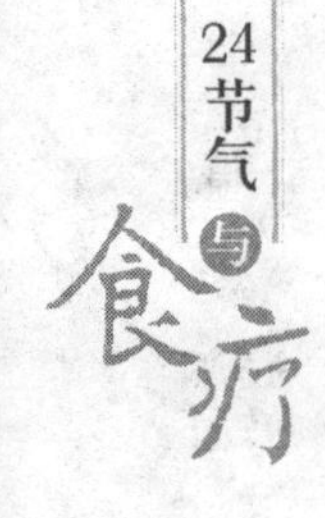

三是“风胜则动”，其证以动为特点，故凡见肢体运动异常，如抽搐、痉挛、颤抖、蠕动，甚至角弓反张、颈项强直等症往往责之于风，而列为风病。

四是兼杂为病，即指风邪常与其他邪气相兼合并侵犯人体。如在长夏之季，风邪常与湿邪一起侵袭脾土，往往可见消化不良、腹胀、腹泻等脾胃受损的症状；若与热合则方风热，与寒合则为风寒，或风寒湿三气杂至而侵袭人体，即人们常说的风热外感、风寒外感、风湿痹静等。此外，风还可与体内之病理产物如痰相结合而成风痰，风痰上犯又可引起种种病症。

医疗气象学证实：在大风呼啸时，空气中的冲撞摩擦噪音会使人心里感到烦躁不适，特别是在音频过低，甚至达到“次声波”的标准时。科学家们已经发现次声波是杀人的声波，它能直接影响人体的神经中枢系统，使人头痛、恶心、烦躁，甚至致人于死地。同时，猛烈的大风常使空气中的“维生素”——负氧离子严重减少，导致那些对天气变化敏感的人体内的化学过程发生变化，在血中开始分泌大量的血清素，让人感到神经紧张、压抑和疲劳，并会引起一些人的甲状腺负担过重。

此外，大风使地表蒸发强烈，驱走大量水气，空气湿度减小，这会使人口干唇裂，鼻腔粘膜变得干燥，防病功能亦随之下降，使许多病菌乘虚而入，从而导致呼吸道疾病发生，如支气管炎、流感、肺结核等。这些疾病的广泛流行，也往往是“风助病威”的结果。故《黄帝内经》里又说：“风者，百病之始也”。

(3) 春季六节气分别对生命健康的影响

①立春

立春是春季的第一个季节。立春后，气候向暖，阳气始发，气温渐渐上升。立春之后，人体变化也由此开始。肝木应于春时，从立春之日起，人体少阳开始升发，肝阳、肝火、肝风也随着春季阳气的升发而上升。所以，立春后应注意肝脏的生理特征，疏泄肝气，保持情绪的稳定，使肝气

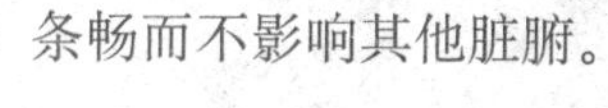
条畅而不影响其他脏腑。

②雨水

雨水时节，人体的肝阳、肝火、肝风更会随着春季的阳气升发而上升，所以更应特别注意肝气的疏泄条达。自然界一派生机，特别是南方地区，万物欣欣向荣。养生者亦须振奋精神，勃发朝气，志蓄于心，身有所务。

③惊蛰

惊蛰时节，人体中的肝阳之气渐升，阴血相对不足，养生应顺乎阳气的升发、万物始生的特点，使

自身的精神、情志、气血也如春天一样舒展畅达，生机盎然。饮食起居应顺肝之性，助益脾气，令五脏和平。老年人更要注意身体的保养，元代丘处机在《摄身消息论》中说："当春之时，食味宜减酸益甘，以养脾气。……天气寒暖不一，不可顿去棉衣。老人气弱骨疏，风冷易伤腠理，备夹衣遇暖易之，一重渐一重，不可暴去。"这也即是俗话所谓的"春焐"。

④春分

春分对人体而言，重要意义仅次于夏至、冬至，对健康也有较大的影响。

春天高血压病多发，也容易产生眩晕、失眠等症。而且也是精神病的好发时间，所以调摄情志颇为重要。

人们应顺应春季生机盎然的特点，多做户外活动，调摄情志。如野外放风筝、沐浴阳光、呼吸清新空气、嬉戏玩乐，将一切烦恼置之度外，迎天顺气、随风送忧。

⑤清明

清明时节，气候潮湿，容易使人产生疲倦嗜睡的感觉，而乍暖乍寒的多变天气容易使人受凉感冒，发生扁桃体炎、支气管炎、肺炎；春季又是呼吸道传染病，如白喉、猩红热、百日咳、麻疹、水痘、流脑等疾患的多发季节。清明以后，多种慢性疾病易复发，如关节炎、精神病、哮喘等，有慢性病的人在这段时间内要忌食易发病食物，如海鱼、海虾、海蟹、咸菜、竹笋、毛笋、羊肉、公鸡等，避免旧病复发。

⑥谷雨

谷雨时节气温升高和雨量增多，人体在这段时间内更为困乏，所以要注意锻炼身体。

4.夏季六节气与人的生命健康

在夏季，人类为了适应大自然的变化，在漫长的进化过程中，形成一种能悉知外界环境变化的能力，并能自动调节其生理活动以适应环境的变化。

(1) 夏季所引起的人体的生理变化

在夏季人的生理变化主要体现在以下几点：

①气血运行旺盛

夏季主阳，是阳升之极，阳气盛、气温高，充于外表，人体阳气运行畅达于外，气血趋向于体表。此外，即使在一天之中，昼夜晨昏气温的变化也对人体气血盛衰产生相应的影响，人体的阳气“一日而主外，平旦阳气生，日中而阳气隆，日西而阳气已虚，气门乃闭”。可见，人体阳气的盛衰是随着昼夜阴阳盛衰消长的变化而呈节律性变化的，这就为饮食养生的每日三餐的选择与调配提供了理论依据。另一方面，从人体脉象上也可

以进一步反映出气血活动的变化。《素问·脉要精微论》说："天地之变，阴阳之应……四变之动。脉与之上下……夏应中矩……夏至四十五日，阴气微上，阳气微下……"。意思是指四时气候的变化，人的脉象也相应上下变动，所以夏天的脉象应合于矩之象洪大方正。夏至节后的四十五天，自然界的阴气渐渐上升，夏天的盛阳开始渐渐下降，这就是夏季阴阳升降、脉象变化的特征。

②人体津液外泄

夏季炎热，易使人体腠理开泄、津液外泄，出汗量（汗液是指津液通过阳气的蒸腾气化后，从汗孔排出之液体）要远远大于其他季节。正常情况下，人体汗液的排泄有赖于卫气对腠理的开合作用，腠理开则汗液排泄，腠理闭则无汗。由于汗液为津液所化，血与津液同出一源（中医有"血汗同源"之说），而血又为心所主，故又有"汗为心之液"之称。夏又与心气相通，夏季多汗则易使心气涣散而不收，故夏季保存或及时补充津液是非常重要的。因此，在夏季进行饮食养生要充分考虑这一生理的变化，以及时达到补充人体津液外泄过多而造成的津液亏乏、阴精耗伤的目的。

③人体心脏与夏相应

人体五脏功能都随四时、阴

阳五行的变化而变化。《素问·六节藏象论》中具体说到："心者，生之本……为阳中之太阳，通于夏气。"所谓"心通于夏气"，是说人体心脏与夏相应，心的生理功能在夏季比较旺盛，具体表现在心主血脉，气血旺盛，运行畅达；汗液排泄增加；阳气充，浮于外，功能活动亦加强，精力充沛。因此，为了更好地在夏季应用饮食养生，必须把握时令与脏腑的关系，在夏季3个月里做到有目的的补充心脏所消耗的能量，以保护心气。

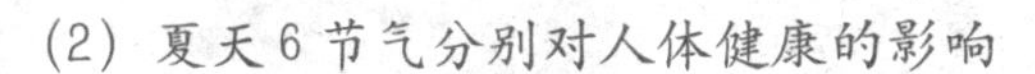
(2) 夏天6节气分别对人体健康的影响

①立夏

立夏是夏季开始的第一个节气，立夏时节应早睡早起，多沐浴阳光，注意情志的调养，保持肝气的疏泄，否则，就会伤及心气，以致秋冬季节易生疾病。

立夏是春夏之交，是儿童发育最快的时候，所以，日常生活饮食要注意儿童生长发育所需要的营养，及时补充钙质、维生素及食物营养，更要注意儿童和青少年的衣着和体育锻炼。

春夏之交，在饮食上应注意忌食性热升发之物，以免耗气伤津；同时也不宜过早食用生冷食物，以免损伤脾胃阳气。随着气温的逐渐升高，日常食物也容易变质，夏季应避免食入不洁食物，以防发生肠道病变。

②小满

小满时节，万物繁茂，生长最旺盛，人体生理活动也处于最旺盛的时期，消耗的营养物质为四季最多，所以，应及时适当补充，才能使身体不受损伤。时至夏日，治病用药时要偏于清凉，如菊花、芦根、沙参、元参、百合、绿豆、扁豆、山药、冬瓜之类，配伍煎水代茶、煮粥均可，切忌过于温热，损伤阴津；也不宜过于寒凉滋腻，反使暑热内伏，不能透发。时至小满，“春困夏乏”，使人精神不易集中，应经常到户外活动，吸纳大自然清阳之气，以满足人体各种活动的需要。

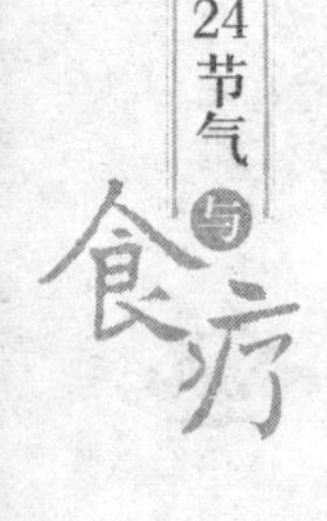

芒种时节，我国长江中下游地区将进入多雨的黄梅时期。黄梅雨季，一般约为一个月左右时间，一般在芒种后数日“入梅”(“进梅”)。黄梅时节，多雨潮湿，由于湿气能伤脾胃，故此时要注意保护脾胃，少食油腻，以免外湿影响消化功能。

其时，阳气旺盛，天气炎热，稍有不慎极易发生疾病，如急性肠胃炎、中暑、日光性皮炎、日光性眼炎等，都是夏季的多发疾病，痢疾、乙脑、伤寒等都是夏季易发的传染病，应注意预防。

③夏至

夏至以后，太阳逐渐南移，白昼自此逐渐缩短。但由于太阳辐射到地面的热量，仍比地面向空中发散的多，故在短期内气温继续升高。

自夏至日至立秋后的三伏天，是一年中最炎热之阶段，也是人体调补和治疗宿疾的最佳时期之一。夏至日，是一年中阴阳气交的关键。冬季易发的慢性疾病，利用夏季病情平稳时期进行调补，对治愈或减轻慢性病的复发有较好的作用。故祖国医学对冬病夏治非常重视。古书云："春夏养阳"，即是说在夏天调补时要偏于温补人体的阳气，顺应春夏阳气旺盛的变化，这对于易感受阴寒之气及阳虚病人尤为重要。

④小暑

小暑时节，万物繁荣秀丽，天地气交，人们可晚睡早起，情志愉快不怒，适当活动，使体内阳气向外宣泄，才能与"夏长"之气相适应，符合夏季养"长"之机。这段时间应适当参加户外的活动。较为合适的娱乐活动如听音乐，可使人忘却夏季炎热的烦恼，音乐悠扬舒缓的旋律、节奏、音调，对人体都是一种良性刺激，能改善大脑及各系统功能，协调各系统器官的正常活动，促进血液流通，增加消化液的分泌，还能提高人的修养，"听曲消愁，有胜于服药矣"。另外，电影亦有同样的作用，但要避免过于疲劳。看完电视后，用肥皂洗脸，可以洗去电视荧屏静电荷带来的污染。但是，老人、儿童、体弱者，应适当减少户外活动，避免中暑。

⑤大暑

大暑，正值中伏前后，我国大部分地区已进入一年中最热的时期。

由于天气炎热，食欲减退，食物选择要以清淡芳香为主，清淡易消化，芳香刺激食欲。同时，进食要定时定量，可提高胃液分泌量，增加食欲。要多饮开水，饮用时加少量食盐。适当吃些瓜果冷饮，可起到降温防暑的作用，特别是新鲜果汁，如橙汁、苹果汁、柠檬汁、番茄汁、西瓜汁、菠萝汁等。但要注意冷饮不能吃得过多，否则，冷饮刺激肠胃道内壁，减少消化酶的分泌，会发生肠胃疾病，出现食欲减退、消化不良等症状。例如西瓜，虽是一种消暑利尿的佳品，若吃多了也会肚腹膨胀，不利消化，再则小便增多，也会使人感觉疲劳，尤其是小儿、老人和有慢性支气管炎、慢性肠胃炎、内脏下垂等气虚病人，更不宜多食。这段时间气温很高，生活中应注意不要食用变质或不洁食物，切勿生食海鲜，不吃醉、糟及炝类食物，以防消化道疾病的出现。

5.秋季六节气与人的生命健康

秋季的主气是“燥”，在人体内，肺属燥金，其气应秋。秋高气爽，空气清新，有利于肺主气、司呼吸之功能；但到秋分以后燥气过盛，与风相合形成风燥之邪，必首先侵袭肺所主的皮毛和鼻窍，若肺的宣发正常，就能很快作出应答，将卫气宣发输布至皮肤、鼻窍，使皮肤、毛发滋润，腠理致密，鼻窍通利，则无论何种燥邪均不能进入体内，使人们可以顺利地度过秋季。假如秋燥之气太盛，超过了人体的防御能力，或虽燥邪不盛，而肺本身的主气、宣发功能薄弱，无力适应秋季的气候变化，无力抵御外邪，则肺所主的皮毛、鼻窍和肺自身就首当其冲，会受到燥邪的危害而产生一系列的病变。

燥邪为病，有外燥、内燥之分：外燥是自然界燥邪从鼻窍、皮毛而入，常从肺卫开始，但有温燥、凉燥之别；内燥多由汗下太过，或精血内夺，或年老液亏，以致机体阴津枯涸所致。

燥邪为病的主要病理特点是：

一是燥易伤肺，因肺喜清肃濡润，主呼吸而与大气相通，外合毛皮，故外界燥邪极易伤肺和肺所主之地。

二是燥胜则干，在自然界可出现田地龟裂、禾苗枯槁、树叶焦黄；在人体，燥邪耗伤津液，也会出现一派干涸之象，如鼻干、喉干、咽干、口干、舌干、皮肤干燥皲裂，大便干燥、艰涩等等。故无论外燥、内燥，一旦发病，均可出现上述津枯液干之象。当然，内燥不限于肺，其他脏器的阴亏液竭，亦可形成内燥之证。

在初秋七月，暑气余威尚盛，又兼雨水甚多，所以中医学将农历七月称为长夏。长夏主湿，脾主长夏，所以早秋七月以脾胃病居多。脾喜燥恶湿，湿邪留滞，最易困脾。湿为阴邪，易阻遏气机，损伤阳气，致脾阳不振，运化无权，水湿停聚，发为水肿或腹泻；何况长夏七月，天气尚热，人们喜食生冷瓜果、冰冻饮料，更助湿邪，损伤脾阳，所以秋七月易见腹满、腹泻之症。脾阳不振，不能运化水湿，水湿停聚而生痰。早秋脾伤于湿，可为冬天的慢性支气管炎等疾病的复发种下病根，所以《素问·阴阳应象大论》说："秋伤于湿，冬生咳嗽"。湿性重着，外湿之邪，侵犯经络筋骨，使经筋阻痹，可出现"湿痹"、"着痹"。

由上述可见，由于秋季气候变化复杂，不但多见其主气"燥"所引起的各种病症，还可见长夏湿邪为患所致的多种疾病，并为冬季常见的慢性病种下了病根，所以，秋季饮食养生就须针对天地变化特征、人体生理病理特点而选择相应的饮食。

(2) 秋季六节气分别对人体健康的影响

①立秋

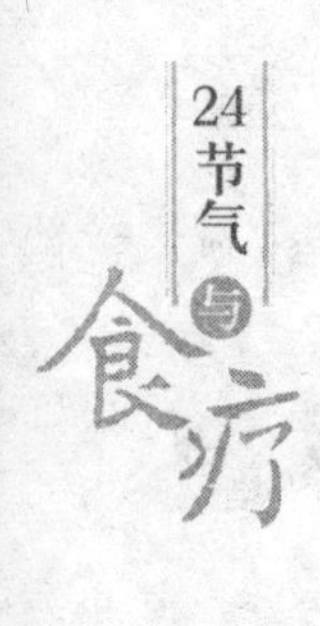

立秋正值末伏前后，气温虽然开始下降，但还有"秋老虎"的威势，江南地区的气温仍可高达35℃以上，夏日的余威仍然存在。立秋后，虽然气温仍高，但早晚气温比夏天要低一点。人们锻炼要注意，应避免在车辆过多的道路上晨练；晨练不宜过早，应在太阳升起之后；出汗后应用干毛巾擦干，或及时洗澡换衣服，以防感冒。

立秋后阳气转衰，阴气日上，自然界由生长开始向收藏转变，故养生

原则应转向敛神、降气、润燥、抑肺扶肝，这样才能保持五脏无偏。善养生者，须早睡早起，以旺生气；收敛神气，以避杀气。饮食增酸减辛，以助肝气。

②处暑

处暑时节,我国大部分地区气温逐渐下降，雨量减少，空气中的湿度也相对减少，使人有秋高气爽之感。但此时燥气也开始生成，人们会感到皮肤、口鼻相对干燥，故应注意秋燥的预防，多吃甘寒汁多的食物，如各种水果、麦冬、芦根等。

处暑时节，人们应早睡早起，以使情绪安定宁静，预防自然界的肃杀之气对人的影响；收敛神气，使情志与“秋收”相应，符合秋季养“收”之机。人体也是处于收获的时期，机体已由活跃、外向、支付阶段，转变过渡到沉静、内向、积蓄的阶段。又由于夏季人体消耗多而吸收少，故在天气稍凉之时，应注意机体的补充，故秋天又是进补的重要季节。秋天阳气由升浮趋于沉降，生理功能趋于平静，阳气逐渐衰退，要注意起居调节，防止受寒。虽有时气温还偏炎热（如秋老虎天气），也不宜再多食冰糕之类冷饮食品，以保护脾胃消化功能。

③白露

白露时节,我国大部分地区气候转凉，天气偏于干燥。秋气应肺，燥气可耗伤肺阴，故会产生口干咽燥、干咳少痰、皮肤干燥、便秘等症状。这些都是秋季养生进补时应考虑的因素，“燥者濡之”、“上燥清气，中燥增液，下燥养血”，是秋天进补的重要原则。选择药物应偏于柔润温养，但又应温而不热，凉而不寒，总以不伤阴不耗阴为要。清燥救肺汤（沙参、麦冬、桑叶、胡麻仁、甘草、杏仁、石膏、阿胶、枇杷叶）是重要的秋令进补方之一，对于秋燥伤津，要多吃些蔬菜、水果，如生梨、荸荠、甘蔗之类，以润肺生津，尤以柚子为最佳果品。

白露还是风湿病、高血压病容易复发的时节，所以要注意保暖，夜晚可盖薄被，不要再赤膊贪凉，正如俗话所说：“白露身不露”，以免引发旧疾，或感染新恙。晨起外出，宜暖其服，勿空其腹，但食勿过饱，免生壅塞，不利气机运转。

④秋分

秋分时节，秋风送爽，是人们感觉最舒适的一个时节，故在此时应多去户外活动。动静结合，调心肺，动身形，畅达神态，流通气血，对身心健康大有裨益。高雅艺术的无穷魅力，会唤起无限的生活情趣。

⑤寒露

寒露时节，我国大部分地区天气转寒，小儿、老人尤要随时留意，免受风寒。但又要注意适当“秋冻”，即中国传统保养法之“薄衣法”。“薄衣法”就是在气候开始转凉时，慢慢增加衣服来逐渐锻炼机体抗寒能力的一种方法。使人体的毛孔处于关闭状态，抗寒的能力就会大大增强，这

对体弱者预防感冒极为有益。当然，“薄衣法”并非要求人去挨冻，其原则是以穿衣不出汗为度，随气温的高低和运动的强度，及时更换衣服，避免汗孔大开，而引风邪寒气入内。

由于天气渐渐寒冷，人体血管也开始收缩，故此时应注意心血管病，如冠心病、高血压、心肌炎等的复发。

⑥霜降

霜降是秋季的最后一个节气，此时阴气更甚于前，植物开始凋零。当此之时，切忌受寒，晨起宜较前月略晚为宜，以避霜冷寒气。

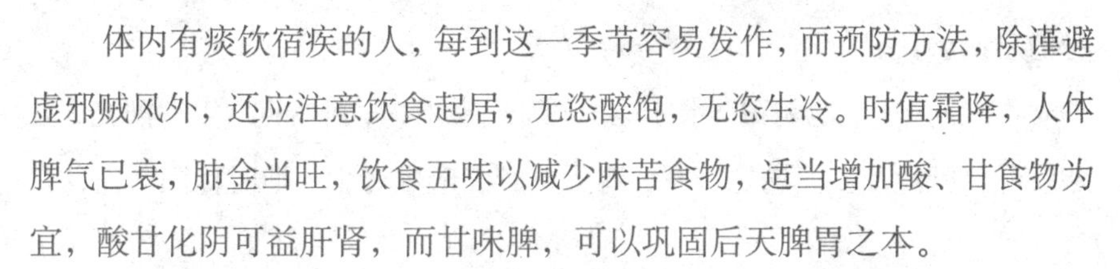

体内有痰饮宿疾的人，每到这一季节容易发作，而预防方法，除谨避虚邪贼风外，还应注意饮食起居，无恣醉饱，无恣生冷。时值霜降，人体脾气已衰，肺金当旺，饮食五味以减少味苦食物，适当增加酸、甘食物为宜，酸甘化阴可益肝肾，而甘味脾，可以巩固后天脾胃之本。

6.冬季六节气与人的生命健康

（1）冬季所引起的人体的生理变化

冬季是万物生机潜伏闭藏的季节，此时天寒地冷、万物凋零，一派萧条零落的景象。在北方，寒冬腊月，冰天雪地，如唐代柳宗元在《江雪》中描写冬天的景象一样，“千山鸟飞绝，万径人踪灭”。自然界的许多动物都纷纷回归巢穴，进入“蛰伏”的冬眠状态之中。即使在南方也因为天气寒冷，日短夜长，人们大都相对减少户外活动，早睡早起；平时则添衣加被，避免受寒潮之侵袭。因此，在冬季由于气候寒冷，使人容易发生各种风寒引起的疾病。

到了冬季，寒气当令，人体阳气收藏，气血趋向于里，皮肤致密，水湿不能从体表外泄，经肾、膀胱的气化，少部分变为津液而散布周身，大部分化为水，下注膀胱成为尿液，无形中就加重了肾脏的负担。所以，到了冬季，肾炎、肾盂肾炎、遗尿、尿失禁、水肿等病就容易复发或加重。

冬季以寒气为主，若人们不能应时增添衣被，就可使人抵抗力下降，心、胃、肺等脏器的功能紊乱，甚至引起气管炎、胃痛、冠心病复发，使感冒、关节痛、咳嗽、风湿性关节炎、高血压等病发生或加重。

(2) 冬天6节气分别对人体健康的影响

①立冬

立冬是冬季开始的节气，人们脱下秋装，换上冬衣，开始过冬，特别要注意防寒保暖，以保护人体阳气。

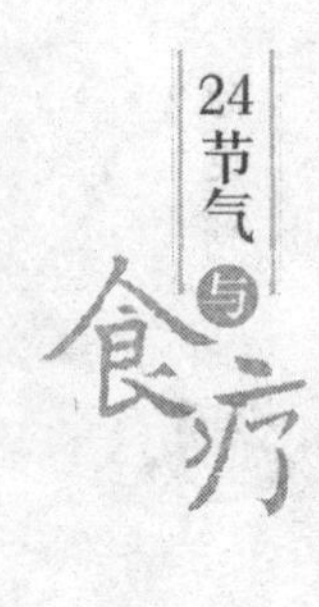

祖国医学对立冬以后的养生有着丰富的经验，如元代丘处机《冬季摄身消息论》说：

“冬三月，天地闭藏，水冰地坼，无扰乎阳，早卧晚起，以待阳光，去寒就温，毋泄及肤，逆之伤肾，春为痿厥，奉生者少。斯时伏阳在内，有

疾宜吐，心膈多热，所忌发汗，恐泄阳气故也。宜服酒浸补药或山药酒三杯，以迎阳气。寝卧之时，稍宜虚歇。宜寒极稍加棉衣，以渐加厚，不得一顿便多，惟无寒即已。不得频用大火烘炙，尤其损人。”

②小雪

小雪时节，要适当减少户外活动，要注意保暖，避免阳气的消耗。但仍应积极参加各种娱乐活动，也可此外作短途的旅游。生活娴静的人，可以练习篆刻书法，小天地中有艺术大趣味，静心养性，有益于延年益寿。还可亲自下厨烹调，也是生活的一大乐趣，可产生新的体验，获得一次次新的成功，创造美的享受。

小雪后天气逐渐寒冷，人体易患呼吸道疾病，如上呼吸道感染、支气管炎、肺炎等，特别是小儿。在这个季节中，由于气候变化，衣着不慎很容易引起感冒和支气管炎。在这个时节，“薄衣法”仍应坚持，慢慢加衣，不要一下子穿得太厚太臃肿。其原则是以穿衣不出汗为度，避免汗孔大开，引风邪寒气侵入人体。

③大雪

大雪时节，万物生机潜藏，不要轻易扰动阳气，应早睡晚起，保持沉静愉悦。避免受寒，保持温暖，室温以16～20℃最为理想。冬天居室还要保持合适的湿度，应在30%～40%，湿度过低会使上呼吸道黏膜水分丢失，防御功能降低，咽喉干燥。在使用取暖器的时候，尤其要注意室内空气中的湿度，必要时可放一盆水或在屋里养一些鱼，以防空气过于干燥。

大自然春生、夏长、秋收、冬藏，人体保健要与自然界统一，如果违反这一规律，人的健康就会受到影响。冬令进补就是要在“藏”字上下功夫，冬藏为了养精蓄锐，为来年春天万物复苏、生机蓬勃提供充沛的物质基础。古曰“秋冬养阴”，阳虚病人，冬季补温补阳气的同时，也应重视养阴，补充人体的阴精。阴精的充沛，也有利于阳气的生长。

④冬至

冬至是一年中白昼最短夜晚最长的一天，是天地阴阳气交的枢机。阴盛阳衰，阴极生阳，一阳萌动，是人体阴阳气交的关键时刻。许多宿疾最易在这一时期发作，如呼吸系统、泌尿系统疾病在这时期发病率相当高，为防止这一时期疾病和促进人体健康，祖国医学特别重视冬令进补。冬令进补多选择冬至开始，这与宇宙间天地阴阳气交相合，可以促进人体阳气的萌生，消耗相对减少，进补后可发挥最大的药效，且可保存封藏最长的时期。

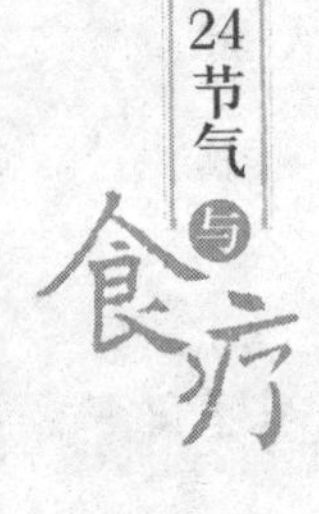

⑤小寒

小寒时节，要注意防寒保温，减少户外活动。

冬月阳气在内，阴气在外，人们不要扰动阳气，早睡晚起，不要让皮肤开泄出汗耗阳，使人体与“冬藏”之气相应。

小寒食补宜进食羊肉，羊肉含有蛋白质、脂肪、钾、钙、磷、铁等矿物质及维生素B、B2，能补阳养血，阳虚体质尤宜。海参、鱼翅也是很好的冬令补品，海参更被称为“童叟补剂”，易消化，易

吸收，多食有益。

小寒时节要适当减少阳气的消耗，但仍应积极参加健身运动和娱乐活动，但以适度为宜。

⑥大寒

大寒，是冬季最后一个节气，也是一年中最后一个节气。大寒节气，气温很低，人体应固护精气，滋养阳气，将精气内蕴于肾，化生气血津液，促进脏腑生理功能。所以青壮年在寒冷冬季应减少性生活，以适应生理功能处于低潮、人体培养精气的需要。大寒时节，更应注意防寒保暖，防止冻疮和促进四肢末梢的血液循环。大寒，最为严寒之时，但寒极必反，也就是说，春天已经不远了。

三、顺应二十四节气的饮食进补

饮食是维持人体生命活动的物质基础。人的肌体虚弱则须补，用补法使人正气充盈、祛病强身、抗衰防老、延年益寿的目的，就称为进补。进补，有药补和食补之分，当以食补为佳。食补应顺随二十四节气的特点，以及人的生理特点，进补其味。这样才能做到饮食五味与天人相应，使人体受益，“终身常尔则百病不生矣”。

1.饮食进补的基本原理

饮食进补（简称“食补”），离不开食物的性能和应用。

合理利用食物的性能是食补应用中的具体问题，主要是指合理选择食物、合理烹调加工、采用适当的食品类型等。首先，必须注意合理选择食物，如果食物种类选择得当，又具有相应的食补性能，加之搭配合理，就能符合人体健康的需要，同时又能达到一定的治疗目的。反之就可能对人体健康不利或引起某些疾病的发生。

在一般情况下，食物多采用单独食用，但为了增强食物的食疗效果和可食性，以及营养保健作用，也常常把不同的食物搭配起来应用，食物的这种搭配关系称食物的配伍。食物之间或食物与药物通过配伍，由于相互影响的结果，会使原有性能有所变化，因而可产生不同的效果。根据食补的具体情况，可以概括为以下四个方面：

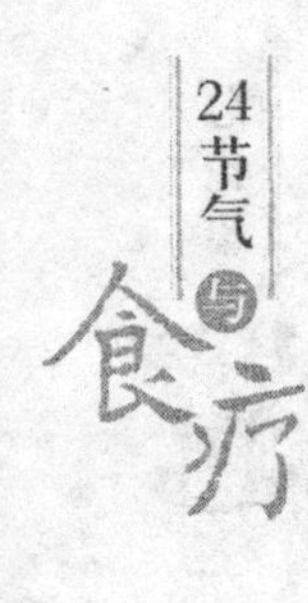

（1）相须相使

即性能基本相同或某一方面性能相似的食物互相配合，能够不同程度地增强原有食补功效和可食性。如当归生姜羊肉汤中，温补气血的羊肉和补血止痛的当归配伍，可增强补虚散寒止痛功效；与生姜配伍可增强温中散寒效果，同时还可去除羊肉的腥膻味。又如菠菜猪肝汤，菠菜与猪肝均能养肝明目，两者相互配伍可增强补肝明日之功效，长于治疗肝虚目昏、

夜盲症等。

(2) 相畏相杀

即当两种食物同用时，一种食物的不利作用能被另一种食物降低或消除，在这种相互作用的关系中，前者对后者来说是相畏，而后者对前者来说是相杀。如经验认为大蒜可防治蘑菇中毒，橄榄能解河豚、鱼、蟹引起的轻微中毒，蜂蜜、绿豆解乌头、附子毒等均属于这种配伍关系。

(3) 相恶

即两种食物同用后，由于相互牵制，而使原有的功能降低甚至丧失（产生这种配伍关系的食物其性能基本上是相反的）。如食银耳、百合、梨等养阴生津润燥的食物，又加食辣椒、生姜、胡椒等，就会减弱前者的功能；又如食羊肉、牛肉、狗肉之类温补气血的食物后，又食绿豆、鲜萝卜、西瓜等，则前者的温补功能也会相应减弱。在日常饮食中，这类不协调的食物同时出现在食谱里的情况很少，但是各地习惯不同，而且人们有时可能进食多种食物，所以有时也可能遇到这种情况。

(4) 相反

即两种食物同用时，能产生毒性反应或明显的副作用。据记载有蜂蜜反生葱、反蟹，海藻反甘草，鲫鱼反厚朴等，但这类情况均有待进一步证实，从人们长期饮食经验看，食物相反的配伍关系极为少见。

在多数情况下，食物通过配伍后，不仅可以增强原有的功效，而且还可以产生新的功效。因此，配伍使用食物较之单一的食物有更大的食疗价值和较广的适应范围。此外也可改善食物的色、香、味、形，增强其可食性，提高人们的食欲，这就是配伍的优越性，也是食物应用过程中的较高形式。根据以上食物配伍的不同关系，在实际应用中，就可以决定食物的配伍宜忌。此外，还应当指出，一些地区喜欢在做菜时加生姜、葱、胡椒、花椒、辣椒等佐料，如果佐料与食物的性能相反，不能一概认为是相恶的配伍。如凉拌蔬菜时加入姜、葱或花椒、辣椒一类佐料，因实际上用量较少，主要仅起到开胃、美食、增进食欲的作用。

2.饮食进补的目的

人一年四季都可进补,主要包含有修补和补充、补益、滋补的意思。其对人体的真正含义是,在中西医理论指导下,运用传统或现代科学的方法，通过食物、药物及其他辅助方法，使人体组织、器官的功能得到修补和补充,从而维持人体正常的生命活动。根据中医的观点，人的机体只要始终调整在阴阳相对平衡的状态中,就可以预防和减少疾病的产生。即不论哪个季节的进补，都可根据季节的特点，并结合人的体质和食物、药物的性味等实行，以达到调整人体阴阳，使之恢复动态平衡。

由于人的生理功能不可一日有停歇,工作劳累、疾病等在一年四季中都可能发生，因而也需要及时的调补，不能机械地认为只有某节令才能进补，以致延误康复，这就是四季都应进补的原因。

所谓补是针对虚而言的，只要见到虚的现象，都可以补。虚的现象可表现出各种征状，叫做虚证。一般所说的虚证，其内容很是广泛。由于脏腑亏损情况不同，其临床表现也不一致。常见的虚证有阴阳、气血、五脏虚损等数种。

（1）阴虚

一般表现为营养物质不足而偏于热象，可见潮热盗汗，颧红骨蒸，手足心热，口燥咽干，心烦失眠，头晕耳鸣，夜梦纷纭，遗精，舌红苔少，脉细数。临床上有心阴虚、肺阴虚、肝阴虚、脾（胃）阴虚、肾阴虚等不同类型。

①心阴虚

表现为心悸健忘，失眠多梦，五心烦热，盗汗，口燥咽干，舌红少津，脉细数。多见于营养障碍、神经官能症、贫血、甲状腺功能亢进（甲亢），以及某些先天性心脏病、心动过速、心律不齐等心脏疾患。

②肺阴虚

表现为干咳少痰，或咳痰挟血，口咽干燥，声音嘶哑，形体消瘦，甚则午后潮热，五心烦热，盗汗颧红。多见于慢性支气管炎、肺结核等疾患。

③肝阴虚

表现为眩晕耳鸣，头痛且胀，面红目赤，急躁易怒，失眠多梦，健忘心悸，舌红绛，脉细弦数。常兼见肾阴不足、肝阳上亢等症。多见于高血压、甲亢、神经官能症、贫血等疾患。

④脾（胃）阴虚

表现为口舌干燥，饥不欲食，脘痞不畅，或干呕呃逆，大便干结，小便短少，舌光红少苔，脉细数。多见于萎缩性胃炎、慢性消化不良、便秘等疾患。

⑤肾阴虚

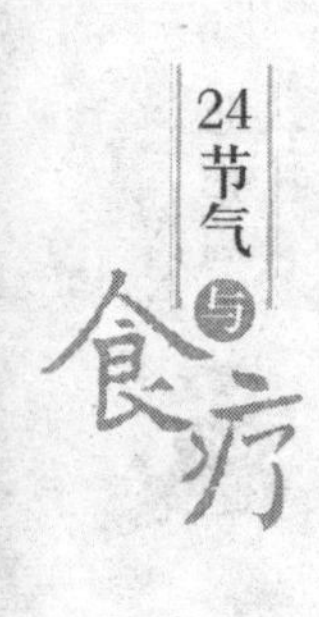

表现为腰膝酸软，形体消瘦，眩晕耳鸣，视力减退，健忘少寐，或伴咽干口燥，入夜更甚，五心烦热，午后潮热，盗汗颧红，女子经少经闭或崩漏，男子遗精，舌红少苔，脉细数。常兼见心阴虚、肝阴虚、肺阴虚。多见于高血压病、神经官能症、心动过速、甲亢、肺结核、慢性支气管炎、糖尿病、无排卵性功能性子宫出血等疾患。

(2) 阳虚

一般表现为功能减退而偏有寒象，可见形寒肢冷，面色苍白，精神萎靡，舌淡胖嫩，苔白或薄白，脉弱无力等症。临床上又可分为心阳虚、脾阳虚、肾阳虚3种类型。

①心阳虚

除了上述症状外，兼见面色滞暗，心胸憋闷，或心前区疼痛，舌色紫暗。常与心气虚同时存在，严重时可伴见肾阳虚症状。多见于慢性心力衰竭、心绞痛、心肌梗死、心律不齐、先天性心脏病，以及全

身衰弱、神经官能症等疾患。

②脾阳虚

除阳虚共有症状外，兼见面色不华，食少纳呆，食后脘腹胀满隐痛，喜按喜温，大便溏薄，或肢体水肿，小便不利，或白带清稀量多，脉弱而沉细。常伴见肾阳虚症状。多见于慢性消化不良、泄泻等肠胃功能减退性疾病，以及水肿、带下等慢性疾病。

③肾阳虚

除上述症状外，畏寒肢冷、腰膝酸软、面白神疲等症更为明显，男子阳痿，女子宫冷不孕、带下清冷。可兼见脾阳虚之症，伴五更泄泻，大便完谷不化，腹部冷痛，或伴严重水肿，按之皮肤凹陷不起；也常与心阳虚等症同时并见。多见于全身性衰弱、慢性消化功能障碍、慢性肾功能减退、性功能减退等疾患。

(3) 气虚

脏腑功能减退所表现的症候，见头晕目眩，少气懒言，疲倦乏力，自汗，动则加剧，舌淡，脉虚无力。可伴见脘腹坠胀，食后更甚，脱肛，子宫脱垂，或见崩漏，便血等。一般可表现为心气虚、肺气虚（兼卫气虚）、脾气虚、肾气虚等类型。

①心气虚

表现为心悸气短，动则更甚，面色苍白，神疲体倦，自汗少气，舌淡苔白，脉细弱或结代。多见于心阳虚所见的疾患。

②肺气虚

表现为神疲体倦，咳喘乏力，动则气短，声音低

怯，面色苍白，舌淡，脉象虚弱。因卫外功能减退，故尚见畏风怕冷，自汗，易感冒等卫气不足的病症。多见于慢性支气管炎、肺气肿、肺心病等疾患。

③脾气虚

表现为食少纳呆，食后腹胀，大便不实，少气懒言，四肢倦怠，消瘦面黄，舌淡苔白。若伴见脾气下陷，可有言语低怯，气短乏力，食后即胀，脘腹重坠，便意频数，或久泄脱肛，或子宫脱垂等症。脾气虚不能统血，可见便血，皮肤紫癜，妇女月经过多或淋漓不净。多见于肠胃功能减退，胃下垂，脱肛，子宫脱垂，血小板减少性紫癜，崩漏等疾患。

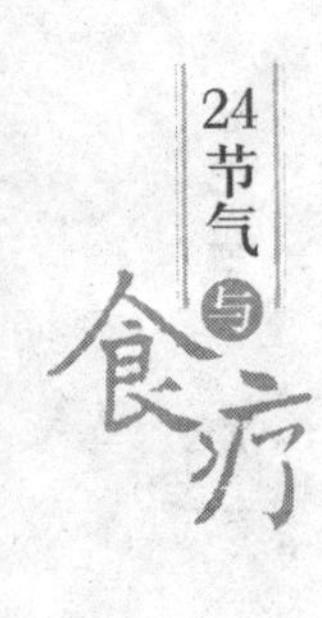

(4) 血虚

面色苍白或萎黄，头晕眼花，失眠心悸，健忘，唇色淡白，舌淡，脉细无力。可有心血虚、肝血虚不同表现。

①心血虚

除血虚症状外，以心悸怔忡、健忘、失眠、多梦等症候为主。可见于贫血、神经官能症、习惯性流产等疾患。

②肝血虚

除血虚症状外，以眩晕耳鸣、寐少梦多、眼睛干涩、视物模糊或雀目、肢体麻木、筋脉拘急、肌肉颤动、爪甲不荣、妇女经量减少或闭经不行等症

为主。可见于贫血、神经官能症、月经不调、夜盲等疾患。

(5) 肾精不足

症见智力减退，骨骼发育不良，小儿发育迟缓，身材矮小，动作迟钝,骨骼萎软，囟门迟闭，或见“鸡胸”、“龟背”等；成人须发早白早脱，齿摇，健忘，足痿无力，男子少精不育，女子经闭不孕等。多见于小儿发育不良，成人不孕不育、性功能减退、早衰等疾患。

以上各种虚损病症一年四季都能发生，并不仅限于某一季节才会见到。因此，对于虚证而言，无论它们在哪一季节出现，都应该及时进补以保持健康的身体。

3.饮食进补的基本特点

保健养生的四季食补并不等同于现代医学的“营养学”和“饮食学”，它是在中医基础理论的指导下，总结了历代食疗营养的宝贵经验而形成的，具有中医学的鲜明特点。归纳起来主要有以下几点。

(1) 预防为主

预防为主的思想是祖国医学的重要特点之一。《素问·四气调神大论》指出“圣人不治已病治未病，不治已乱治未乱。”这种防患于未然的预防思想不仅贯彻在运用一般的医疗行为（如药物、针灸等）中，以防治疾病、消除各种致病因素，也充分体现在中医食物的四季补养中。如《千金要方》中说：“不知食宜者，不足以存生也”，“夫在身所以多疾此皆由……饮食

不节故也。”指出不注意饮食营养卫生，是多种疾病发生的直接原因。说明了注意饮食卫生对保持健康具有重要意义。

中医的“预防”包括无病防病和有病防变两重意义，四季食物疗养也是如此。人体在未病之时或患病之后，都需要注意营养卫生和调理，并以饮食作为调治疾病、防止疾病加重或并发其他严重疾病的重要手段。只有在饮食疗法效果不够满意或失效时，才诉诸药物治疗。如《千金要方·食治》相当明确地指出“食能排邪而安脏腑，悦神爽志，以资血气。若能用食平病释情遣疾者，可谓良医。”《素问》亦强调指出在治疗疾病的过程中，人们必须注意不要一味用药物攻伐病症，而应该在用药物除去大部分疾病以后，随即用饮食调养正气，祛尽余邪，否则药物将会在治病的同时损及人体正气。

（2）辨证配食

辨证论治（就是在临床治疗时要根据不同的病情，结合病人的精神、体质以及环境等各种因素，全面综合分析，从而正确地辨认出不同的“证”，然后针对不同的“证”施以恰当的治疗，以达到治愈疾病的目的）是中医治疗学的一条基本原则，是中医的精髓之一，这一原则贯彻于中医的多种疗法中，同样也体现在食物调养中。

多种疾病都有其饮食宜忌，讲求饮食宜忌，是疾病能否早日痊愈，抑或趋于恶化的关键，必须十分注意。在中医的食物调养中，特别重视脾胃功能。胃为水谷之海而具有腐熟水谷的功能，脾能运化水谷精微而把食物的精华输送到全身，是后天给养的来源。因此脾胃功能的强弱，对于战胜病邪、协调人体阴阳、强壮机体、扶正祛邪、恢复机体功能等，具有十分重要的作用。

一般地说，大多数疾病的病程中，脾胃功能是减弱的，食欲大多呆滞，对此必须特别注意；即使是与病症相宜的饮食，也应适当控制，切忌进食过多，反而增加脾胃负担，以致不能消化而使疾病加重，或愈而复发即所谓“食复”，或引起其他病症。对于虚弱的病人，虽然很需要在饮食上给以调补，但由于其脾胃功能衰减，因而不能以滋腻厚味来滋补，应给予清淡且易消化的补养食物，以促进食欲，逐渐增强脾胃功能。

总之，应根据病人脾胃消化、吸收、运化的功能状态而给予不同的膳食，这是辨证配食中首先要考虑的问题。

其次，在辨证配食时，要根据病证的阴阳、虚实、寒热，根据《内经》中提出的“虚者补之”、“实者泻之”、“寒者热之”、“热者寒之”等治疗原则，分别给予不同的饮食治疗。对虚证，要注意区别是阴虚还是阳虚而给予补养的食品，阳气虚弱者应该甘温益气，以便阳气旺盛；阴精亏损者应该补益精血，以使阴精充足；阴虚火旺者宜用甘凉清补（清补的食品主要有山药、莲子、百合、冰糖、桑椹、藕、豆腐、蜂蜜、赤小豆、绿豆、鸭、甲鱼、蚌肉、鸭蛋、面筋、牛乳、薏苡仁、粳米、小麦等），阳虚畏寒者宜用辛甘温补（温补的食品主要有羊肉、牛肉、狗

肉、鸡、鸽、鳝鱼、海参、淡菜、荔枝、桂圆、核桃、板栗、红糖、胡萝卜、糯米等）。对于实证，则要辨别是哪种实邪，如病由热邪引起，要给予清凉的饮食（如西瓜、鲜藕等），如病由寒邪引起，就要用温热的饮食（如干姜、羊肉、红糖等）。

再次，还要辨明疾病属于哪一脏腑，根据病症所在的脏腑采用不同的饮食进补方法。如《灵枢·五味》曰："脾病者，宜食糯米饭、牛肉、枣、葵；心病者，宜食麦、羊肉、杏、茸；肾病者，宜食大豆黄卷、猪肉、栗、藿；肝病者，宜食麻、犬肉、李、韭；肺病者，宜食黄黍、鸡肉、桃、葱。"这种依据脏腑辨证进行配餐的饮食方法，并非杂乱搭配，毫无原则的，而是以中医五行生克为其理论基础的。例如牛肉、枣、葵等既用于脾病又用于肝病，这是由于甘可入脾补脾，而甘味又可以缓肝之苦急，不致使肝木偏旺而克脾土，从而使脾病得以康复。

此外，历代的劳动人民还在实践中总结了不少对某些疾病具有特殊效果的食补方法，如葱白、豆豉驱散风寒，马齿苋治痢疾，鲤鱼、赤小豆利水等，都可以根据病情适当选用。以上所举饮食进补的例子说明，在实际工作中如能掌握辨证配食这个食补原则，就能灵活变化，应付自如。

（4）性味辨解

食物之所以具有治疗作用，是因为它们与药物一样，本身也有性味的偏胜。我们可以利用食物的不同性味，针对疾病的性质，采用正治、反治等方法，以调整人体气血阴阳，祛邪扶正，使阴阳平衡，恢复健康。

药有药性，食物有食性，食性和药性一样，可分为四气（或四性）五味，也就是寒热温凉、辛甘酸咸苦。但是，食物的四性不如药物的四性分得那么清楚，一般只分成温热性和寒凉性两大类，而介乎两大类之间者则归入平性（即不冷不热之类）。食物之温热寒凉，是根据它们对身体所产生的影响来决定的，能减轻或消除热证的食物属寒凉性（如发热时食用的西瓜、梨或荸荠等），能减轻或消除寒证的食物一般属于温热性（如阳虚的人食用羊肉、生姜等食物）。

食物之性味必须与疾病的属性相适应，不同的证有其不同的饮食禁忌。如寒证应忌生冷、瓜果等寒冷性食物，而宜食温性、热性食物；热证宜食寒凉、平性食物，忌食温热性食物，应忌辛辣、姜、葱、蒜、烟酒及油炸之类；阳虚宜温补，忌食寒凉；阴虚者宜清补，忌食温热性食物。又如肺结核患者，大多数属于阴虚体质，应禁忌辛辣动火、伤阴伤络的食物，若食之可能引起咳血；水肿病者，必须忌盐，因盐属咸寒之品，可使水肿加重；肝阳上亢之体，应忌进食动风或动火之食物，若食辛辣、温热之物，易致动风升阳，使病情加剧。

食物的五味与治病的关系非常密切，不同味的食物具有不同的治疗作用。一般认为：

辛味，具有行气、活血、发散的作用，通常用以治疗表证及气血阻滞的食物多含有辛味（如葱、姜、薄荷、辣椒、胡椒等），辛而温的食物则兼能散寒。

甘味，具有和中缓急、补益中气的作用，通常用以治疗虚证及拘急疼痛的食物多为甘味（如蜂蜜、饴糖、甘草等），甘味食物而质润者则兼能润燥（如蜂蜜等）。

酸味，具有收敛、固涩的作用，通常用以治疗虚汗、泄泻和遗精诸证的食物多含有酸味（如乌梅、山楂等）。

苦味，具有宣泄、燥湿的作用，通常用以治疗热证秘结心烦、肺气上逆喘促，以及寒热湿证的食物多含有苦味（如杏仁、苦瓜、莴苣等）。

咸味，具有散结、软坚的作用，通常用以治疗硬结、瘰疬等的食物多含有咸味（如海带、海蜇、海藻等）。

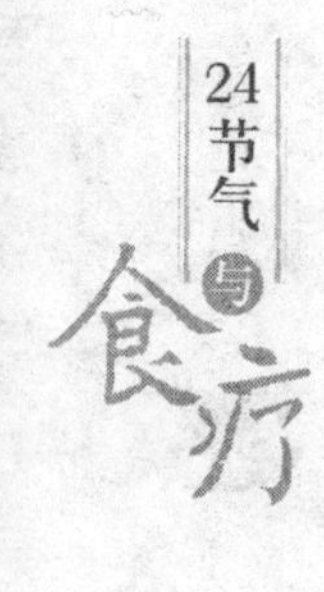

此外，疾病所在的脏腑不同，其所需食物的味也不尽相同，《素问·五脏生成篇》说："心欲苦，肺欲辛，肝欲酸，脾欲甘，肾欲咸，此五味之所合也"。可见饮食进补与食物的"味"的密切关系，需要根据不同情况加以选择。

（5）贵在调和

既然食物有不同之性味，各种性味又各归于不同的脏腑，那么要想保持健康，就必须讲究食物的五味调和，注意食物补养的要求和宜忌，掌握

其节制宜忌的规律，这样才能达到有病治病，无病则强身防病，以及延年益寿的目的。

首先，食物的宜忌与正常人体的生长发育和生理活动，以及患病情况下的阴阳调和、机体修复、扶正祛邪等都有着十分密切的关系。《素问·六节藏象论》说：“五味入口，藏于肠胃。味有所藏，以奉五气。气和而生，津液相成，神乃自生。”意指人体应使摄入之食物五味比例协调，这样才能使人体阴阳气血及脏腑功能协调，正气旺盛，身体健壮。偏嗜五味中的某一味或几味，五味即失去调和，则可由于五味有所偏胜，导致脏腑功能失调，正气受损，病邪易乘虚而入。对于病人而言，五味之调和更要讲究，切忌偏嗜某味，否则将加重病情，变证丛生。这是因为“酸走筋，多食之，令人癃。咸走血，多食之，令人渴。辛走气，多食之，令人洞心。苦走骨，多食之，令人变呕。甘走肉，多食之，令人烦心”，从而使人发生各种变证。同样，对食物的寒热温凉，也应注意调和，不宜多食偏热偏寒之食物。

饮食禁忌，是指患者在病症过程及其恢复期，应当注意某些与疾病不相宜的食物不可食。尤其在疾病恢复期，由于人体病后邪气甫去、正气未充，肠胃不胜过度负担，如仍贪食厚味或饮食过饱，则肠胃复损，病邪复侵，病症可能再度复发，中医所谓“食复”、“病遗”即指此而言。如对外科疮疡，民间一般有忌食某些鱼类、海产等“发物”的说法。

还有，食物的搭配需要互相配合。将不同性味的食物适当搭配在一起食用，可产生协同作用，使其更好地发挥治疗作用。如黄芪加薏苡仁，可以加强渗湿利水作用；赤小豆配鲤鱼，则利水作用更好；又如水产物一

般多属寒性，烹调时需加葱、姜等，目的之一就是以葱、姜的辛温来调解水产食物的寒性。此外，还要十分讲究药物与食疗的互相配合问题，即在药疗的同时要注意选择与药疗相宜的食品。中医书籍中提出了不少服药时的食物禁忌，例如服牛膝时忌牛肉，商陆忌犬肉，桔梗、乌梅忌猪肉等等。这些经验虽不一定完全正确，但也值得我们参考、验证。同时，应当注意食物的性味与所服药物的性味有否矛盾。服热药时应配以热性食物，若食了寒性食物，即能影响药物的疗效或引起不良反应，故必须尽量避免；服发汗解表药时，要禁忌生冷及酸性食物，因酸性食物有收敛作用，会使药物的发散作用不能发挥，从而影响疗效；服滋补药（如参类、鹿茸等）时，禁食萝卜，因为萝卜为破气、伤气之物，会使此类药物失效；服健脾、和胃、宽中药物时，忌食豆类、油腻食物等。

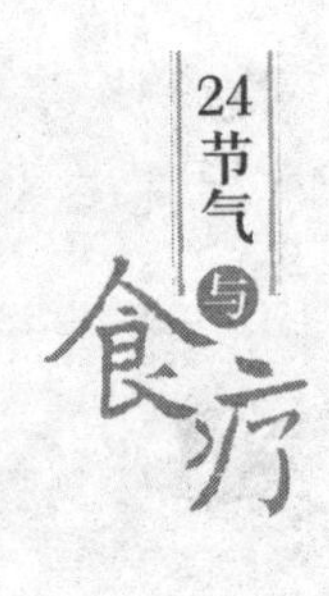

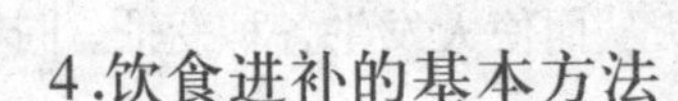

4.饮食进补的基本方法

选择具有不同功能的食物，或通过食物与中药配伍，经加工，可以制成体现中医汗、下、温、清等不同法则的饮食，主要有补气益脾法、补血滋阴法、补肾益精法和益胃生津法等。

(1) 补气益脾法

补气益脾法是补气法与健脾法的总称。补气法具有补肺气、益脾气、增强脏腑功能、强壮体质等作用，适用于气虚体质和气虚证病人；益脾法具有健脾除湿、益气升陷等功能，适用于脾虚体弱或表现为脾虚证的病人。

①补益肺气法

选用补益肺气的食物，或补益肺气的中药与食物配伍，经烹调加工制成饮食，用以治疗肺气虚证的方法。如选用大枣、饴糖、蜂蜜、鸡肉和人参、党参、黄芪等，分别制作而成。常用于肺虚气弱，喘息短气，语声低怯，易感冒或汗出等症。

②补益脾气法

选用补益脾气的食物，或补益脾气的中药与食物配伍，经烹调加工制成饮食，用以治疗脾虚证的方法。如选用糯米、大枣、猪肚、鸡肉、鹌鹑和党参、白术、山药等，分别制作而成。常用于脾虚，精神困顿，四肢乏力，食少便溏等症。

③健脾除湿法

选用健脾除湿的食物，或健脾除湿的中药与食物配伍，经烹调加工制成饮食，治疗脾虚湿困证的方法。如选用莲子、芡实、薏苡仁、赤小豆、扁豆、茯苓、白术和鲫鱼、鳝鱼等，分别制作而成，常用于脾虚水湿不运，面浮身重，四肢肿胀，肠鸣、腹泻等症。

④益气升陷法

选用补益元气的食物，或补气升阳的中药与食物配伍，经烹调加工制成饮食，治疗气虚下陷证的方法。如选用鸡肉、羊肉、鸽肉、鲫鱼、大枣制成饮食，治疗气不摄血证的方法，称为益气摄血法。如选用花生、大枣、龙眼肉、鳝鱼、墨鱼和黄芪、三七等，分别制作而成。常用于气不摄血的吐

血、便血、齿衄、肌衄、崩漏等症。

(2) 补血滋阴法

补血滋阴法是补血法与滋阴法的合称。补血法具有增强机体生血功能，补充血液不足和补心养肝、濡养身体等作用，适用于营血生化不足，久病血虚及各种失血后之血虚证；滋阴法具有滋补阴液、濡养筋骨、涵敛阳气等功能，适用于阴虚体质或热病久病后阴液不足的病人。

①益气生血法

选用具有益气生血的食物，或补气养血中药与食物配伍，经烹调加工制成饮食，治疗气血亏虚证的方法。如选用胡萝卜、菠菜、花生、大枣、龙眼肉、鸡肉、猪肝、羊肉和黄芪、当归等，分别制作而成。常用于气血两虚之面色苍白、爪甲无华、眩晕心悸等症。

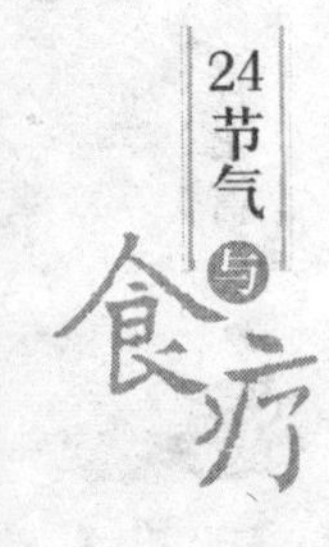

②补血养心法

选用补血养心安神的食物，或具有补血养心的中药与食物配伍，经烹调加工制成饮食，治疗血不养心证的方法。如选用龙眼肉、荔枝、大枣、葡萄、猪心、鸡肉和人参、当归、酸枣仁、茯苓等，分别制作而成。常用于心血不足，心悸怔忡，健忘失眠等症。

③补血养肝法

选用补血养肝的食物，或补血养肝的中药与食物配伍，经烹调加工制成饮食，治疗肝血不足证的方法。如选用胡萝卜、菠菜、猪肝、鸡肝和枸杞、桑椹、何首乌、当归等，分别制作而成。常用于肝血亏虚，视物昏花，眩晕胁痛，惊惕，手足麻木等症。

④滋阴熄风法

选用滋养肝阴、平肝熄风的食物，或滋阴熄风的中药与食物配伍，经烹调加工制成饮食，治疗阴虚风动证的方法。如选用桑椹、黑豆、鳖肉、牡蛎肉、鸡子黄和龟板、鳖甲、白芍等，分别制作而成。常用于肝阴不足，虚风内动的手足蠕动，筋脉拘急，头目眩晕等症。

⑤滋阴清热法

选用滋阴清热的食物，或滋阴清热的中药与食物配伍，经烹调加工制成饮食，治疗阴虚阳盛证的方

法。如选用梨、藕、龟肉、鳖肉、牛乳、鸡子黄和生地黄、龟板、枸杞、桑椹等，分别制作而成。常用于阴虚火旺之五心烦热，骨蒸盗汗，潮热颧红等症。

(3) 补肾益精法

补肾益精法具有补肾气、充元阳、填精髓、强筋骨等功能，适用于肾气不足，精髓亏虚所致发育迟缓、早衰或遗精不育等症。

①补肾滋阴法

选用补肾滋阴的食物，或补肾滋阴的中药与食物配伍，经烹调加工制成饮食，治疗肾阴不足、精血亏虚证的方法。如选用芝麻、黑豆、枸杞、桑椹、牛乳、猪肾等，分别制作而成。常用于肾虚亏损之眩晕耳鸣，腰膝酸软，潮热盗汗，消渴，遗精等症。

②温补肾气法

选用温补肾气的食物，或温补肾气的中药与食物配伍，经烹调加工制成饮食，治疗肾气虚弱证的方法。如选用胡桃仁、栗子、韭菜、豇豆、狗肉、麻雀肉和肉苁蓉、淫羊藿、附子等，分别制作而成。常用于腰膝酸软，畏寒肢冷，夜尿清长，阳痿，遗精等症。

③填精补髓法

选用填精补髓的食物，或补肾益精的中药与食物配伍，经烹调加工制成饮食，治疗精髓不足证的方法。如选用芝麻、黑豆、龟肉、海参、淡菜、猪脊髓、羊脊髓和肉苁蓉、鹿茸、枸杞等，分别制作而成。常用于肾精亏虚之腰膝酸痛，足膝痿软，须发早白，虚羸少气，发育迟缓等症。

(4) 益胃生津法

益胃生津法是益胃生津法与润燥生津法的合称。益胃生津法具有益胃阴、生津液的功能，适用于津液不足之消渴口干，便秘等症；润燥生津法具有润肺燥、生津液的功能，适用于肺燥津伤，咳嗽咽干等症。

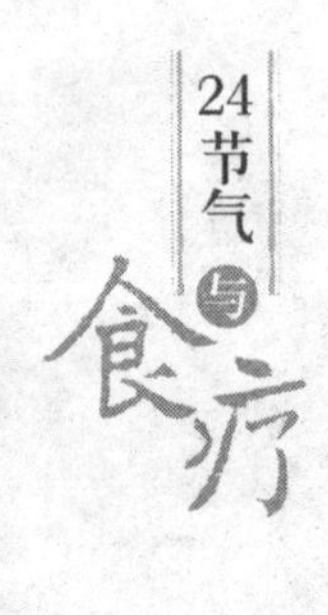

①益胃生津法

选用养胃阴、生津液的食物，或益阴生津的中药与食物配伍，经烹调加工制成饮食，治疗胃阴虚亏或津枯肠燥的方法。如选用梨、甘蔗、荸荠、藕、牛乳、芝麻、蜂蜜和麦冬、石斛等，分别制作而成。常用于胃阴不足，口渴口燥，咽干，大便燥结等症。

②润燥生津法

选用润燥生津、滋养肺阴的食物，或清燥润肺的中药与食物配伍，经烹调加工制成饮食，治疗阴虚肺燥证的方法。如选用梨、百合、藕、荸荠、柿、枇杷、蜂蜜、冰糖、猪肺、牛乳和沙参、麦冬等，分别制作而成。常用于肺燥阴伤之鼻干，咽喉干痛，干咳无痰或痰中带血，以及肌肤干燥等症。

5.进补食物常用的烹调方法

进补食物的常用烹调方法主要有炖、焖、煨、蒸、煮、熬、炒、卤、烧、烤、粥、饮料等。这些方法的具体运用要和食物的性味与节气及人的病理辩证结合，相应施之。

(1) 炖

炖是指食物或药物加清水同煮，放入调料后置于武火上烧开，撇去浮沫，再置于文火上炖至熟烂的烹制方法。具体作法是：食物先在沸水锅内焯去血污和腥膻味，然后放入炖锅内；另将所用药物用纱布包好，用清水浸泡几分钟后放入锅内；再加入生姜、葱、胡椒及清水适量，先武火煮沸，撇去浮沫，改用文火炖至熟烂。一般炖的时间在2～3小时左右，其特点是质地软烂，原汁原味。

(2) 焖

焖是指先将食物或药物用油炒加工后，改用文火添汁焖至酥烂的烹制方法。具体作法是：先将原料冲洗干净，切成小块，烧热锅倒入油，炼至油温适度，下入食物油炝之后，再加食物或药物、调料、汤汁，盖紧锅盖，用文火焖熟。其特点是酥烂、汁浓、味厚。

(3) 煨

煨是指用文火或余热对食物或药物进

行较长时间煨制的烹制方法。具体方法是：将食物或药物经炮制之后，置于容器中，加入调料和一定数量的水慢慢地将其煨至软烂。其特点是汤汁浓稠、口味肥厚。

(4) 蒸

蒸是指利用水蒸气加热烹制的方法，其特点是温度高，可以超过100℃，加热及时，利于保持形状的完整。具体方法是：将食物或药物经炮制加工后置于容器内，加好调味品、汤汁或清水，待水沸时上笼蒸熟，火候视原料的性质而定。一般蒸熟不烂的食物或药物可用武火，具有一定形状要求的则可用中火徐徐蒸制，这样才能保持形状和色泽美观。

(5) 煮

煮是将药物和食物一起放在多量的汤汁或清水中，先用武火煮沸，再用文火煮熟。具体方法是：将食物或药物按初加工的要求加工后，放置在锅中，加入调料，注入适量的清水和汤汁，用武火煮沸后，再用文火煮至熟。其特点是口味清鲜，煮的时间比炖的时间短，适用于体小、质软一类的原料。

(6) 熬

熬是将食物或药物经初加工炮制后，放入锅中，加入清水，用武火烧沸后改用文火熬至汁稠肥烂的烹调方法。具体方法是：将原料用水涨发后，择去杂质，冲洗干净，撕成小块，锅内先注清水，再放入原料和调料，用武火烧沸后，撇净浮味，改用文火熬至汁调味浓即可。其特点是熬的时间比炖的时间更长，一般在3小时以上，其汁稠味浓，多适用于含胶质重的原料。

(7) 炒

炒一般是先将药物提取一定比例的药液，然后再加入食物中一起炒制。具体方法是：先调拌食物或将其直接加入锅内和成膳后勾汁等方法，炒时先烧热锅，用油滑锅后，再注入适量的油烧至温度适度，下入原料用手勺或铲翻炒，动作要敏捷，断生即好。其特点是鲜香入味，或滑嫩，或干脆。

(8) 卤

卤是将经过初加工的食物，先按一定的方式与药物相结合后，再放入卤汁中，用中火逐步加热烹制，使其渗透卤汁，直至成熟。

(9) 炸

炸是指武火多油的烹调方法，一般用油量比要炸的原料多几倍。具体方法是：将药物制成药液或打成细末，调糊裹食物，再入油锅内加热至熟，要求武火、油热，原料下锅时有爆炸声，掌握好适度火候，防止过热烧焦。其特点是味香、酥脆。

(10) 烧

烧一般是先把食物经过煸、煎、炸的处理后，进行调味调色，然后再加入药物和汤或清水，用武火烧开，文火焖透，烧至汤汁稠浓，注意掌握

好汤或清水适量，一次加足，避免烧干或汁多。其特点是汁稠味鲜。

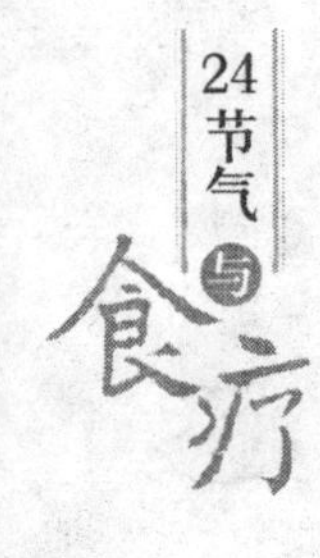

(11) 粥

粥是按照调养的要求,选用一定的中药材和其他的米谷之物,共同煮制而成的,对于疾病初愈身体衰弱者是很好的调养剂,有的还能治疗或辅助治疗某些疾病。具体方法有以下两种：

一是药、米同煮，与药、食共制相似，同锅煮制成粥即可。

二是药、米合制，是先将药物打成细粉或提成浓汁，再同米谷之物同煮成粥。其特点是吸收快，不伤脾胃，制法简易，服食方便，老少皆宜，长期服食可滋补强壮、疗病抗衰、延年益寿。

(12) 膳食饮料

膳食饮料是以食物或药物、水或酒、糖等为原料制成的，含有药物有效成分和具有某种效用的液态食品。具体方法是：将食物或药物以沸水冲泡法、蒸馏法制成液体，过滤后加入冰糖或蜂蜜调味分装制成；或食物或药物用白酒浸制成澄清液体制剂。其特点是解凉消渴、清心润燥。

春季篇

春季六节气的饮食进补

春季气候转暖,然而又风多物燥,常会出现皮肤、口舌干燥,嘴唇干裂等现象,故应多吃新鲜蔬菜、多汁水果以补充人体水分。由于春季为万物生发之始,阳气发越之季,应少食油腻之物,以免助阳外泄,否则肝木生发太过,则克伤脾土。唐代养生学家孙思邈在《千金方》中说:“春七十二日,省酸增甘,以养脾气”。五行中肝属木,味为酸,脾属土,味为甘,木胜土。所以,春季饮食应少吃酸味,多吃甜味,以养脾脏之气。可选择韭菜、香椿、百合、豌豆苗、茼蒿、荠菜、春笋、山药、藕、芋头、萝卜、荸荠、甘蔗等。扶助正气,生发元气,强壮精力。

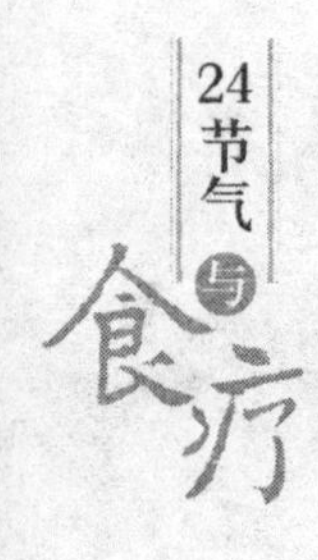

一、春季六节气饮食进补的基本原则

春季，到处生机盎然，朝气勃勃，万物繁荣。作为万物之灵的人，也和自然界一样充满生机。此时，人体各种组织器官功能活跃，需要补充大量的营养物质，以供机体生长、活动、发育之需。春补对健康体强的人极为有益，对久病体虚和外科手术后气血亏损的病人，以及体质虚弱的儿童就更需要春补了。春补不可姿意而行，要遵循以下原则，方能顺应天时，符合机体需要。

1.宜温补阳气

阳，是指人体阳气，阳气与阴精是既对立又统一的两方。阳气，泛指人体之功能；阴精泛指人体的物质基础。中医认为，“阳气者，卫外而为固”，意思是说，阳气对人体起着保卫作用，可以使人体坚固，免受自然界六淫之气的侵袭。所谓春季饮食上要养阳，即是要进食一些能够起到温补人体阳气之食物，以使人体阳气充实，只有这样才能增强人体抵抗力，抗御以风邪为主的邪气对人体的侵袭。明代著名医学家李时珍在《本草纲目》里引《风土记》里主张“以葱、蒜、韭、蒿、芥等辛辣之菜，杂和而食”，除了蓼、蒿等野菜现已较少食用外，葱、蒜、韭可谓是养阳的佳蔬良药。

由于肾藏之阳为一身阳气之根，因此，在饮食上养阳，还包含有养肾阳的意思，关于这一点，如张志聪在《素问集注》里说：“春夏

之时，阳盛于外而虚于内，秋冬之时，阴盛于外而虚于内，故圣人春夏养阳，秋冬养阴，从其根而培养之。”这里的“从其根”即是养肾阳的意思，因为肾阳为一身阳气之根，春天、夏天，人体阳气充实于体表，而体内阳气却显得不足，故应在饮食上多吃点培养肾阳的东西，如谚语说：“夏有真寒，冬有真火”即是指此意。

2.宜多甜少酸

唐代药王、大养生家孙思邈说：“春日宜省酸，增甘，以养脾气。”意思是春季六节气之际，人们要少吃酸味的食品，而要多吃些甜味的饮食，这样做的好处是能补益人体的脾胃之气。中医学认为，脾胃是后天之本，人体气血生化之源，脾胃之气健壮，人可延年益寿。但春为肝气当令，肝的功能偏亢。根据中医五行理论，肝属木，脾属土，木土相克，即肝旺伤及脾，影响脾的消化吸收功能。

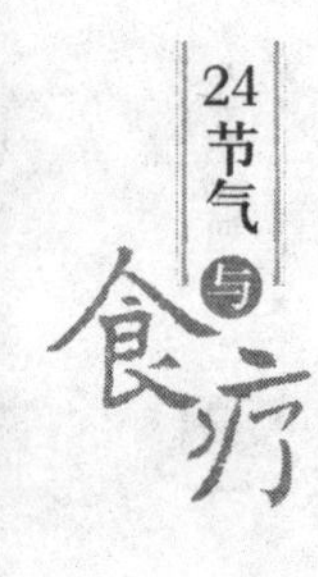

中医学又认为，五味入五脏，如酸味入肝，甘味入脾，咸味入肾等。若多吃酸味食品，能加强肝的功能，使本来就偏亢的肝气更旺，这样就会大大伤害脾胃之气。有鉴于此，春季六节气在饮食上的另一条重要原则，是要少吃点酸味食物，以防肝气过于偏亢；肝气偏亢，就要损害脾胃功能；同时，甜味的食物入脾，能补益脾气，故应多吃一点，如大枣、锅巴、山药等味甜之食物。

3.宜清淡多样

油腻食品易使人产生饱胀感，妨碍多种营养的摄入，饭后使人出现疲劳、嗜睡、工作效率下降等，也是“春困”的诱因之一，所以春季饮食宜清淡，避免食用大油大腻食品，如肥猪肉、油炸食品等。春季膳食要提倡多样化，避免专一单调，并科学合理地搭配好膳食，如主食粗细粮、干稀的合理搭配，副食荤与素、汤与菜的搭配等，只有这样才能从多种食物中获得较完备的营养，使人精力充沛。

4.宜多食新鲜蔬菜

人们经过寒冷的冬季之后，普遍地会出现多种维生素、无机盐及微量元素摄取不足的情况，如冬季常见人们发生口腔炎、口角炎、舌炎、夜盲症和某些皮肤病，这些都是因为吃新鲜蔬菜较少所造成的。因此，在春季六节气一定要多吃各种新鲜蔬菜，以弥补冬天吃菜少造成的营养不足。

5.宜补充津液

春季六节气多风，风邪袭人易使腠理疏松，迫使津液外泄，造成口干、舌燥、皮肤粗燥、干咳、咽痛等症。因此，在饮食上宜多吃些能补充人体津液的食物。常用的有柑橘、蜂蜜、甘蔗等，其补充标准以不感口渴为度，不宜过量。因为不少生津食品是酸味的，吃多了易使肝气过亢。

6.宜清解里热

所谓里热，即指体内有郁热或者痰热。热郁于内，在春季六节气，机体被外来风气所鼓动，就会向外发散，轻则导致头昏、身体烦闷、胸满、咳嗽、痰多、四肢重滞；重则形成温病，甚至侵害内脏。

体内郁热的形成是由于在漫长的冬季，人们为了躲避严寒的侵袭，往往穿起厚厚的棉衣或皮裘拥坐在旺旺的炉火旁边；喜欢吃热气腾腾的饭菜，喝灼口的热粥、热汤。一些上了年纪的人还经常喝点酒。这些在冬季看来是必要的，但是却使体内积蓄了较多的郁热。

清除郁热的方法很多，但还是以多吃点能清除里热的食物较好，最好是选用一些药膳。

7.忌黏硬生冷、肥甘厚味

春季六节气肝气亢伤脾，损害了脾胃的吸收消化功能。黏硬、生冷、肥甘厚味的食物本来就不易消化，再加上脾胃功能不佳，既可生痰、生湿，又进一步加重和损害了脾胃功能。

春季六节气的饮食进补原则主要是以上七点，但具体运用时，也要根据个人的体质、年龄、职业、疾病、所在地区等不同情况来处理。如糖尿病病人即使在春天也应以不吃甜食为佳。阳盛体质的人，大可不必补充阳气，因为体内阳气本来就偏盛。阴虚有虚火者补阳也须慎重。总之，上述饮食进补原则是根据一般情况提出来的，在应用中还必须因人、因地、因病制宜，这样才有益于健康。

二、春季六节气宜食食物

春季气候转暖，人们的户外活动相应增多，人们的精神、活动也活跃起来，这些生理上的变化，给春季六节气的饮食提出了新的要求。春季六节气的食物应遵循其饮食进补的7个基本原则多吃些培补肾阳的食物，以充实人体阳气，增强抵抗力，抗御风邪为主的邪气对人体的侵袭。顺应春季六节气的食物种类繁多，择其主要品种介绍如下。

1.粮食类宜食食物

(1) 粳米

粳米味甘、性平，可补脾养胃，益气血，长肌肉，和五脏，宜于春季六节气食用。可蒸食、煮粥，最适宜于老幼及病中和病后调养服食，一般以煮粥食用较好。据《食物本草会纂》载，粳米煮粥，能开胃助神，合芡实煮粥服食，能益精强志。

(2) 芝麻

芝麻性平、味甘、无毒。具有滋养肝肾、润肠通便、乌须黑发等功效，久服还能延年益寿。芝麻营养丰富，含脂肪油可达60%，油中含油酸、亚油酸、棕榈酸、花生酸、廿四酸、廿二酸等；还有甘油酸、甾醇、芝麻素、芝麻林素、芝麻酚、维生素E等；尚含叶酸、烟酸、蔗糖、卵磷脂、戊聚糖、蛋白质和丰富的钙。

20世纪20年代，美国的伊

万斯教授有一项重大的科研成果，即发现了X因子。X因子当时在欧洲被视为仙丹妙药。这种神奇的X因子到底是什么物质呢？它就是维生素E。维生素E在医学上一直用于习惯性流产、先兆流产和不孕症的治疗。70年代，科学家们用维生素E喂养小白鼠，结果发现小白鼠的寿命延长了30%。后来，在实验中又发现，维生素E还能使胚胎细胞分裂繁殖代数由50代提高到120代。说明维生素E具有推迟人体细胞衰老的能力。而芝麻含有丰富的维生素E，且在众多食品中其含量居于首位。

(3) 花生

花生性平、味甘。有补益脾胃，润肺化痰，理血通乳，润肺利水的功效。花生含有氨基酸及维生素E等成分，有抗衰老作用。花生炒熟或油炸，性热燥，不宜多食，若煮汤食用则有利尿、润肺作用。主治：燥咳、反胃、脚气，水肿，白带多，缺乳，贫血（如再生障碍性贫血等）以及出血性疾病（如血友病、血小板减少症等）。

(4) 赤小豆

赤小豆味甘，性平。有解毒排脓，利水消肿，清热去湿，健脾止泻的功效。

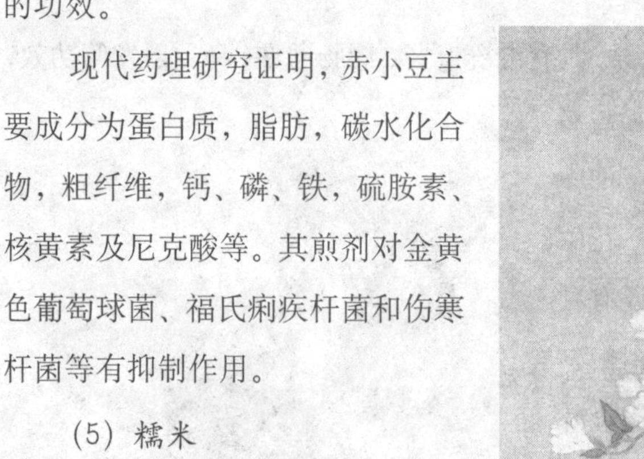

现代药理研究证明，赤小豆主要成分为蛋白质，脂肪，碳水化合物，粗纤维，钙、磷、铁，硫胺素、核黄素及尼克酸等。其煎剂对金黄色葡萄球菌、福氏痢疾杆菌和伤寒杆菌等有抑制作用。

(5) 糯米

糯米味甘，性温，有补中益气的功用。对脾、肺虚寒者最为适宜，如果内有痰热不宜多吃。

2.肉蛋水产类宜食食物

(1) 鹅肉

鹅肉性味甘平，能益气补虚，和胃止渴，对中气不足、消瘦乏力、食少者有益。《随息居饮食谱》记载：鹅肉“补虚益气、暖胃生津”，李时珍《本草纲目》中说鹅肉“利五脏，解五脏热，止消渴”，这些都说明鹅肉是较佳的滋补品之一。鹅肉鲜嫩松软，清香不腻，物美价廉，尤适用于春季六节气进补。

(2) 鹌鹑

鹌鹑因药用价值较高，被人们称为“动物人参”，正如俗话所说：“要吃飞禽，还数鹌鹑”。《本草纲目》载其功用为：滋补五脏，益中续气，实筋骨，耐寒暑，消结热。亦是春季六节气进补之佳品。

(3) 蚌肉

蚌的种类很多，有深水蚌（又称河蚌）、海水蚌，除供食用外，还可以进行人工养殖珍珠。

蚌肉性寒、味甘咸，无毒，具有止渴、除热、解毒、去眼赤等功用。蚌壳粉能中和胃酸。珍珠母（取蚌壳内珍珠层）能平肝、镇静、治眩晕。珍珠粉能去翳、明目、定惊、化痰、解毒。

蚌肉含有蛋白质、脂肪、糖类、钙、磷、铁、维生素A、维生素B\-1、维生素B\-2。蚌肉含钙丰富。

河蚌的食用方法很多，可烧、可煮。常用的方法有：河蚌豆腐羹、河蚌肉烧汤等。春季六节气食用蚌肉营养丰富，有清凉解热作用。

(4) 螺蛳

螺蛳为田螺科动物。田螺与螺蛳仅大小不同，性能相似。其性寒、味甘。具有清热、利尿、明目的功效。螺蛳含蛋白质、脂肪、无机盐等。同时还含有维生素A和维生素D。

(5) 鸡蛋

鸡蛋中含有蛋白质，核黄素以及钙、磷、铁等营养成分。蛋清性凉，有清热解毒、润肺利咽的作用，常用于治疗目赤、咽喉肿痛，声哑失音等症。蛋黄性平，有滋阴润燥、养血熄风、祛热、镇静、解毒等功效。蛋壳有制酸、止疼功效。蛋壳研末内服，可治胃溃疡、胃炎、胃痛、小儿佝偻等病。

(6) 鲫鱼

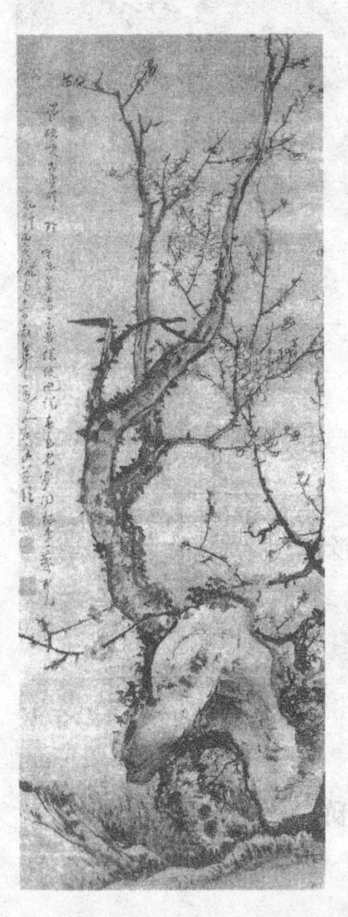

鲫鱼性味甘平。具有补虚强身，健脾利湿，消肿的作用。脾胃虚弱，倦怠无力，抵抗力低下，食欲不振，消化不良，呕吐，便血，水肿，痢疾，乳少，子宫脱垂，慢性肾小球肾炎或营养不良等引起的水肿，痈肿，溃疡者最宜食用。

3.蔬菜类宜食食物

(1) 香椿

香椿性平、味甘，具有清热解毒、健脾理气、杀虫的作用。香椿具有药用价值，可消炎防腐止痒。民间用它治痔疮出血、跌打肿痛、食欲不振。还可以用干香椿泡茶饮以解水土不服症状。

据分析，香椿含胡萝卜素及维生素B、维生素C等。其营养价值极高，所含维生素

及各类矿物质，在蔬菜中名列前茅。特别是每100克新鲜香椿中，维生素C的含量高达56毫克，比西红柿高5倍。磷含量也很高，且容易被人体吸收。真可谓是老少皆宜的保健食物。

(2) 韭菜

唐代著名诗人杜甫有“夜雨剪春韭，新炊间黄粱”的诗句，说明韭菜自古以来就受到人们特别的喜爱。500克韭菜含蛋白质5~10克，糖5~30克，维生素A20毫克，维生素C89毫克，钙263毫克，磷212毫克以及挥发油等。另外，韭菜还含有抗生物质，具有调味、杀菌的功效。特别是韭菜含粗纤维较多，而纤维素现在已被人们称为第七大营养素，是人体不可缺少的物质。是春季六节气的时令进补佳品。

(3) 香菜

香菜又名芫荽，其香气是因它内含挥发油和苹果酸钙等。其性温，入肺、胃经，能透发麻疹及风疹，有促进血液循环的作用。在食用鸡鸭、羊肉、猪肉、鱼肉时，加入香菜能使菜肴味美并去腥膻。若老年胃弱消化不良，用香菜籽、陈皮各6克，苍术9克，水煎服。若伤风感冒，用香菜30克，饴糖15克，加米汤半碗，糖蒸溶化后服。

(4) 莴笋

莴笋又名莴苣，产期以春初和秋末为时令，春笋质量尤佳。莴笋中含有多种维生素和无机盐，其中以铁的含量较丰富，因莴笋中的铁在有机酸和酶的作用下，易为人体吸收，故食用新鲜莴笋，对治疗各种贫血非常有利。尤其是莴笋中还有一种酶，能消除强致癌物质——亚硝胺，它引起的细胞突变，有一定抗癌作用。莴笋中的尼克酸，是人体里一些重要酶的成分，可激活胰岛素，促进糖的代谢，对患糖尿病的老人非常有益。此外，莴笋中的氟可帮助牙齿和骨骼的形成。

一些人吃莴笋，常把莴笋叶扔掉。其实，莴笋叶的营养成分高于莴笋，其中胡萝卜素高100多倍，维生素C高15倍，因此，不应抛弃。

(5) 山药

山药性味甘平。具有补益脾胃，补肺止咳，益肾固精的功效。山药既是日常生活中的食品，又是一味非常好的，对肺、脾、肾三脏都有益处的滋补佳品。山药的纤维素含量高，所含胆碱、粘液质等成分，能供给人体大量的粘液蛋白，可减少皮下脂肪沉积，避免出现肥胖，对人体有特殊保健作用。

4.干鲜果品类宜食食物

(1) 苹果

苹果性味酸甘凉，含有多种维生素，含钾较为丰富，有生津止渴，解暑除烦，健脾养心，开胃消食，润肺化痰的功能，有促进胃肠道消化液的分泌，有助消化、增加食欲的作用；可以降低胆固醇，并有预防心脏病，防止胆结石，降低血压，增强记忆力（因含有丰富微量元素锌），减少脂肪防止肥胖等功用；此外，苹果对轻度腹泻有良好的止泻作用，同时又有通便作用，所以尤其适宜慢性腹泻和结肠功能紊乱者食用。

（2）桑葚

桑葚性寒、味甘，含丰富的果糖、葡萄糖、苹果酸、矿物质、微量元素，维生素 C、B_1、B_2 等营养成分，具有滋补肝肾，养血明目，滋阴生津功效。适宜视物昏花、头晕目眩、失眠、腰膝酸软、耳鸣、须发早白、遗精、贫血、消渴、肠燥便秘者食用。脾胃虚寒，大便稀溏或泄泻者忌食用。

（3）橘

橘能润肺，清醒解渴，药用价值大，橘络、橘核、橘皮有通络理气的作用，感冒咳嗽、慢性胃病、慢性肝炎、疝气者尤为可食。橘子多食生痰聚饮，风寒咳嗽、有痰饮者勿食。

（4）荸荠

荸荠又名地栗、马蹄、乌芋、水芋、勃脐、黑山棱等。春秋两季采收，可生吃（削去外皮），也可煮熟食用或作菜。荸荠性寒滑味甘，有清热化痰，消积开胃，止渴益气，明目，醒酒解毒等。常可作清凉生津剂用。适于治疗温病口渴、舌赤少津、小儿口疮、咽干喉疼、消化不良、大便燥结、痢疾下血等病症。荸荠苗，中医称通天草，可利水消肿，凡热病烦渴、肾炎水肿、胸中烦闷、便秘、阴虚肺燥、痰热咳嗽、肝阳上亢（如高血压症）等病症均宜。

虚寒及血虚者慎食用。另外，生

食荸荠易感染姜片虫病，故最好是煮熟后食用。

(5) 梨

梨营养丰富，含糖量达20%~80%，还含有多种有机酸、蛋白质、脂肪、矿物质和维生素C、B\-1、B\-2、钙、磷、铁、钾等。糖和各种维生素能起到保护肝脏和帮助消化、促进食欲的作用，可作为肝炎的辅助治疗食品。梨性寒无毒，味甘微酸，有生津润燥，清热化痰功效，享有“玉露”“百果之宗”的美誉。

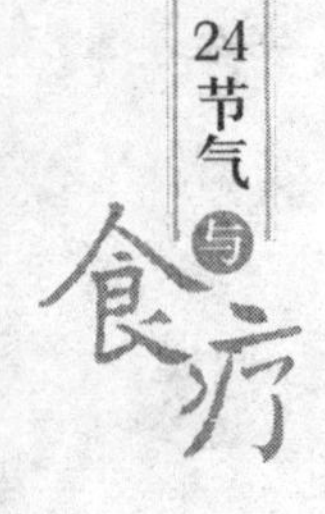

食用过多有伤脾之害，尤其是素有脾胃虚寒、呕吐清涎、腹部冷痛者应慎食用。

(6) 桃

桃的品种很多。以色分，有红桃、绯桃、碧桃、缃桃、白桃、乌桃、金桃、银桃、胭脂桃等；以形状分，有绵桃、油桃、御桃、方桃、匾桃、偏核桃等；以时间分，有五月早桃、十月冬桃、秋桃、霜桃等。春季开花，色有红、紫、粉红、白等。果实近球形、肉淡黄、味香甜，果汁特多。桃实营养丰富，含铁量在水果中占首位。每百克含蛋白质0.9克，碳水化合物7.5克，钙24毫克，磷21毫克，铁1.2毫克，维生素C10毫克，热量约146千焦。桃子除鲜食外，还可制成果脯、果酱、罐头等。桃仁、碧桃干均为中药常用药，桃树根也可用以治病。《本草纲目》记载，桃实，“作脯食，益颜色，冬桃食之解劳热”；桃仁，“治血结、血秘、血燥，通润大便，破蓄血……主血滞风痹骨蒸，肝疟寒热，鬼注疼痛，产后血病”；瘪桃干，“治小儿虚汗，妇人妊娠下血，破伏梁结气，止邪疟”；花，“令人好颜色，悦泽人面，除水气，破石淋，利大小便，下三虫”；叶，“疗伤寒，时气，风痹无汗，治头风，通大小便，止霍乱腹痛”，“治疰午心腹痛，解蛊毒，辟疫疠，疗黄疸身目如金，杀诸疮虫”。由于桃含钾多含钙少，所以，非常适宜于水肿患者食用。但桃子不宜多吃，多食容易导致胃脘胀满。

（7）樱桃

樱桃别名荆桃、朱樱、含桃、樱珠、牛桃、朱果、莺桃。味甘、性温，无毒。樱桃具有“先百果而热”的特点，被誉为“春果第一枝”。其主要有4个品种，即朱樱、紫樱、增樱、樱株，其中安徽太和县一带的紫樱为佳。樱桃中铁的含量较高，它100克含铁6毫克，约是苹果的近20倍，比柑橘、葡萄多近30倍，居水果之首。缺铁性贫血适当多吃些樱桃可防治之。祖国医学对樱桃有许多论述，《千金方》中就曾指出：“樱桃味甘平，调中益气，可多食，令人好颜色，美志性。”咽炎，虚弱，瘫痪、四肢不仁，风湿腰腿疼痛、冻疮者尤宜食用。

樱桃因其性属火，多食可发虚热，并且凡有内邪者不宜多食。

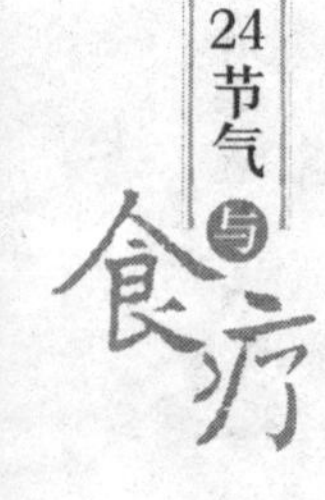

三、立春进补食谱

立春是二十四节气之首。从立春起，气候转暖，阳气始发，气温渐渐上升。顺应时节人体也由此开始变化，人体的肝阳、肝火、肝风也随之上升。所以立春时节的饮食应注意肝脏的生理特点，疏泄肝气，保持情绪的稳定，使肝气顺达而不影响其他脏腑，所以进补应益脾胃，防肝气过于旺盛。立春时节的进补食谱如下。

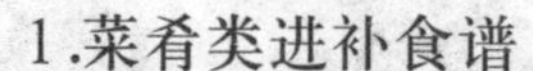

1.菜肴类进补食谱

（1）三丝鱼卷

【原料】青鱼净肉200克，笋肉50克，香菇25克，熟火腿25克，鸡蛋1枚，黄酒10克，白糖15克，生油50克，白酱油4克，精盐3克，香醋4克，葱10克，姜汁水5克，干、湿淀粉各5克，麻油少许。

【制作】取青鱼净肉，把鱼皮朝下，用刀片成3厘米宽、6厘米长的薄片（约14片），每片摊开，洒上黄酒、姜汁水，撒上精盐。蛋打散，加入淀粉及少许水调成蛋糊，涂在鱼肉上。同时，把笋肉、香菇、熟火腿、葱分别切成4厘米长的细丝。

把笋丝、香茹丝、火腿丝、葱丝等均匀地放在鱼片上，卷成小卷，上笼蒸熟。锅内放生油，烧至五成热时，加进清汤、白糖、黄酒，用大火烧沸，湿淀粉勾芡，浇在鱼卷上即成。

【功效】益气养胃，化湿利水，祛风蠲痹。

【禁忌】糟醉青鱼易动风发疥，当慎食。

（2）三美豆腐

【原料】豆腐250克，白菜100克，牛奶50克，生油50克，葱末15克，姜末10克，精盐4克，味精1克，鸡油5克。

【制作】将豆腐上笼或放入锅里隔水蒸约10分钟取出，沥干水分，切成3厘米长、2厘米宽、1厘米厚的片；白菜心用手撕成4厘米长的小条块，分别放入沸水锅中焯过。

炒锅内放入生油，烧至五成熟，加入葱、姜末炸出香味，放入牛奶、盐、豆腐、白菜烧滚，撇去浮沫，加入味精，淋上鸡油出锅即可。

【功效】益气生津，清热润燥，清肺止咳，抗癌。

【禁忌】新陈代谢失常的痛风病人及血尿酸浓度增高的患者慎食或不食。

（3）炸响铃

【原料】豆腐皮10张，猪里脊肉100克，鸡蛋1枚，绍酒2克，精盐4克，味精1克，甜面酱（已炒过）50克，葱白段5克，花椒盐5克，生油80克。

【制作】将猪里脊肉洗净，斩成细茸，加鸡蛋、味精、食盐、绍酒拌匀。把豆腐皮摊开切掉硬边。然后，将拌好的猪肉馅放在每张豆腐皮的小一半上，摊平，卷成不紧不松筒形，并在卷合处蘸上少许清水，使之粘住。如法制完若干条，用刀斩成3厘米长

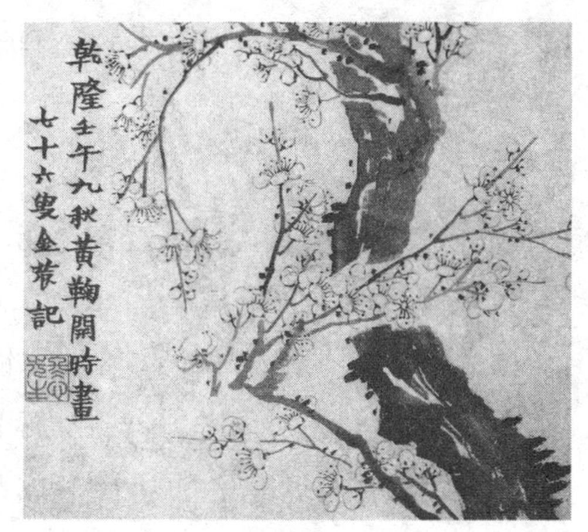

的小段，竖放在盘中待用。

将炒锅置中火上，下生油，烧至五成热，将豆腐皮卷投入，用勺不断翻动，大火炸2分钟，至亮黄松脆时，即用漏勺捞起，沥干油，装入盘内，随跟甜面酱、葱白段和花椒盐迅速上桌即可。

【功效】滋阴润燥，养心安神。

【禁忌】风寒外感及大病初愈者不宜食用。猪肉不宜与乌梅、橘子、黄连、胡黄连、百花菜、苍耳、吴茱萸同食。高脂血症者不宜多食。

(4) 小白菜炖豆腐

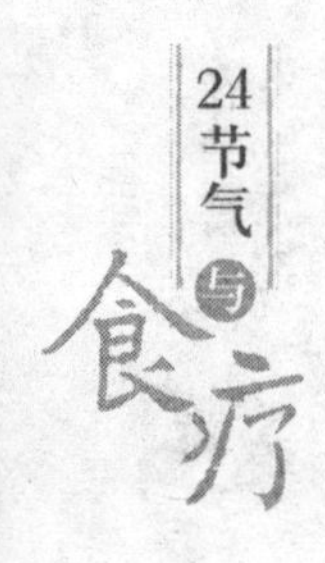

【原料】豆腐50克，小白菜200克，酱油15克，豆油10克，姜末2克，精盐2克。

【制作】将小白菜洗净切成3厘米的段，豆腐切成块。炒锅上火，加油烧热，姜末入锅煸炒至香，再将小白菜放入锅内略炒，并放入酱油，然后放上豆腐，加水淹过小白菜，加精盐熬熟即成。

【功效】生津润燥，解热除烦，通利肠胃，益气和中。

(5) 水芹炒干丝

【原料】水芹500克，豆腐干150克，精盐、味精、葱花豆油适量。

【制作】将水芹去杂洗净，入沸水锅焯一下，捞出沥干切成段；豆腐干切成段。炒锅上火，加油烧热，放入葱花煸香，放入豆腐干煸炒，加入精盐煸炒至入味，出锅待用。炒锅上火，加油烧热，放入葱花煸香，投入水芹煸炒，加入精盐煸炒至入味，倒入豆腐干妙几下，撒上味精，出锅即成。

【功效】清肺热，养胃、利水。

【禁忌】痛风及血尿酸高者少食。

(6) 四季豆猪肉片

【原料】四季豆250克,猪肉150克，黄酒、精盐、味精、葱花、姜丝、白糖、豆油、鲜汤各适量。

【制作】将四季豆摘去两头和老筋，洗净切成段；猪肉洗净切成片。炒锅上火，放油烧热，放入葱姜煸香，再下猪肉片煸炒至熟，加入精盐、黄酒、白糖、鲜汤，煸炒入味，投入四季豆，再加适量精盐、鲜汤炒熟入味，点入味精，推匀，出锅装盘即成。

【功效】清凉利尿，滋阴润燥，补中益气，补血抗癌。

【禁忌】胃热盛者忌服。

2.汤羹类进补食谱

(1) 凤菇豆腐汤

【原料】鲜凤尾菇100克，豆腐200克，精盐、味精、葱花、香菜末、鲜汤、豆油适量。

【制作】将凤尾菇去杂质洗净，撕成薄片；豆腐洗净，切成小块，沸水中焯过。净锅置火上，加油烧热，放入凤尾菇煸炒片刻，加入鲜汤、豆腐块、精盐，烧熟至凤尾菇、豆腐入味，撒上

味精、香菜末、葱花即成。

【功效】补中益气，健脾养胃，祛脂减肥，托毒抗癌。

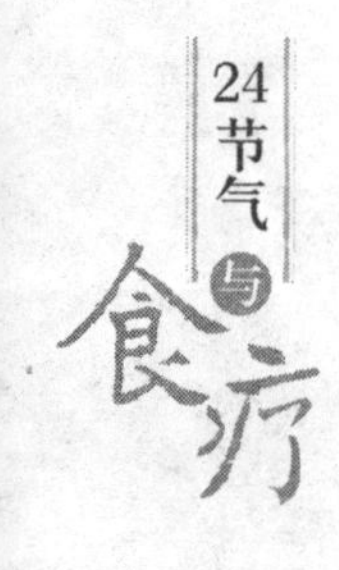

【禁忌】痛风及血尿酸高者慎食、少食。

（2）天麻竹沥粥

【原料】天麻10克，淡竹沥30克，粳米100克，白糖。

【制作】将天麻切成薄片，与粳米同煮粥，粥熟调入竹沥，白糖即可。

【功效】安心神、补肾气。

（3）人参百合粥

【原料】人参3克，百合15克，粳米30克。

【制作】先加水煎人参与百合，后下粳米同煮即可。

【功效】化痰止咳，滋阴补阳。

（4）加味淮山药糯米粥

【原料】淮山药40克，薏苡仁50克，荸荠粉10克，沙参30克，红枣（去核）5克，糯米250克，白糖25克。

【制作】淮山药打成粉备用，将薏苡仁加水煮至开花，加入沙参，糯米，红枣煮至米烂，把淮山粉边撒边搅放入锅内，约隔2分钟后，再将荸荠粉撒入锅内，搅匀加入白糖即可。

【功效】补虚养胃，益肾壮阳。

（5）白术猪肚粥

【原料】白术30克，猪肚1个，粳米100克，生姜少量。

【制作】洗净猪肚，切成小块，同白术、生姜煎煮取汁，与粳米煮粥即可。每天分早、晚餐热食，每周一二剂。猪肚可适当调味佐食。

【功效】舒肝和胃、补益中气。

（6）银耳羹

【原料】银耳5克，鸡蛋1个，冰糖60克，猪油适量。

【制作】将银耳放入盆内，加入温水适量，浸泡约30分钟，待其发透后，摘去蒂头，择净杂质，用手将银耳分成片状，然后倒入锅内，加水适量，置武火上烧沸后，移文火上继续煎熬2～3小时，待银耳炽烂为止。将冰糖放入另一锅中，加水适量，置文火上溶化成汁，用纱布过滤；将鸡蛋打破取蛋清，兑入清水少许，搅匀后，倒入锅中搅拌，待烧沸后，打去浮沫，将糖汁倒入银耳锅内，起锅时，加少许猪油即成。

【功效】养阴润肺，益气生津。

（7）枣仁粥

【原料】酸枣仁60克，大米400克。

【制作】将酸枣仁炒熟，放入锅内，加水适量，煎熬，取其药液备用。将大米淘洗干净，放入锅内，再把药液倒入煎煮，待米熟烂时即成。

【功效】养阴，补心，安神。

（8）葱枣汤

【原料】大红枣20枚，葱白7根。

【制作】将红枣洗净，用水泡发；将葱白（连须）洗净备用。将红枣放入锅内，加水适量，用武火烧沸，约20分钟后，再加入葱白，继续用文火煎熬10分钟即成。

【功效】安心神，益心气。

3.饮料类进补食谱

（1）桑叶薄竹饮

【原料】桑叶5克，菊花5克，薄荷3克，苦竹叶30克，白茅根10克。

【制作】将桑叶、菊花、苦竹叶、白茅根、薄荷洗净，放入茶壶内，用开水泡10分钟即成。

【功效】辛凉解表。

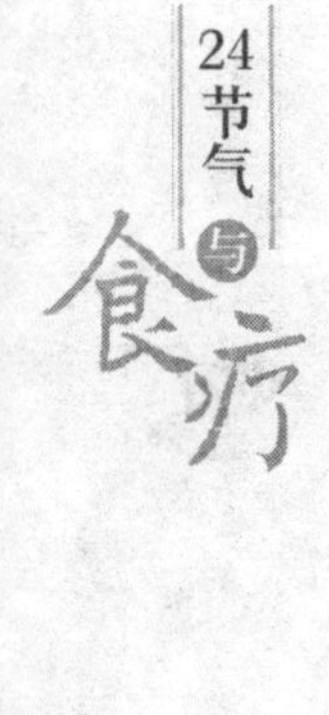

（2）荸荠白萝卜汁

【原料】荸荠250克，白萝卜250克。

【制作】将白萝卜、荸荠洗净，去皮，切成薄片。用纱布将白萝卜、荸荠片绞挤汁液。

【功效】消积滞，生津解毒。

（3）荸荠汁

【原料】鲜荸荠500克，白糖30克。

【制作】将鲜荸荠洗净，去皮，一切4块，用果汁机榨取汁液。将白糖放入荸荠汁液中，搅匀即成。

【功效】清热，化痰，消积。

【禁忌】虚寒及血虚者忌饮用。

（4）白菜汁

【原料】白菜500克，白糖30克。

【制作】将白菜洗净，切成细丝。用纱布绞取白菜丝汁液，加入白糖，拌匀即成。

【功效】解热除烦，通利肠胃。

【禁忌】脾胃虚寒、肠滑腹泻者禁饮用。

（5）白萝卜汁

【原料】鲜白萝卜500克，白糖50克。

【制作】将萝卜洗净，去皮，切成2厘米见方的小块，用果汁机榨取汁液。将白糖放入白萝卜汁液中，拌匀即成。

【功效】消积滞，化痰热，下气，宽中，解毒。

【禁忌】脾、胃虚寒者忌饮用。

（6）胡萝卜汁

【原料】鲜胡萝卜500克，白糖50克。

【制作】将鲜胡萝卜洗净，去皮，切成2厘米见方的块，用果汁机榨取汁液。把白糖放入胡萝卜汁中，搅匀即成。

【功效】健脾，化滞。

四、雨水进补食谱

雨水时节，春季的阳气持续升发，人体的肝阳、肝火、肝风也会随着而上升。在这个时节，天地间一派蓬勃生机，万物葳蕤，欣欣向荣，人们亦精神振奋，朝气勃发，志蓄于心，自有所务。所以，雨水时节饮食进补和肝养胃，健脾益气，特别注意肝气的疏泄顺达。

雨水时节的进补食谱如下。

1.菜肴类进补食谱

(1) 烧黄鳝

【原料】黄鳝500克，食用油50克，酱油5克，大蒜10克，生姜10克，味精、胡椒、盐各2克，湿淀粉30克，麻油10克。

【制作】黄鳝洗净切成丝或薄片，姜蒜切成片。用盐、味精、胡椒、湿淀粉，调成芡汁。锅置火上放食用油烧至七成热，下黄鳝暴炒，快速划散，随即下姜、蒜、酱油炒匀，倒入芡汁，淋上麻油即成。畏腥气者可于起锅前放入适量酒、葱或芹菜。

【功效】补虚损，强筋骨，补血、止血，是一款健美菜肴。

【禁忌】病属热证或热证初愈者不宜食之。

(2) 清蒸鲈鱼

【原料】鲜鲈鱼（约500克）1条，姜、葱、芫荽各10克，盐5克，酱油5克，食用油50克。

【制作】将鱼打鳞去鳃肠洗净，在背腹上划两三道痕。生姜切丝，葱切长段后剖开，芫荽洗净切成适当长段。将姜、盐放入鱼肚及背腹划痕中，淋上酱油。放在火上蒸8分钟左右，放上葱、芫荽。将锅烧热倒入油热透，

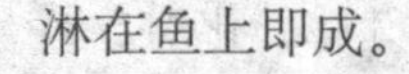

淋在鱼上即成。

【功效】益脾胃，补肝肾。

【禁忌】外感及热证未愈者慎食用。

(3) 香酥鹌鹑

【原料】鹌鹑8只，生姜、葱各10克，料酒10克，精盐3克，花椒3克，八角10克，

白糖5克，官桂3克，湿淀粉150克，食用油750毫升（实耗150毫升），味精1克。

【制作】鹌鹑杀后去净毛桩，剖腹去内脏，剁去头、爪洗净，八角打成颗粒。将鹌鹑放入大碗内，用料酒、精盐、花椒、八角、官桂、生姜、葱腌2～3小时，上笼用大火蒸20分钟，取出鹌鹑。晾凉后切成块，滚一层湿淀粉待用。净锅置火上，放油烧至八成热，放入小鹌鹑块炸透装盘。将蒸鹌鹑的原汁倒入锅内，入味精，用湿淀粉调成芡，淋在鹌鹑块上即成。

【功效】味甘性平，补五脏，健筋骨，除水湿，止泄痢，助消化，养阴清肺。

【禁忌】外感咽痛及便秘者忌食用。

（4）红烧猪肘

【原料】猪肘750克，肉汤2000毫升，生姜15克，大枣50克，陈皮6克，葱15克，料酒50毫升，精盐5克，酱油10克，胡椒粉3克，味精2克。

【制作】猪肘刮洗干净，镊净毛桩，入沸水锅内汆去血水，捞出用清水洗净。生姜洗净拍破，葱切长段。锅置大火上，放入猪肘、精盐同炒，加大枣、生姜、葱段、陈皮、胡椒粉，注入肉汤、料酒、酱油，大火上烧开，打去泡沫，改用小火慢慢至浓稠时，拣出姜葱不用，入味精调味即成。

【功效】和血脉，润肌肤，填肾精，健腰脚。

【禁忌】外感者慎食用。

(5) 香芹牛肉

【原料】牛肉250克，香芹150克，食用油50克，淀粉10克，精盐2克，酱油、胡椒、味精各少许。

【制作】牛肉剁成大块，用清水泡2小时，烧开氽去血水后，捞起晾冷切成条。湿淀粉加酱油搅匀后与牛肉条调匀。锅置大火上烧至油七、八成热，放入牛肉、香芹，炒至牛肉熟时即成。

【功效】补脾骨，益气血，强筋骨，消水肿。

【禁忌】牛肉为“发物”，患疥疮、湿疹、痧痘、瘙痒者食后病情可能加重，宜慎食用。

(6) 黄精烧鸡

【原料】鸡1只（约2000克），黄精50克，党参25克，淮山药25克，肉汤1500毫升，生姜15克，葱15克，精盐5克，胡椒粉3克，料酒50克，味精2克，化猪油70克。

【制作】黄精党参淮山药洗净。党参切成5厘米长段，淮山药切成片。鸡宰杀后去尽毛，剁去脚爪，剖腹去内脏洗净，入沸水锅中氽透，捞出砍成骨牌块。生姜拍破，葱洗净切成长段。锅置火上，注入猪油，下姜、葱炒出香味，放入鸡块、党参、淮山药、黄精、精盐、胡椒粉，注入肉汤、料酒，大火上烧开，打去浮沫，改用小火慢烧3小时待鸡肉熟烂时，拣出姜、葱，收汁后入味精调味即成。

【功效】补脾胃，安五脏，补肾精，益阴血，抗衰老。

【禁忌】外感发热及邪毒未清者忌食用。

2．汤羹类进补食谱

（1）土豆粥

【原料】鲜土豆250克、蜂蜜适量。

【制作】将土豆冲洗干净（不去皮），切碎，用水煮至土豆成粥状即可。

【功效】缓急止痛。适于胃脘隐痛不适者食用。

（2）萝卜粳米粥

【原料】白萝卜250克、粳米100克。

【制作】先将白萝卜洗净，切成小块。然后将粳米淘洗干净，放入锅内，加水适量，同时将萝卜块也放入锅内，将米锅置武火上烧开后，再用文火熬熟即成。

【功效】消食利气，宽中止渴。

【禁忌】服用人参类药物时，禁食用。

（3）胡萝卜粥

【原料】新鲜胡萝卜、粳米各适量。

【制作】将胡萝卜洗净切碎，与粳米同入锅内，加清水适量，煮至米开粥稠即可。

【功效】健脾和胃，下气化滞，明目，降压利尿。

【禁忌】不宜多煮久放。

(4) 菠菜粥

【原料】菠菜250克、粳米100克。

【制作】先将鲜菠菜挑选干净，洗净泥沙，放入沸水锅内，略烫2分钟，捞出后切细。把粳米淘洗干净，放入锅内，加水适量，将米锅置武火上烧开，把菠菜放入米锅中，用文火熬熟即成。

【功效】养血，润燥，

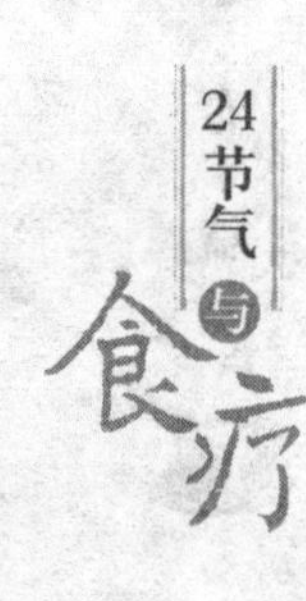

【禁忌】便溏及腹泻者慎食用。

(5) 薤白粥

【原料】薤白15克（鲜者30~50克）、粳米100克。

【制作】取薤白同粳米煮粥。

【功效】宽胸，行气，止痛。适于老人慢性肠炎、湿痢以及冠心病胸闷不适。

【禁忌】多食发热，不宜多食、久服。

（6）白菜苡米粥

【原料】小白菜500克、苡米60克。

【制作】先将苡米煮成稀粥，再加入切好、洗净的小白菜，煮二三沸，待白菜熟即成，不可久煮。

【功效】健脾祛湿，清热利尿，适于急性肾炎之浮肿少尿者。

（7）淡菜粳米粥

【原料】淡菜50克、粳米150克。

【制作】①将淡菜洗净，切成两瓣；粳米除去杂质，洗净。②将淡菜粳米放入锅内，加水适量，置武火上烧开，然后改用文火熬煮30～40分钟，待粥熟后即成。

【功效】补肝肾，益精血，消瘿瘤。

【禁忌】每次吃饱即可，不可过饱。

（8）大蒜粥

【原料】紫皮大蒜30克、粳米100克。

【制作】将大蒜洗净去皮，放沸水中煮1分钟捞出，然后取粳米，放入煮蒜水中煮成稀粥，再将蒜放入粥中，同煮。

【功效】下气，消炎，健胃，止痢。适用于急性菌痢。

【禁忌】有慢性胃炎及胃、十二指肠溃疡的老人忌服。

(9) 韭菜粥

【原料】鲜韭菜60克、粳米100克。

【制作】将新鲜韭菜洗净切细(或将韭菜籽研为细末)。先煮粳米为粥,待粥沸后,加入韭菜或韭菜籽细末、精盐、同煮成稀粥。

【功效】补肾壮阳,固精止遗,健脾暖胃。

【禁忌】韭菜宜采用新鲜的煮粥,现煮现吃,隔日粥不要吃。阴虚为热、身有疮疡以及患有眼疾者忌食。炎热夏季不宜食用。

3.饮料类进补食谱

(1) 枸杞酒

【原料】枸杞子300克,白酒500克。

【制作】将枸杞子洗净,摘去蒂,放入酒瓶中,倒入白酒,浸泡半月左右即可。

【功效】补益肝肾,明目。

【禁忌】本品质润,脾虚泄泻者忌饮用。

(2) 山楂酒

【原料】山楂200克,白酒500克。

【制作】将山楂洗净切片,放入酒瓶中,倒入白酒,浸泡半月左右即可。

【功效】消食化积，行气散瘀，降压降脂。

【禁忌】胃酸分泌过多的人不宜饮用。

（3）五味子酒

【原料】五味子50～80克，白酒500克。

【制作】将五味子洗净，放入酒瓶中，倒入白酒，密封浸泡半月左右即可。

【功效】敛肺止咳，生津止汗，滋肾涩精，宁心安神。

【禁忌】五味子酸涩，故有表邪者，有实热者，麻疹初起者忌饮用。

（4）天冬酒

【原料】天门冬60～80克，白酒500克。

【制作】将天门冬洗净，放入酒瓶中，倒入白酒，密封浸泡半月左右即可。

【功效】清热养阴，润肺滋肾，润肠通便。

【禁忌】脾胃虚寒泄泻者忌饮用。

五、惊蛰进补食谱

惊蛰时节，春光明媚，万象更新、生机盎然。由于人体中的肝阳之气顺应时节而继续上升，阴血相对不足。饮食进补应顺应阳气的升发，更加助益于脾气，令五脏平和。所以，进补要根据人体所需要的营养、结合惊蛰时节气候的特点，从防病健身两方面采用有效的食谱进补。惊蛰时节

的食谱如下。

1.菜肴类进补食谱

(1) 龙井虾仁

【原料】活大河虾300克，龙井新茶1.5克，鸡蛋清1个，黄酒15克，精盐3克，味精3克，湿淀粉35克，生油70克。

【制作】将虾洗净，出虾仁，放在竹箩里，用清水反复漂洗3次，见虾仁洁白后取出，沥干水分，再用清洁干毛巾吸干水分，放入碗中，加精盐、味精和鸡蛋精，用筷子搅拌至有黏性时，放入淀粉拌和上浆。另取茶杯一只，放进龙井茶叶，用开水50克泡开，不必加盖，1分钟后，泡后的茶叶和茶汁待用。

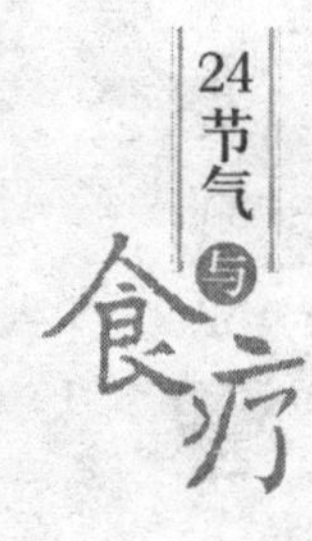

【功效】补肾壮阳，通乳托毒。

【禁忌】阴虚火旺者少食；患有疥疮、湿疹、癣等皮肤病者忌食；有过敏史者慎食。

(2) 莲子牛肚

【原料】牛肚1个，莲子40粒，香油、食盐、葱、生姜、蒜、酱油各适量。

【制作】将牛肚洗净，然后把水发去心的莲子装在牛肚内，用线缝合，放锅中加水清炖至熟。熟后待冷。将葱、姜、蒜洗净切成粒，加酱油、香油成调料。将牛肚切成丝，与莲子共置盘中加调料拌匀即成。

【功效】补脾益胃，涩肠固精，养心安神。

【禁忌】腹满痞胀，或大便燥结者不宜食用。

(3) 余四鳃鲈鱼

【原料】活四鳃鲈鱼750克，春笋80克，蛋清1个，精制油50克，葱段5克，姜片5片，黄酒10克，精盐10克，味精3克，清水760克。

【制作】鲈鱼洗净刮鳞，春笋剥壳洗后切成片。鸡蛋打破取蛋清打起泡备用。

铁锅大火烧热，放入生油，投入葱段、姜片，待爆至呈金黄色时，即将鲈鱼腹部朝上下锅，略煎片刻；再把鲈鱼翻身背朝上，烹入料酒，加盖稍焖；稍后揭盖，加入清水，滚沸5分钟，待汤呈奶白色时，再加盖，用小火焖6分钟；随后揭去盖，加入春笋、盐、味精，用大火烧沸，将蛋泡糊倒入即可出锅。

【功效】益脾胃，补肝肾，健筋骨，安胎。

【禁忌】有肠胃道慢性病者，有实热、实邪者不宜食用。

（4）红烧菇笋

【原料】葱白20克，水发冬菇50克，净竹笋、白萝卜各80克，调料若干。

【制作】将冬菇去蒂。笋在沸水中氽过，切骨排片。白萝卜刨皮，切骨排片。葱白切段。均洗净。

炒锅放火上，倒入花生油烧至八

成热，放入白萝卜炸过捞起，沥去油。锅底留油20克烧热，下葱白煸过，倒入冬菇、笋片略煸，加入白糖、酱油、油炸萝卜片及水，加盖烧5分钟，调入味精、香醋，勾薄芡即可。

【功效】强阴益肾涩精、养心安神，清热解毒，化痰益气，利膈爽胃。

【禁忌】脾虚便溏者慎食用。

（5）芝麻牛排

【原料】牛里脊肉300克，白芝麻200克（约耗100克），鸡蛋1枚，料酒15克，辣酱油25克，精盐2克，味精1克，面粉15克，熟豆油1000克（约耗100克）。

【制作】将牛肉切成长12厘米、宽7厘米、厚0.6厘米的牛肉块3块，用刀背拍松，每块相距0.6厘米剞一刀，放入碗中，加料酒、盐、味精浸匀。将鸡蛋打成蛋液，将渍好的牛排粘上面粉，蘸上蛋液，放在盛有芝麻的盘内；翻身按实，使牛排两面均匀挂上芝麻。

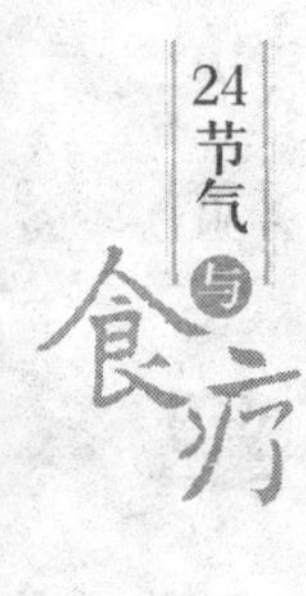

用铁锅大火烧热，注入油，烧至六成热，将牛排抖去松散的芝麻，逐块下勺；炸约2分钟，用铁筷将牛排逐块翻身，再炸1分钟左右，至呈金黄色时，用漏勺捞起；每块切成六小块，装碟即成。上桌时随跟辣酱油一

碟佐食。

【功效】补脾胃，益气血，强筋骨。

【禁忌】火热内盛者不宜。

（6）肉末蘑菇烧豆腐

【原料】猪肉末50克，蘑菇10克，豆腐200克，酱油10克，葱花、姜末、黄酒、豆油各适量。

【制作】将猪肉剁成肉末，蘑菇洗干净用温水泡，切成小方丁，泡蘑菇的水留用；再将豆腐切成小方块，沸水焯过备用。

油锅加热后，先把豆腐煎至两面黄，拔在一边，再下蘑菇、葱、姜、肉末，煸炒至透，然后将豆腐拨下，加入黄酒、蘑菇汤、酱油炒和同烧，烧至入味，出锅即成。

【功效】补益气血，健脾醒胃，抗癌。

【禁忌】痛风及血尿酸高者少食。

（7）白汁桂鱼

【原料】活桂鱼1条（约1000克），瘦火腿25克，青豆50克，料酒25克，精盐6克，味精5克，葱、姜各10克，汤100克，水淀粉10克，精制油50克，高汤200克。

【制作】将桂鱼刮净鱼鳞，割开脐眼，用筷子从口腔内绞出鱼鳃和内脏，洗净后斩去两侧和背部的鱼鳍，下开水锅烫一下捞出，放入冷水中，用小刀轻轻刮去皮面黑皮，在鱼肉两侧各划几刀使其入味，用少许盐擦匀。火腿切丁。青豆洗净沥干。

桂鱼置长盆内，撒上精盐，加葱姜、料酒，上笼用大火蒸15分钟取出。然后将炒锅烧热，倒入生油，放入火腿丁、青豆，加入高汤、精盐、味精，滗入蒸好的桂鱼汤汁，待烧开后用水淀粉勾芡搅匀，出锅浇在桂鱼上即可。

【功效】补气血，疗虚劳，益脾胃。

【禁忌】寒湿偏重（腹痛畏冷、便泄如水、舌苔白腻等）者不宜多食。

2.汤羹类进补食谱

（1）牛乳粥

【原料】鲜牛奶250毫升，粳米100克，白糖少许。

【制作】将粳米淘洗干净，放入锅内。加水适量，置大火烧沸，再用小火熬煮成粥，加入牛奶、白糖后，烧沸即可。

【功效】补虚损，益肺胃，补气养血，生津润肠。

【禁忌】不宜合用酸性食物。脾胃虚寒作泻、痰饮积滞者慎食用。

（2）生姜粥

【原料】鲜生姜6克，红枣2枚，粳米（或糯米）100克。

【制作】将生姜洗净，切片，红枣洗净，粳米（或糯米）淘洗干净，一同放入锅内，加水，置于大火上烧沸，再改用小火煮熟即成。

【功效】暖脾胃，散风寒。

【禁忌】生姜不能用食过多，以免口干、喉痛、便秘等症出现。外感风热、暑热实邪、阴虚内热者忌食用。

（3）芹菜粥

【原料】芹菜40克，粳米50克，葱白5克，花生油、盐、味精若干。

【制作】将芹菜洗净去根。锅中倒入花生油烧热，爆葱，添入水、米、盐，煮七成熟成粥，再加入芹菜煮至粥熟，调味精即可。

【功效】平肝清热凉血，化湿利大小便。

【禁忌】平素脾肾阳虚者不宜食用。肝硬化、痢疾泄泻、胃及十二指肠溃疡、肾炎、小儿腹泻等患者慎食。

（4）苋菜豆腐汤

【原料】苋菜400克，水发海米20克，豆腐25克，蒜10克，调料若干。

【制作】将苋菜洗净，切段，放入沸水中焯一下，捞出沥干。水发海米切末。豆腐切成小块，蒜捣成泥。

炒锅放火上，倒入食油，油热后下蒜泥，煸出香味后下海米和豆腐块，加少许盐焖1分钟，再加水和适量盐，将汤烧开，下苋菜一滚，调入味精即离火装碗。

【功效】清热解毒，生津润燥，明目止沥。

【禁忌】阴盛偏寒、脾阳不振、脾虚便溏或慢性腹泻者不宜食用，周期性麻痹、癫痫、痛经等患者忌食。不宜与菠菜、蕨粉同食，忌与鳖肉同食。

（5）人参大枣粥

【原料】人参6克，大枣（去核）15枚，粳米50克。

【制作】大枣与人参、粳米共煮为粥，即可。

【功效】适于月经超前，量多、色淡、质地清稀，神疲怠倦，食欲不振，气短心悸，小腹有空坠感者食用。

3.饮料类进补食谱

（1）白菜绿豆芽饮

【原料】白菜根茎头1个，绿豆芽30克。【制作】白菜根茎头洗净、切片；绿豆芽洗净；一同放入锅中，加水适量。将锅置武火上烧沸，用文火烧煎煮15分钟，滤去渣，稍晾凉，装入罐中即成。

【功效】清热解毒、利湿者食用。

(2) 双花饮

【原料】金银花30克，山楂10克，蜂蜜250克。

【制作】将金银花、山楂放入锅内，加水适量，置武火上烧沸，3分钟后，将药液滗入小盆内，再煎熬1次滗出药液，将2次药液合并，放入蜂蜜，搅匀即成。

【功效】辛凉解表。适者食用。

(3) 桑椹桂圆饮

【原料】鲜桑椹60克，桂圆肉30克。

【制作】将二物洗净，加水适量，炖烂。

【功效】适于心悸气促，失眠多梦，汗出，头目眩晕者食用。

(4) 芹菜汁

【原料】鲜芹菜1把。

【制作】鲜芹菜开水洗净，切细捣汁即成。

【功效】降低血压，预防中风。

六、春分进补食谱

春分是自然界阴阳二气达到平衡，阳气在数量上开始超过阴气的转折时刻，人体气血、阴阳的运行必然会与之发生相应的改变。这个时节饮食起居稍有疏忽容易出现气血紊乱，而导致疾病的发生。所以这个时节食补，对抗御疾病侵袭，保护身体健康有较大的影响，莫等闲视之。春分时节的进补食谱如下。

1.菜肴类进补食谱

(1) 酥炸月季花

【原料】鲜月季花瓣100克，面粉400克，鸡蛋3个，牛奶200克，白糖100克，精盐一撮，色拉油50克，发酵粉适量。

【制作】将鸡蛋清、蛋黄中加入糖、牛奶，搅匀后抖入面粉、油、盐及发酵粉，轻搅成面浆；蛋白用筷子搅打至起泡后兑入面浆。花瓣加糖渍半小时，和入面酱。汤勺舀面浆于五成熟的油中炸酥。可做早、晚餐或点心食用。

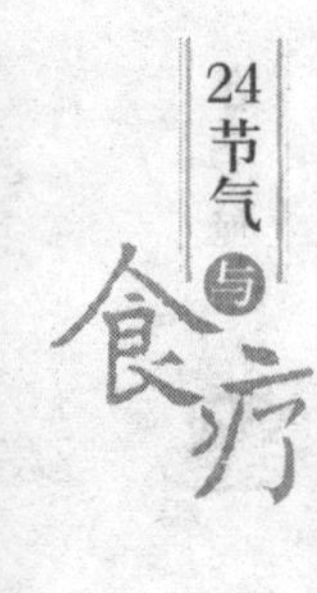

【功效】疏肝解郁，活血调经，适于血瘀之经期延长者食用。

(2) 芹菜拌干丝

【原料】芹菜250克，豆腐干300克，葱白12克，生姜3克，盐、味精、花生油若干。

【制作】将芹菜洗净切头去根，切3厘米段。豆腐干切细丝，葱切段，姜拍松。

炒锅放大火上，倒入花生油，烧至七成热，下姜葱煸过加精盐，倒入干丝炒5分钟，倒入芹菜一齐翻炒，味精兑水泼入，颠翻起锅即成。

【功效】清肝涤热，利尿镇痉。适于高血压、肝阳上亢、头痛而胀、面红目赤、下肢浮肿等患者食用。

【禁忌】腹泻者不宜食用。

（3）豆腐干炒青蒜

【原料】青蒜苗250克，豆腐干200克，精盐、味精、豆油各适量。

【制作】将豆腐干洗净切成菱形片；青蒜苗去根和老叶，洗净切成段。

炒锅放油烧热，放入青蒜苗煸炒至翠绿色时放入豆腐干，加精盐继续煸炒后加味精调料，即可出锅装盘。

【功效】温补脾胃，宽中行滞。

【禁忌】湿热内盛、内热口干、痛风者不宜食用。

（4）鱼香豆腐

【原料】豆腐500克，咸鱼25克，生姜、葱各10克，精盐1克，酱油3克，食用油50克，味精2克，胡椒2克。

【制作】将豆腐洗净切成2厘米见方的块，咸鱼、生姜、葱切成粒状。将锅置于火上，把油烧至八成热放入豆腐，将其皮煎至金黄色，放生姜、葱、酱油，加水同煮5分钟。加味精、胡椒炒匀，盛盘去姜葱即成。

【功效】适于健肾壮腰，活血通络者食用。

(5) 芙蓉鹑蛋

【原料】鹌鹑蛋20只，鸡脯肉150克，火腿10克，鸡蛋3枚，鸡汤500毫升，料酒30克，味精1克，精盐2克，湿淀粉50克，食用油80克。

【制作】鹑蛋煮熟剥去壳，鸡蛋去黄留清，鸡脯肉洗净剥去筋打成茸泥。再将茸泥放入碗中，用料酒、精盐1克、湿淀粉15克、蛋清和30毫升清水搅匀调成鸡茸。净锅置火上，注入鸡汤，放入鹑蛋、精盐、味精1克烧开，用35克湿淀粉勾成玻璃芡；再把鸡茸徐徐倒入搅匀，待鸡茸受热稠浓时放入油渗进鸡茸，盛入大平盆，撒上火腿末即成。

【功效】补五脏，益中气，抗衰老。

2.汤羹类进补食谱

(1) 百合杏仁粥

【原料】鲜百合50克（干品30克），杏仁10克，粳米50克，白糖适量。

【制作】将百合去皮，杏仁去尖，将粳米淘净，一同放锅中。加水适量，以武火烧沸，再以文火熬煮至熟，加入白糖搅匀。

【功效】养阴润肺，止咳安神。

(2) 首乌红枣鸡蛋汤

【原料】何首乌24克，红枣12个，鸡蛋2枚。

【制作】将首乌、红枣（去核）洗净。鸡蛋煮熟，去壳。把全部用料一齐放入锅内，加清水适量，文火煮30

分钟，调味即可。随量饮用，亦可调入蜜糖服用。

【功效】补养肝血。

（3）荠菜粥

【原料】鲜荠菜250克（干荠菜90克），粳米100克。

【制作】将鲜荠菜洗净，切碎，备用。把粳米淘洗干净，放入锅内。加水适量，把切好的荠菜亦放入锅内，置大火上烧沸，再用小火熬煮成粥。

【功效】补虚，清肝，明目，健脾利尿，止血降压，化湿通淋。

（4）枸杞杜仲鹌鹑汤

【原料】鹌鹑1只，枸杞30克，杜仲10克，料酒、精盐、胡椒粉、姜末、葱末鸡清汤各适量。

【制作】将枸杞、杜仲分别洗净。将鹌鹑闷死，去毛，内脏，脚爪，洗净斩块放锅内。注入鸡汤，加入料酒、盐、胡椒粉、姜、葱、枸杞、杜仲共煮至肉熟烂，拣出杜仲，盛入汤盆即成。

【功效】补肝益肾，强筋健骨，益精明目，降压安胎。

（5）白木耳羹

【原料】白木耳5克，鸡蛋1枚，冰糖60克。

【制作】将白木耳放入盆内，加入温水适量，浸泡约30分钟。待其发透后，摘去蒂头，择净杂质，用手将白木耳分成小片状，然后倒入洁净的锅内，加水适量，置武火上烧沸后，移文火上继续煎熬2～3个小时，待白木耳炖烂为止。将冰糖放入另一锅中，加水适量，置文火上熔化成汁，用纱布过滤；取鸡蛋清兑入清水少许，搅匀后，倒入糖汁锅中搅拌，待烧沸后，打去浮沫，将糖汁倒入白木耳锅内，搅匀即成。

【功效】养阴润肺，益气生津。

(6) 黑米党参粥

【原料】党参15克，白茯苓15克，生姜5克，黑米100克，冰糖适量。

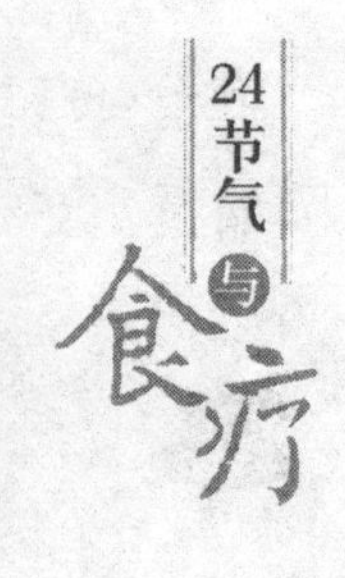

【制作】将党参、生姜、茯苓切片；黑米洗净，冰糖捣碎。将药物、黑米、生姜、冰糖放入锅内，加水适量。置武火上烧开，再改用文火熬2小时即成。

【功效】补中益气，健脾养胃。

【禁忌】湿热、胃热者忌食用。

(7) 猪肝羹

【原料】猪肝100克，豆豉10克，葱白3克，鸡蛋2个，食盐3克，味精2克。

【制作】将猪肝洗净，切成薄片，放入锅内，加水适量。置武火上烧沸后，改用文火炖熬，待猪肝熟后，加入豆豉、葱白，同时打鸡蛋入锅内，再烧沸，放味精、食盐，鸡蛋煮熟即成。

【功效】补肝，养血，明目。

3.饮料类进补食谱

(1) 菊杏饮

【原料】菊花6克，杏仁6克。

【制作】将杏仁用温水浸泡，去皮；菊花淘洗干净后放入锅内，加清水烧沸后3~4分钟即成。

【功效】祛风清热。

【禁忌】气虚胃寒，食少泄泻者忌饮。

(2) 槐花菊花茶

【原料】干槐花10克，干白菊花5克。

【制作】取一个能装250毫升的茶杯，将两种花倒入茶杯，用开水冲泡。5分钟后即可饮用。

【功效】降脂降压，疏风清热，解毒消肿。

(3) 韭菜子酒

【原料】韭菜子100克，米酒500毫升（或高粱酒）。

【制作】韭菜子研碎，浸于米粉酒中，7天后可饮用。

【功效】助阳固精。

(4) 石燕酒

【原料】石燕2~5只，高粱酒1000毫升，盐、姜、葱、醋各适量。

【制作】石燕去毛和内脏，加四味佐料炒熟，用酒浸泡3天。

【功效】添精补髓，壮阳益气。

七、清明进补食谱

“清明时节雨纷纷”，这个时节气候湿润，容易使人产生疲倦嗜睡的感觉，而且气候乍暖乍寒，天气多变，容易使人感染呼吸道疾病。这个时节里，多种慢性病易复发，如关节炎、精神病、哮喘等，有慢性病的人在这个时节主要忌食发病食物，如海鱼、海虾、竹笋、毛笋、羊肉、公鸡等，以避免旧病复发。清明时节的进补食谱如下。

1.菜肴类进补食谱

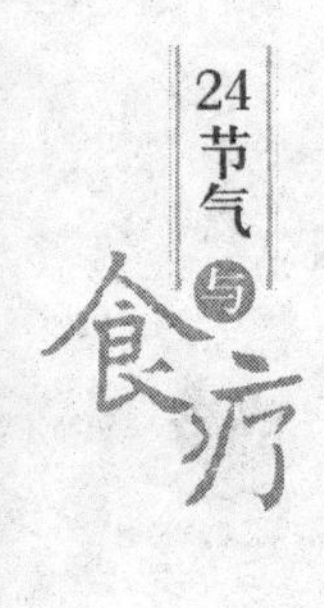

(1) 大蒜烧茄子

【原料】大蒜25克，茄子500克，葱、姜、淀粉、酱酒、白糖、食盐、味精、植物油、清汤各适量。

【制作】茄子去蒂洗净，剖成两瓣，在每瓣的表面上划成十字花刀，切成长4厘米、宽2厘米的长方形块(不要切断)。葱、姜洗净切碎，大蒜洗净切成两瓣备用。炒锅置大火上烧热，倒入植物油待七成热时，将茄子逐个放入锅内翻炒见黄色时，再下入姜末、酱油、食盐、蒜瓣及清汤，烧沸后，用文火焖10分钟，翻匀，撒入葱花，再用白糖、淀粉加水调成芡，收汁合匀，加入味精起锅即成。

【功效】凉血止血，消肿定痛，适于便血、高血压、动脉硬

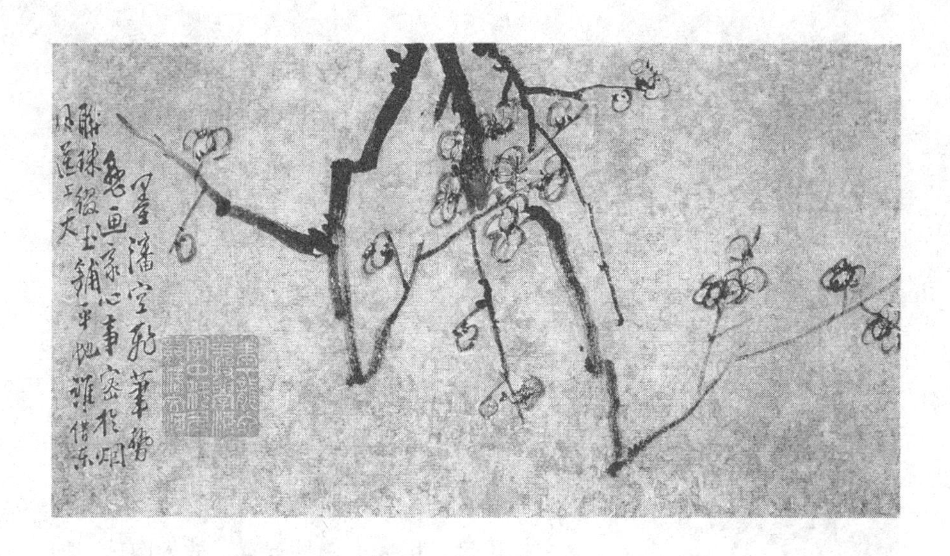

化、紫斑者食用。

（2）豆花鱼

【原料】净草鱼肉250克，嫩豆腐1盒，葱、姜末少许，盐3克，味精2克，料酒10克，红油高汤少许，水淀粉15克。

【制作】将鱼肉切薄片，用少许盐、料酒、葱末、姜末腌一下。将豆腐平均切成20片，焯水后放入汤盆中。

坐锅打底油，煸葱、姜末、烹料酒，下盐、味精，加高汤，烧沸后下鱼片，用水淀粉勾成糊芡，淋上红油，浇在豆腐上即可。

【功效】暖胃和中，平肝，祛风止痹。

【禁忌】痛风及血尿酸高者不宜食用。

（3）鸡丝烩豌豆

【原料】鸡肉100克，鲜嫩豌豆150克，豆油、酱油、精盐、味精、葱末、姜末、淀粉、鲜汤各适量。

【制作】将鸡肉洗净切成细丝，用葱、姜、黄酒、精盐调入拌好。将豌豆剥好洗净。

炒锅上火，加油烧热，倒下豌豆略炒，再将鸡丝倒入，急炒几下，加

鲜汤适量，烧一会儿，再将淀粉用温水和匀，倒入锅内勾芡，烩熟即成。

【功效】补益气血，降压祛脂，抗癌。

(4) 青菜狮子头

【原料】猪肉（瘦）50克，青菜500克，油及调味品适量。

【制作】将猪肉洗净，斩成肉糜，配上佐料，作成圆球状，上笼先蒸一下使肉粘紧在一起，备用。青菜洗净，切段。将猪肉肉糜，用大火爆炒青菜，放入肉球，加入盐、味精烧开即可。

【功效】滋阴润燥，补脾养胃，清热止渴。

【禁忌】不宜多食，多食助热生痰。外感病初愈者不宜食用。

(5) 水煮螺蛳

【原料】小螺蛳250克，油、酱油、酒、盐、味精、葱、姜适量。

【制作】将小螺蛳用水漂养，去泥，洗净，剪去螺蛳尾部。锅上火放油，五成热时放入葱姜煸香，再加螺蛳急炒，烹入黄酒、酱酒、盐、味精即成。

【功效】清热，利尿，明目，抗癌。

【禁忌】胃中有寒饮、便泄、腹中冷痛或疮疡久溃不敛口者忌食用。

2.汤羹类进补食谱

(1) 薏米粥

【原料】薏苡米50克，白糖适量。

【制作】将薏苡米洗净，置于锅内，加水适量。武火上烧沸，再用文火煨熬，待薏苡米熟烂后，加入白糖即成。

【功效】健脾除湿。

（2）首乌粥

【原料】制首乌30克，粳米100克，大枣8枚，冰糖适量。

【制作】先将粳米淘净。再将首乌放入砂锅内，加水适量，用中火煎煮，然后去渣，取浓汁。最后将粳米、大枣、冰糖、首乌汁液放入锅内，加水适量，用武火烧沸后，转用文火煮至米烂成粥。

【功效】益肾抗老，养肝补血。

【禁忌】糖尿病人忌食用。

（3）珍珠三鲜汤

【原料】鸡肉脯50克，豌豆50克，西红柿1个，鸡蛋1枚，牛奶25克，淀粉25克，料酒、食盐、味精、高汤、麻油适量。

【制作】鸡肉剔筋洗净剁成细泥；5克淀粉用牛奶搅拌；鸡蛋打开去黄留清；把这三样放在一个碗内，搅成鸡泥待用。

西红柿洗净开水滚烫去皮，切成小丁；豌豆洗净备用。

炒锅放在大火上倒入高汤，放盐、料酒烧开后，下豌豆、西红柿丁，等再次烧开后改小火，把鸡肉泥用筷子或小勺拨成珍珠大圆形小丸子，下入锅内，再把火开大待汤煮沸，入水淀粉，烧开后将味精、麻油入锅即成。

【功效】温中益气，补精填髓，清热除烦。

（4）牛奶粥

【原料】牛奶250克，粳米100克。

【制作】粳米掏洗干净，放入锅内倒入清水，大火煮沸后，改用文火煮至六成熟，加入牛奶，继续煮至成粥。

【功效】润肺通肠，补虚养血。

（5）金髓膏

【原料】枸杞子500克，蜂蜜1000克。

【制作】将枸杞子挑选干净，洗净，放入锅内，加水适量，置武火上烧开，再改用文火熬煮2小时，滗出煎液，再加水适量煎熬，如此3次，合并3次煎液，再放入锅内，熬去水分。待煎液稍稠后加入蜂蜜，用文火熬至稠状，晾凉即成。

【功效】滋肾，润肺，补肝，明目。

【禁忌】外邪湿热，脾虚有湿及泄泻者忌食用。

3.饮料类进补食谱

（1）橙子汁

【原料】橙子500克，白糖50克。

【制作】将橙子去皮、去子，用果汁机榨取汁液。将白糖放入橙子汁中，搅匀即成。

【功效】止呕恶，宽胸膈，消瘿，解酒，杀鱼、蟹毒。

【禁忌】气虚瘰疬者忌饮用。

（2）椰子浆

【原料】椰子1只，白糖30克。

【制作】将椰子砍开，倒椰子浆入碗中。将白糖放入椰子浆中，搅匀即成。

【功效】清暑，解渴。

【禁忌】勿多饮，多饮动气。

（3）蔗浆饮

【原料】甘蔗500克，白糖50克。

【制作】将甘蔗洗净后，去皮，榨取蔗汁。将开水壶装满水，置武火上烧开，待凉后，加白糖、蔗糖汁搅匀即成。

【功效】补脾养胃，润燥止咳。

【禁忌】脾胃虚寒者忌饮用。

（4）鹿茸酒

【原料】嫩鹿茸6克，山药片10克，白酒500毫升。

【制作】将嫩鹿茸切片，加山药片装布袋内，置酒中浸泡7天，即可饮服。

【功效】补肾助阳，适于已婚成年人饮用。

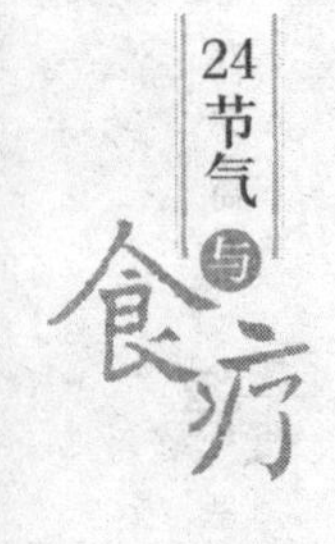

八、谷雨进补食谱

谷雨是春季的最后一个节气在这个时节气温升高，雨量增多，人体在这段时间更为困乏，但人体的消化功能却正处于旺盛时期，所以正是使身体受到补益的大好时机，应适时进补补血益气的食物，提高身体防病抗病能力，为平安度夏打下基础。谷雨时节进补食谱如下。

1.菜肴类进补食谱

(1) 参蒸鳝段

【原料】鳝鱼1000克，党参10克，当归5克，熟火腿150克，食盐、绍酒、胡椒粉、生姜、大葱、味精各适量，清鸡汤500克。

【制作】党参、当归洗净浸润后切片备用；鳝鱼剖后除去内脏，清水洗净再用开水稍烫一下捞出，刮去粘液，剁去头尾，再把肉剁成6厘米长的段；熟火腿切成大片，姜、葱洗净切片、段备用。锅内入清水，下入一半的姜、葱、绍酒烧沸后，把鳝鱼段倒入锅内烫一下捞出，装入汤钵内，将火腿、党参、当归、放于面上，加入葱、姜、绍酒、胡椒粉、食盐，再灌入鸡汤，用绵纸湿浸封口，上蒸笼蒸约1小时至蒸熟为止，取出启封挑出姜、葱加入味精，调味即成。

【功效】温补气血，强健筋骨，活血通络。

（2）杜仲腰花

【原料】杜仲12克，猪肾250克，葱、姜、蒜、花椒、醋、酱油、绍酒、干淀粉、盐、白砂糖、植物油、味精各适量。

【制作】杜仲清水煎浓汁50毫升（加淀粉、绍酒、味精、酱油、盐、白砂糖，兑成芡汁分成三份备用）。猪腰片去腰臊筋膜，切成腰花，浸入一份芡汁内，葱、姜、蒜洗净切段、片待用。

炒锅大火烧热，倒入植物油烧至八成热，放入花椒，待香味出来，投入腰花、葱、姜、蒜快速炒散加入芡汁，继续翻炒几分钟，加入另一份芡汁和醋翻炒均匀，起锅即成。

【功效】壮筋骨，降血压，补肾脏。

（3）枸杞牛肉

【原料】熟牛胸脯肉500克，枸杞子50克，鸡蛋1枚，水淀粉50克，面粉少许，葱、姜丝、蒜片各10克，花椒、盐、味精、料酒各适量，酱油20克，清汤750克，米醋少许，植物油750克（实耗75克）。

【制作】将枸杞子分为2份，一份用水煮，提取枸杞子浓缩汁25毫升；另一份25克，洗净，置小碗内上笼蒸半小时（蒸熟）备用；再将牛肉切成2厘米见方的小块。鸡蛋破壳放在碗内，加淀粉、面粉、水少许搅成糊，将肉放入调匀；将锅烧热，加入植物油，待五成热时，将肉下锅炸成金黄色捞出，沥去余油，将葱、姜、蒜、花椒及蒸熟的枸杞子撒在碗底，将肉码在上边，摆整齐；将锅放在火上，添入清汤，加入盐、味精、料酒，尝好味道，浇在肉碗内，用旺火蒸30分钟取出，将汁倒在锅内，将肉合在盘内，拣去花椒；将锅放火上，再加入香油、醋少许及枸杞子浓缩汁，汤沸时，浇在肉上即成。

【功效】滋阴壮阳。

（4）鸡眼草蜜枣煲猪肝

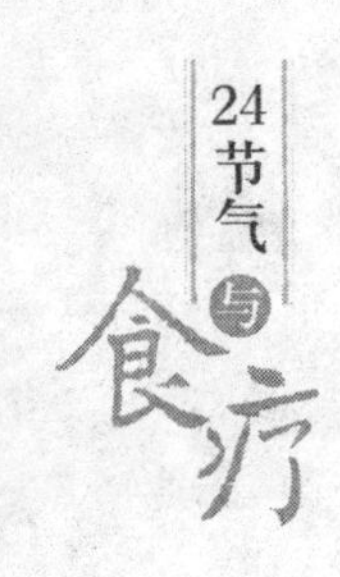

【原料】鸡眼草30克，蜜枣7～8枚，瘦猪肉100克，食盐适量。

【制作】鸡眼草洗净，与蜜枣、瘦猪肉（洗净切块）一起放进砂锅中，加水适量，先猛火，烧开后改为文火煮，食盐适量调味，煎至汤约一碗，离火，去渣，喝汤吃肉。

【功效】清热去湿、散瘀解毒，扶正护肝。

（5）鸽蛋烩银耳

【原料】干银耳30克，鸽蛋12枚，火腿末15克，鸡汤1500克，精盐6克，料酒15克，味精、胡椒粉、香菜叶各少许，熟猪油15克。

【制作】银耳用温水泡胀，洗净泥沙，摘去黑根，开水氽一次，再用清水泡后蒸熟；香菜叶洗净，火腿切成末；取12个圆形铁皮模子，内壁抹上猪油，将鸽蛋打破倒入，上面放一片香菜叶和少许火腿末，上笼蒸5分钟（蒸透），从笼内取出放到冷水中，再将熟鸽蛋取出，泡在冷水内；将鸡汤烧开，下入料酒、盐、胡椒粉，把银耳捞入鸡汤内，再把鸽蛋捞入鸡汤内，最后放入味精，即成。

【功效】滋补阴气，扶阳美容。

（6）当归羊肉配方

【原料】猴头菌150克，黄芪30克，鸡肉250克，料酒、精盐、姜、葱白、胡椒粉各适量。

【制作】猴头菌冲洗后放入盆内用温水发涨，约30分钟，捞出洗净，切成薄片，发猴头的水可纱布过滤待用。鸡肉洗净后剁成约3厘米长、1.5厘米宽的长方块，黄芪用温毛巾揩净后切成薄片，生姜、葱白切成细条。锅烧热下猪油，投入黄芪、姜、葱、鸡块共煸炒后，放入盐、料酒，发猴头的水和少量清汤，用武火烧沸后用文火烧约1小时，然后下猴头菌片，再煮半小时，撒入胡椒粉。先将鸡块放在碗底，再捞猴头菌片盖在上面，汤加盐调好味盛入即成。

【功效】养胃和肝，补益气血。

2.汤羹类进补食谱

（1）枇杷藕百合羹

【原料】枇杷30克，鲜藕30克，百合30克，白糖50克，淀粉25克。

【制作】将百合洗净；枇杷去皮、核；藕洗净，切成2厘米厚的片。将百合、枇杷肉、藕片放入锅内，加水适量，置武火上煮沸，改用文火熬炖。待百合、枇杷、藕片煮

火巴藕粉烂成泥时，加入白糖、淀粉，再煮沸即成。

【功效】滋阴润肺，清热止咳。

【禁忌】有湿热相挟而痰多者禁食用。

（2）山药奶肉羹

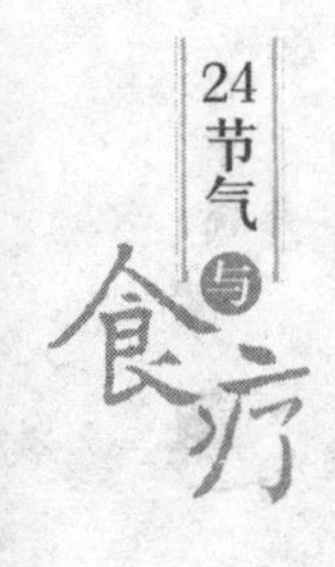

【原料】山药100克，牛奶250克，猪瘦肉500克，食盐适量，姜5克。

【制作】将猪瘦肉洗净，与生姜放入锅内，加水适量，用文火炖煮4小时。取猪肉汤1碗，与洗净的生山药片一起，放入锅内，用文火熬煮至炽烂。将锅内加入牛奶、食盐，烧沸即可。

【功效】健脾，补肺，固肾，益精。

【禁忌】有实邪者忌食。

（3）姜韭牛奶羹

【原料】生姜25克，韭菜250克，牛奶250克。

【制作】将韭菜除去杂质、黄叶，洗净，切碎；生姜洗净，切碎。将韭菜，生姜捣碎。用白色洁净纱布将韭菜、生姜绞出汁液，放入锅内，加入牛奶（或奶粉），加入水适量。将锅置武火上烧沸即成。

【功效】温中，行气，散血，解毒。

【禁忌】阴虚内热、疮疡、目疾患者禁食用。

（4）猪肤红枣羹

【原料】猪皮500克，红枣250克。

【制作】将猪皮洗净，去毛桩，用火烧去毛，切成1厘米见方的小块，放入锅内，加水适量。将锅置武火上烧开，开后，改用文火煮熬成黏稠状的汤。将红枣加入猪皮汤内，煮熟即成。

【功效】补血，利咽喉，消肿痛。

【禁忌】湿热痰滞者忌食用。

（5）葡萄蜜膏

【原料】鲜葡萄500克，蜂蜜1000克。

【制作】将葡萄除去杂质，洗净，用白纱布绞取汁液，放入锅内。将蜂蜜放入葡萄汁锅内，拌匀，置文火上煎熬成膏状，晾凉。

【功效】补气血，强筋骨，利小便。

（6）猪髓羹

【原料】猪髓100克，红枣150克，莲子100克，木香3克，甘草10克。

【制作】将莲子去心，洗净；红枣洗净；木香、甘草洗净；都装入纱布袋内，连同猪髓放入锅内，加水适量。将锅置武火上烧沸后，改用文火熬煮至汤浓，莲子烂烂即成。

【功效】补阴益髓。

3.饮料类进补食谱

（1）冰糖陈醋饮

【原料】冰糖500克，老陈醋500毫升。

【制作】冰糖入锅内，再将陈醋倒入，加热煮沸，至冰糖全部融化，凉后，装洁净瓶中，备用。

【功效】止咳化痰，清热平喘。

（2）五味子红枣炖冰糖

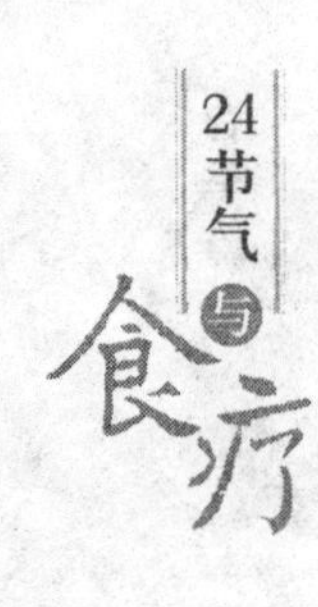

【原料】五味子9克；红枣10枚（去核）；冰糖适量。

【制作】红枣去核与五味子一起入砂锅，加开水和冰糖适量同炖半小时，去渣饮水。

【功效】敛气敛汗，益气生津。

（3）西瓜番茄汁

【原料】西瓜适量；番茄适量。

【制作】番茄用沸水泡烫剥皮，去子，用纱布绞取汁液。然后与西瓜

汁合并即可。

【功效】生津止渴，健胃消食，凉血平肝，清热解毒。

九、春季六节气因人而异的饮食进补

人在不同的年龄阶段，机体所需要的营养也有所不同。所以，饮食进补对老人、中年人、青年人、儿童及女性在不同时节也有所不同。顺应春季六节气因人而异的饮食进补方案择优介绍如下。

1.老年人的饮食进补

老年人实现健身长寿愿望，除了坚持适当的体育锻炼，保持精神愉快，注意劳逸结合，保证充足的睡眠以外，更重要的是预防疾病，加强营养。这就需要进行适当的食补。顺应春季六节气的老人饮食进补方案如下。

（1）黑木耳蒸鲫鱼

【原料】黑木耳25克，鲜鲫鱼500克，姜片、葱段、白糖、精盐、料酒、植物油适量。

【制作】将黑木耳用温水泡发、洗净，大片撕成小片，备用。将鲫鱼去鳞、去鳃、去内脏，洗净，放入大碗中，加入姜片、葱段、料酒、白糖、植物油、精盐，混合搅匀，将黑木耳盖在鱼上面，上笼蒸30分钟即可食用。

【食法】佐餐。宜常食。

【功效】养颜润肤，温中益气，防老抗衰。

(2) 蘑菇豆腐冬瓜汤

【原料】鲜蘑菇150克，豆腐200克，冬瓜250克，鸡汤（或肉汤）、精盐、姜片、味精、湿淀粉适量。

【制作】将蘑菇去杂洗净，切厚片，待用。豆腐洗净，切块，待用。冬瓜去皮，去籽，洗净切片，待用。锅内放适量油，烧热，将蘑菇片、豆腐、冬瓜片、生姜一起入锅，煸炒一会儿，加入鸡汤、精盐，沸后，用小火烧至三菜具熟，入味精，再用食淀粉勾芡即成。

【食法】佐餐。

【功效】益气和中，生津润燥，清热解毒，利水减肥，降脂降压。

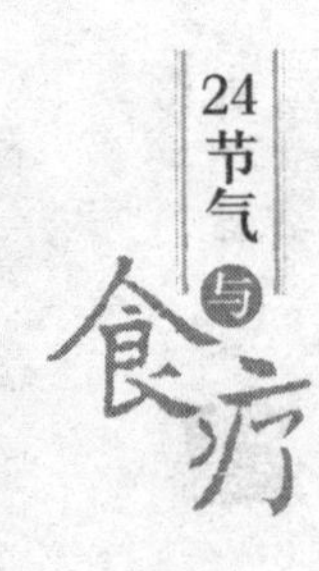

(3) 微菜草鱼汤

【原料】微菜500克，草鱼300克，料酒、姜片、葱段、精盐、胡椒粉适量。

【制作】微菜洗净；草鱼去鳞、鳃、内脏，洗净。炒锅加油烧热，入鱼两面煎黄，加入料酒、精盐、姜片、葱段，稍炒一下，加清水适量，煮至鱼熟烂入味，放入微菜，煮至菜熟，加胡椒粉少许即成。

【用法】佐餐。春季宜常食。

【功效】益气，润肌，清神，强智，清热，祛毒，利水，消肿。

(4) 清明菜炒羊肝

【原料】清明菜500克，熟羊肝150克

【制作】采初春的清明菜嫩茎叶，洗净，待用；将羊肝切成片。炒锅中入适量植物油，油热，将羊肝、姜丝、葱片煸炒一会，加盐继续煸炒，注入一些清水，烧沸，放入清明菜，再烧沸一会，加味精，炒至水将干即成。

【食法】佐餐。

【功效】养血，补肝，明目，润肺，镇咳。

（5）蕨菜炒肉片

【原料】嫩蕨菜500克，猪瘦肉100克，调料适量。

【制作】将嫩蕨菜上的茸毛捋掉，掐去顶上的叶苞，洗净，放沸水中焯一下，捞出放清水浸泡，去涩味，切成寸段，待用；将猪瘦肉洗净切成薄片，放入碗中，加适量精盐、料酒、鸡蛋清、淀粉，搅匀上浆，待用。炒锅内加花生油适量，烧至五成热时，倒入浆好的肉片，用锅铲划散，煸炒，熟后倒入漏勺。锅中留少量炒好的肉片，加入味精和调好的芡汁，颠动炒锅淋上芝麻油即成。

【食法】佐餐。

【功效】补虚，健身，强肝，补气，养阴，清热，润肠，利尿。

2.中年人的饮食进补

中年人上有老，下有小，又承担着工作重担，身体多处于重荷之下，所以更需要进补。适宜中年人的饮食进补方案如下。

（1）枸杞子淮山药养身粥

【原料】枸杞子30克，淮山药30克，龙眼肉30克，粳米100克。

【制作】枸杞子、淮山药、龙眼肉、粳米一齐放入锅煮。

【食法】早、晚食用。

【功效】滋养肝肾，补虚养阴。

(2) 归龙鸡肉汤

【原料】鸡肉150克，当归30克，龙眼肉100克。

【制作】将鸡肉洗净，切片；余药洗净。同放入煲内加水适量，文火煲2小时，调味即可。

【食法】佐餐。

【功效】滋阴补阳，强身健体。

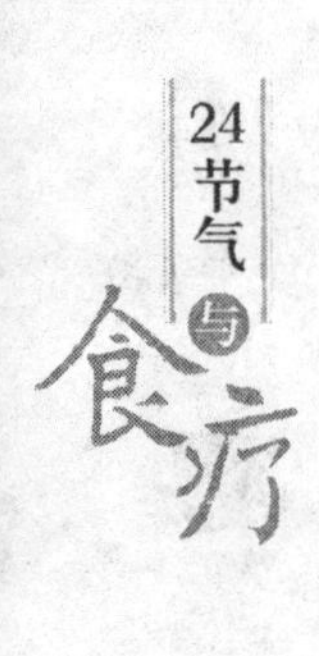

(3) 金针鸡丝汤

【原料】鸡肉150克，金针菜60克，冬菇3个，木耳30克，葱白1根。

【制作】将鸡肉洗净，切丝，拌少量调味料；除葱白外，余下者用清水浸软，洗净。同放入锅内，加清水适量，文火煲沸12分钟，再放入葱花，调味即可。

【食法】饮汤，吃鸡肉、冬菇、木耳。每天一次。

【功效】滋阴养血，消烦安神。

(4) 鲍鱼枣仁煎

【原料】鲍鱼30克，熟枣仁15克。

【制作】用水5碗煲至1碗。

【食法】下午3时食用。

【功效】滋阴安神，固本益精，和胃养肝。

(5) 枸杞子鸡肝鱼片粥

【原料】枸杞子30克，鸡肝2

副，鲩鱼肉180克，粉丝250克，葱白10支，生油3汤匙，生姜4片。

【制作】将鸡肝洗净，切成小块；鲩鱼肉洗净，切小片。全料同放入煲中煮滚，以熟为度，调味即可。

【食法】饮汤，吃鸡肝、鱼片、枸杞子、粉丝。每天一餐。

【功效】养肝补肾，固本安神。

3.青年人的饮食进补

青年人，正处于成长时期，身体尚未发育完全，特别需要合理、科学的饮食营养，这是青年人机体健康、强壮的物质基础。顺应春季六节气的青年人饮食进补方案择优介绍以下几种：

(1) 菜花烧香菇

【原料】菜花250克，水发香菇30克，肉汤、熟猪油、生姜、葱片、水淀粉、精盐、味精适量。

【制作】将菜花老柄去掉，洗净，切或掰成小朵，放沸水中焯一下，捞出放凉水中过一下，将水沥净，备用。水发香菇淘洗干净，个大的可撕成两片，备用。炒锅入猪油烧热，投入葱、姜，煸出香味，加入肉汤，沸后，放入菜花；烧3分钟，再放入香菇，沸后，加入盐和味精，入味

后，勾芡即成。

【食法】佐餐，宜常食。

【功效】补肝益肾，健脾和胃，强身健体。

（2）樱桃银耳汤

【原料】鲜樱桃50克，水发银耳50克，适量冰糖、糖桂花。

【制作】樱桃洗净，水发银耳，去蒂，洗净，撕成小片，放碗中，备用。砂锅中加清水，烧开，放入冰糖，使之融化，将银耳入锅，煮15分钟，加入冰糖桂花和樱桃，再煮2分钟即成。

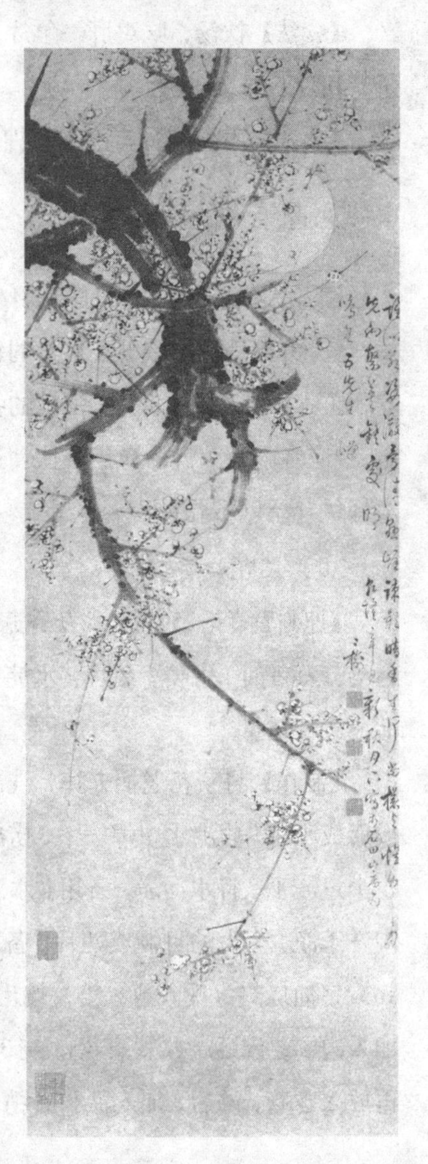

【食法】午餐佐餐，宜常食。

【功效】美容润肤，补中益气，滋阴养血。

（3）香椿炒鸡蛋

【原料】鲜嫩香椿250克，鸡蛋2枚，植物油、精盐、味道适量。

【制作】将香椿洗净，切碎，备用。鸡蛋打入碗中搅匀，备用。炒锅中倒入适量植物油，烧热后，放入香椿，煸炒出香味，将鸡蛋液均匀倒在香椿上，迅速翻炒，使蛋液与香椿结合，鸡蛋将熟时，加入精盐、味精调味，即可盛入盘中。

【食法】佐餐，供一人食用。

【功效】润肤明目，健脑补血，益气和中。

(5) 羊奶粳米粥

【原料】鲜羊奶250毫升，粳米80克。

【制作】锅中加清水500毫升，烧开后，将淘洗后的粳米加入，沸后，小火煮至米八成熟时，倒入羊奶，直至煮成。

【食法】佐餐，每日1次。

【功效】益五脏，补心肺，清耳目，利皮肤，润毛发，壮筋骨。

4.儿童的饮食进补

儿童正处于一生中生长发育较快的阶段，合理的膳食营养是他们健康成长的基础。儿童保健的饮食原则应是强肾、健脾、补脑，顺应春季六节气的儿童饮食进补方案，择优介绍如下：

(1) 金针鹑蛋汤

【原料】金针菜30克，鹌鹑蛋4枚，瘦肉馅30克，芝麻油、精盐、鸡精适量。

【制作】金针菜用清水泡软，去蒂，洗净切段；鹌鹑蛋煮熟去壳；放铁锅于火上，加入适量芝麻油，烧热，倒入肉馅，煸炒变色后，倒入金针菇，一起炒1分钟，加水500毫升，沸后，入鹌鹑蛋和适量精盐，煮5分钟，加入鸡精调味即可。

【食法】佐餐，隔日或每日1次。

【功效】健脑益智，补血安神，增强体质。

(2) 虾仁核桃炒豌豆

【原料】干虾仁15克，核桃仁20克，鲜豌豆粒200克，大葱1棵，另备调料。

【制作】将干虾仁淘洗后用清水泡发10分钟，捞出备用。核桃仁洗净，大块者掰成小块，备用。大葱去老叶、葱须，切成大片，备用。豌豆粒洗净备用。锅中放植物油适量，油热后，将虾仁、核桃仁入油锅中煎炸一下，有香味时，将豌豆粒和葱片倒入，加盐共煸炒，待熟时，加入开水适量，煮至水将干即成。

【食法】佐餐，宜常食。

【功效】健脑益智，滋阴补肾，可为脑组织提供发育物质，提高大脑功能，增强记忆力。

(3) 苦菜鸽蛋汤

【原料】鲜苦菜500克，鸽蛋4枚，芝麻油、精盐、鸡精、胡椒粉适量。

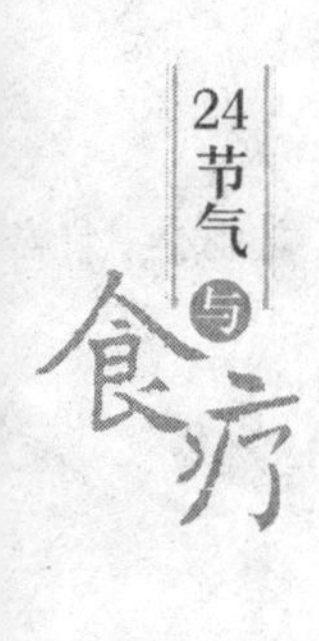

【制作】将苦菜摘干净，洗净，备用。鸽蛋打入碗内搅匀。锅中加水500毫升，煮沸后倒入苦菜炒半分钟，捞出，把水倒掉。把锅擦干，放入

芝麻油烧热，倒入苦菜翻炒几下，加入清水500毫升，煮沸3分钟，放入鸽蛋汁，热后搅匀，放入精盐、胡椒粉、鸡精适量，搅一下锅即成。

【食法】佐餐，常食。

【功效】开胃养心，健脑益智，清热除烦。

（4）金针乌鸡红参汤

【原料】金针菜（干品）30克，乌骨鸡1只（大约1000克左右）红参片3克，香菇（干品）6克，适量生姜、大茴、花椒、大葱、料酒、精盐、味精等。

【制作】将金针菜泡发，洗净备用。将乌骨鸡宰后煺毛，挖出内脏，留下心、肝、肾、胃，余下肠杂等弃之，洗净，鸡肉切块，备用。香菇用温开水泡发，洗净，备用。砂锅中加水1500毫升，煮沸后，将乌鸡肉、红参片、金针菜、香茹一起放入锅中，同时将料酒、生姜、葱段和装入纱布中的大茴、花椒放入共炖，煮沸后，改用小火炖至鸡肉烂熟，再加入精盐、味精调味即成。

【食法】将此鸡汤分4次2日食完，早晚各1次，连汤一起食用。

【功效】健脑、益智、安神、补血、益肾。

5.女性的饮食进补

女性与男性不同，在生理上有月经、怀孕、分娩和哺乳等特点。因此，在保健方面有其特殊性。要保障女性各个阶段的健康，食补是重要的一环。顺应春季六节气的女性饮食进补方案如下：

(1) 艾叶鹑蛋汤

【原料】嫩艾叶200克，鹌鹑蛋6枚，生姜、精盐适量。

【制作】将艾叶洗净，鹌鹑蛋打入碗内，加芝麻油少许，搅匀，备用。锅内加清水600毫升，烧开后，将艾叶与生姜丝倒入，煮沸2分钟，均匀倒入蛋汁呈蛋花，沸后，加精盐适量即可。

【食法】佐餐。每日或隔日1次。

【功效】温经止血、散寒止痛。

(2) 芹菜香菇炒墨鱼

【原料】芹菜250克，干香菇10克，鲜墨鱼肉100克，熟猪油25克，料酒、精盐、鸡精适量。

【制作】芹菜去叶、根、洗净，净菜保持250克，切成段；干香菇用清水泡发，去蒂洗净，个大者撕成小片；墨鱼肉洗净，切成丝。锅内加水适量，烧开后，加入料酒，然后把切成丝的墨鱼肉放入锅中，煮1分半钟，捞出

备用。锅内水倒去，将锅烧热，放入熟猪油，烧至七成热时，加入精盐，放入芹菜翻炒3分钟，再放入香菇和墨鱼丝，继续翻炒2分钟，加入鸡精即可。

【食法】佐餐。

【功效】补脑益智，开郁舒志，安神补血。

（3）五香黄豆花生米

【原料】黄豆250克，花生米250克，生姜，葱段、大茴、花椒、桂皮、精盐、芝麻油、味精适量。

【制作】将黄豆用清水浸泡一昼夜，泡发后洗干净，把水沥净，花生米用清水淘洗干净，把水沥净，二物均倒入锅内，加水浸没，烧开后，撇去浮沫，加入姜片、葱段、大茴、花椒、桂皮。沸后，改用小火炖至熟烂，再加入精盐，继续烧3分钟，入味精拌匀即可食用。

【食法】佐餐，当小菜食或当零食吃。

【功效】健脑益智，开窍聪明，益气养血，悦脾和胃。

（4）首乌鲤鱼汤

【原料】首乌20克，鲤鱼一条（约500克），生姜6克，米酒15毫升。

【制作】鲤鱼去鳞，去内脏和肠杂及鳃，与首乌一起放入锅内，加水适量，煮沸，加入姜片、米酒、沸后改用小火焖至鱼熟，再加调料即可。

【食法】吃首乌，鱼，喝汤。

【功效】补肾益肝、养血调经。

（5）乌梅红糖生姜水

【原料】乌梅15克，红糖20克，生姜10克。

【制作】乌梅、生姜洗净（切片），放入锅内，加清水600毫升，沸后，用小火煮30分钟，加红糖，再煮3分钟，去渣即成。

【食法】早晚分2次，温食。

【功效】生津收敛，益气补血，温中散寒。

十、通过饮食进补预防春季多发病

由于春季气候的特点：气候多变，且多风，降雨增多，地气变暖……人们的机体不能从冬季的状态中，马上调整过来。这样，就会发生许多疾病。一般说来“三分药，七分补”食补的作用对于人的机体健康是至关重要的，而饮食又要根据春季里的不同的病证相应调节。

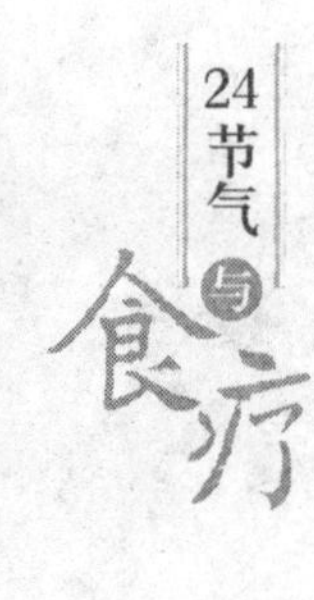

1.预防感冒

春季六节气应暖而反寒，人体对外界气温不适应，易患感冒，以下饮食疗法对防治感冒有一定效果。

（1）香花菜芫荽煎鸡蛋

【原料】香花菜30克，芫荽30克，鸡蛋3枚。

【制作】将香花菜（去根）、芫荽（去根）洗净，切碎；鸡蛋打破去

壳，加盐少许，搅匀。起油锅，下香花菜、芫荽略炒，即放入鸡蛋，煎至蛋熟即可。

【功效】发散风寒，宣肺止咳。

(2) 枸杞菊花绿豆汤

【原料】枸杞叶100克，菊花15克，绿豆30克。

【制作】将绿豆洗净，用清水浸约半小时；枸杞叶、菊花洗净。把绿豆放入锅内，加清水适量，武火煮沸后，文火煮至绿豆烂，然后加入菊花、枸杞叶，再煮10～20分钟，调味即可。

【功效】疏散风邪，清热止痛，适用于感冒头痛属风热者。

【禁忌】脾胃虚寒，风寒头痛者忌用。

2.预防慢性气管炎

春季，多风，气候干燥，慢性气管炎是春季六节气中的多发病之一，以发热、咳嗽为主。其饮食疗法有以下几种：

(1) 萝卜杏仁牛肺汤

【原料】白萝卜500克，杏仁15克，牛肺250克，料酒、生姜、精盐、胡椒粉、鸡精适量。

【制作】将萝卜洗净，切块，杏仁泡发后去皮尖，牛肺洗净后一同入锅，并加入生姜、料酒、精盐，旺火同炒，熟后，再倒入砂锅，加水800

毫升，同炖15分钟，入适量胡椒粉、鸡精即成。

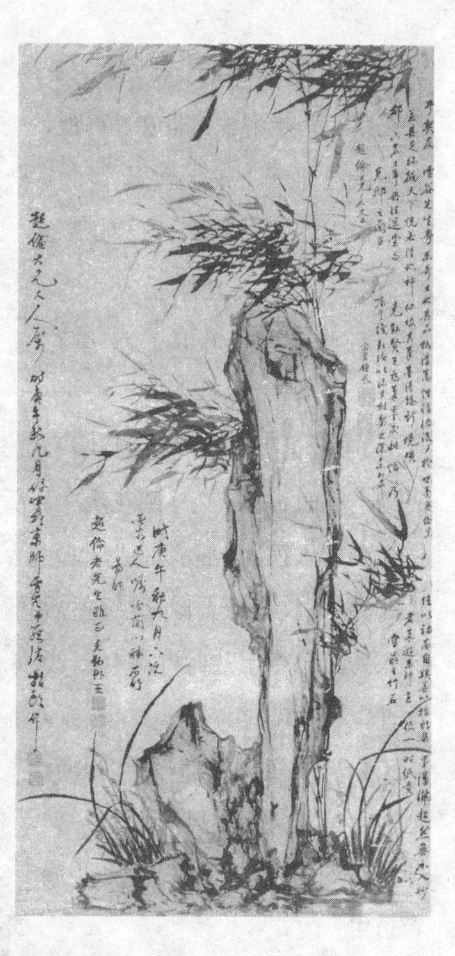

【食法】食牛肺、萝卜，饮汤。隔日1次，连食用1月。

【功效】润肺止咳，祛痰平喘，顺气消食。

(2) 核桃百合粳米粥

【原料】核桃仁20克，百合20克，粳米60克，冰糖10克。

【制作】将三物淘洗干净，共入沸水锅，煮成粥。

【食法】佐餐，每日2次。

【功效】滋补健身，润肺清热，止咳平喘。

(3) 藕梨汤

【原料】白藕500克，梨500克，蜂蜜适量。

【制作】藕切片，梨去核，锅中加清水1000毫升，沸后，将藕与梨倒入，煎煮30分钟，待温，加入蜂蜜即成。

【食法】食藕、梨，饮汤，早晚分食。

【功效】清热润肺，化痰止咳，消瘀凉血。

3.预防胃溃疡

春天的到来给万物带来了勃勃的生机，但对溃疡病人而言，在这“发季”却要当心，以免旧病复发甚至造成出血、梗阻、穿孔等并发症。预防溃疡病的复发主要从饮食与心理两方面着手。

适应春季六节气对溃疡病的饮食疗法主要有以下三种：

（1）益脾饼

【原料】红枣500克，煮熟去皮核。

【制作】取枣肉250克，鸡内金60克，生白术120克，干姜粉60克；将鸡内金、白术洗净，以文火焙干，研成细末，加入干姜粉和入枣内，同捣如泥，制成小饼，放入烤箱内烘干，取出放入塑料食品袋内备用。

【食法】餐后充当零食，细嚼慢咽。

【功效】补脾温中、健胃消食。

【禁忌】若胃脘灼热疼痛，烦躁易怒，泛酸嘈杂，口干口苦，属于肝胃郁热型者，则不宜食。

（2）桃仁粥

【原料】桃仁、生地各10克。

【制作】桃仁浸泡后，去皮弃尖，二药洗净后加入适量冷水，武火煮沸，改文火慢煎。30分钟后，除去药渣，将100克粳米洗净加入药汁中煮粥。粥熟加入桂心粉（药店有售）2克，红糖50克。

【食法】每次食1小碗，每天3至4次。

【功效】祛瘀通经，活血止痛，滋养脾胃。

【禁忌】若溃疡活动出血时，则禁食此粥。

（3）鲜芦根粥

【原料】新鲜芦根100克，青皮5克，粳米100克，生姜2片。

【制作】将鲜芦根洗净后，

切成1厘米长的细段，与青皮同放入锅内，加适量冷水，浸泡30分钟后，武火煮沸，改文火煎20分钟。捞出药渣，加入洗净的粳米，煮至粳米开花，粥汤粘稠。端锅前5分钟，放入生姜。

【食法】1日分2次温服。

【功效】泄热和胃，养阴止痛。

【禁忌】若胃脘痛畏寒喜暖，大便溏泄，则不宜食此粥。

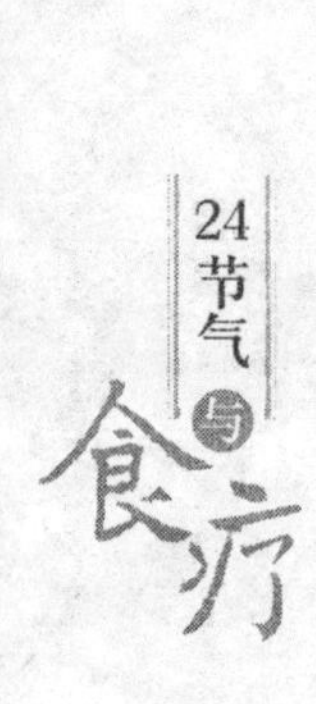

4.预防流行性腮腺炎

流行性腮腺炎是由腮腺炎病毒引起的急性呼吸道传染病，其饮食防治方法如下：

（1）冰糖蒸鸭蛋

【原料】冰糖30克先放入热水中搅拌溶化，待水稍凉后打入鸭蛋2枚。

【制作】隔水蒸熟。

【食法】每天2次，连服7天。

【功效】养阴清热，对腮腺炎发热者有效。

（2）绿豆菜心汤

【原料】绿豆50克、白菜心3个，冰糖适量。

【制作】将绿豆洗净入锅，加水适量，煮至开花时，放入洗净切碎的白菜心，再煮20分钟，加冰糖适量调味。

【食法】每日早晚各1次，温服。

【功效】治小儿痄腮。

（3）绿豆板蓝根茶

【原料】绿豆、板蓝根各30克。

【制作】先将板蓝根加水煎汤，去渣取汁，放入绿豆煮成汤。

【食法】每日3次，代茶饮。

【功效】清热解毒，凉血。

（4）鲫鱼陈皮枸杞菜

【原料】活鲫鱼1条，鲜枸杞菜100克，陈皮3克，盐少许。

【制作】将鲫鱼去鳞剖腹去内脏，洗净，与陈皮、生姜同入锅，加适量水煮开。鲜枸杞菜洗净，放入锅内，与鲫鱼同煮。水沸后改小火炖之，至鱼熟汤浓，加盐调味即可。

【食法】趁热分2次吃完。婴幼儿喝汤。

【功效】清热解毒，理气开胃，和胃止呕。

（5）百日咳

百日咳是常见的一种小儿急性呼吸道传染病，在春季尤其多见，饮食疗法对减轻症状，促进病愈有较好疗效，特别是对患儿病后的恢复，食疗有特殊的效果。

（1）大蒜浸液

【原料】大蒜10克。

【制作】将大蒜去皮捣烂，加开水50毫升，澄清后取汁加适量白糖。

【食法】每服5～10毫升，每日2～3次。

【功效】抗菌消炎，用于百日咳痉咳期。

（2）杏仁冰糖

【原料】杏仁30克，冰糖9克。

【制作】将杏仁，冰糖共研细末，以麦冬煎水。

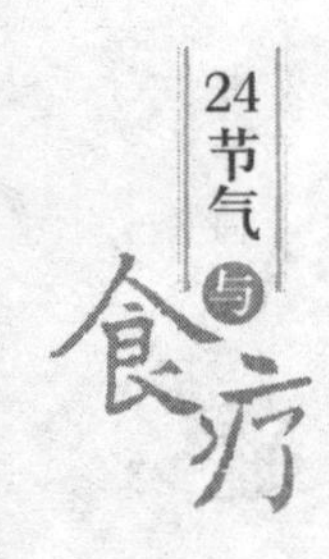

【食法】2岁以下患儿每次吃1.5克，2岁以上患儿每次吃2～3克。

【功效】止咳化痰的作用，对百日咳亦有较好的止痉作用。

（3）西瓜子茶

【原料】西瓜子15克（打碎），花生仁15克，红花1.5克，冰糖30克。

【制作】水煎。

【食法】代茶饮。

【功效】对百日咳有辅助治疗作用。

（4）百部蒸豆腐

【原料】百部8克，紫苏叶8克，豆腐250克，冰糖25克。

【制作】先将豆腐放入一大碗内，再将百部、杏仁、紫苏叶研成粗末，均匀撒在豆腐上，加少量清水，放锅内隔水蒸约30分钟。用筷子或刀刮去药渣。加入冰糖再蒸5分钟即可。

【食法】分3次吃，温吃，连吃7～10天。

【功效】润肺止咳，适用于小儿百日咳初期。

（5）鸭梨蒸麻黄

【原料】大鸭梨1个，麻黄3～5克。

【制作】麻黄研成粉，捣为粗末。鸭梨洗净，剖开去核。把麻黄粉放入梨心内，再将鸭梨合严，插上小竹签，放入碗内，隔水蒸熟即可。

【食法】每日2次，喝汤吃梨。

【功效】平喘解痉，适用于小儿百日咳痉咳期。

（6）罗汉果柿饼汤

【原料】罗汉果半个，柿饼3个。

【制作】加清水3碗煎至1碗。

【食法】加冰糖少许，分3次吃完。

【功效】清肺热化痰火，止咳化痰。

（7）核桃梨汁

【原料】核桃仁、冰糖各50克，梨1个。

【制作】核桃剥去外壳；取核桃仁（紫衣保留）；梨洗净，去壳去皮，切片。将核桃仁、梨片、冰糖同入锅内，加水适量，共煎30分钟。

【食法】趁热吃梨、核桃仁，喝汤，1日分2～3次吃完。婴幼儿喝汤即可。

【功效】补肾生津，润肺止咳。适用于小儿百日咳伴口干舌燥，大便干，身体虚弱，咳而无力。

十一、常见病的春季六节气饮食疗法

对于不分四时节气而发的常见病，诸如高血压、低血压、冠心病、胃病等等，其实在不同季节中也有不同的反应，若能因季节不同采取相应的饮食疗法，对其防治大有裨益。以下是顺应春季六节气对常见病的饮食疗法。

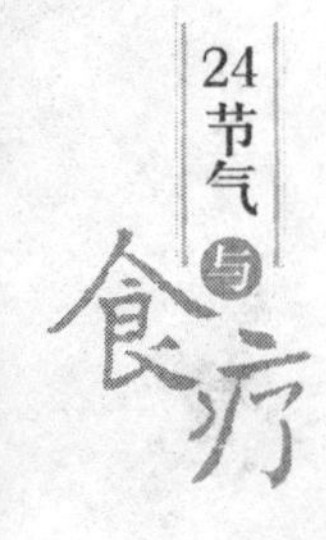

1.胃病的饮食

胃病的发生，往往与饮食不当和不良的饮食习惯有关。如吃过冷、过热、过辣、过粗硬的食物，或是吃饭过快，爱吃热烫饮食、暴饮暴食、过食油腻、进食无规律（饥一顿，饱一顿），吃不新鲜或腐败食物及胃部受寒等等。因此，要注意纠正上述不良饮食习惯，对胃采取针对性的保护措施。顺应春季六节气对胃病的饮食疗法有以下几种。

（1）马兰猪肚汤

【原料】鲜马兰（带根）500克，猪肚一个。

【制作】先把猪肚里外洗干净，马兰洗净，切碎，加黄酒20毫升拌匀，备用。将猪肚剖一缺口，约3厘米长，把马兰全部装入猪肚内，缝好切口，把猪肚两头扎好，放入砂锅内，加清水浸没，先用大火烧开，加适量精盐、生姜、大茴、花椒、肉桂和黄酒40毫升，改用小火慢炖3个小时。至猪肚熟烂。吃时，可将猪肚拆线（马兰可食），将大茴、花椒、肉桂挑出丢弃。

【食法】可将猪肚切片，加调味品拌食，喝汤，每次适量食用。

【功效】补脾益胃，消炎止痛。

（2）小米绿豆榛子粥

【原料】绿豆200克，小米200克，榛子仁20克。

【制作】绿豆、小米均淘洗干净，锅中加水1200毫升，烧开后，将绿豆下入，煮10分钟后，加入小米与榛子，共煮成不稀不稠的粥。

【食法】每日早、晚佐餐分食。

【功效】清热，解毒，健脾益胃。

（3）炒大、小米粥

【原料】大米500克，小米500克。

【制作】将大米、小米挑净，用细箩过一下。放入锅内，小火炒焦，研成面，装瓶中，备用。锅中加水600毫升，煮沸，取100克焦米粉，用冷水搅成稀糊，倒入沸水中，搅匀，煮成粥即可。

【食法】佐餐，每日1~2次。

【功效】健脾益胃，补中益气，滋补健身。

（4）土豆汁冲鸡蛋

【原料】鲜土豆汁100毫升，鲜鸡蛋1个。

【制作】将鲜土豆洗净，切碎，用纱布包裹挤汁，备用。奶锅中加水200毫升，烧沸；鸡蛋打入碗内，搅匀，用沸水冲成鸡蛋茶，待温，加入土豆汁100毫升，搅匀即成。

【食法】每日早、晚各1次，连服1个月。

【功效】止痛，收敛，益胃，补虚。

(5) 菜花包菜汁

【原料】菜花、包菜等量，装洁净瓶中，放冰箱冷藏备用。

【制作】将菜花、包菜切碎，捣烂，包在纱布中挤汁。

【食法】每日早、晚各服1次，每次100毫升。服时，加适量蜂蜜调匀服用。连服1个月。

【功效】收敛止痛，健胃利胆。

2.牙病的饮食疗法

牙齿，是人类咀嚼和发音器官的重要组成部分。一副健康的牙齿，对一个人的健康与长寿关系极大。但是，牙病却往往容易被人忽视，这对健康长寿极其不利，因为牙病容易引发其他疾病，所以要重视对牙病的防治。适应春季六节气的牙病饮食疗法有以下几种。

(1) 绿茶菊花饮

【原料】绿茶5克，菊花5克。

【制作】用一个可容250毫升水的茶杯，将绿茶、菊花放入，倒入开水100毫升，泡10分钟再加入开水100毫升，再泡10分钟即可。

【食法】第一次先将泡好的茶倒出1/3，加开水两倍饮用，余下的茶再加入新水。依此方法，一剂茶可饮4～5次，供1日饮用。每天如此。

【功效】提精神，助消化，清内热，固牙齿，利血脉，聪耳明目。

（2）黑豆大葱汤

【原料】黑豆50克，大葱7株，花椒、精盐适量。

【制作】将黑豆淘洗干净，把大葱去除老叶，连根一起洗净，切段，备用。

锅中加水烧开，放入黑豆，沸后改用中火，加入花椒、大葱、生姜，煮至豆烂熟为止，加精盐、味精食之。

【食法】吃黑豆、大葱，饮汤。每日1次，宜常食。

【功效】补肾益精，健齿聪耳，清热明目，利尿解毒，疏风散寒。

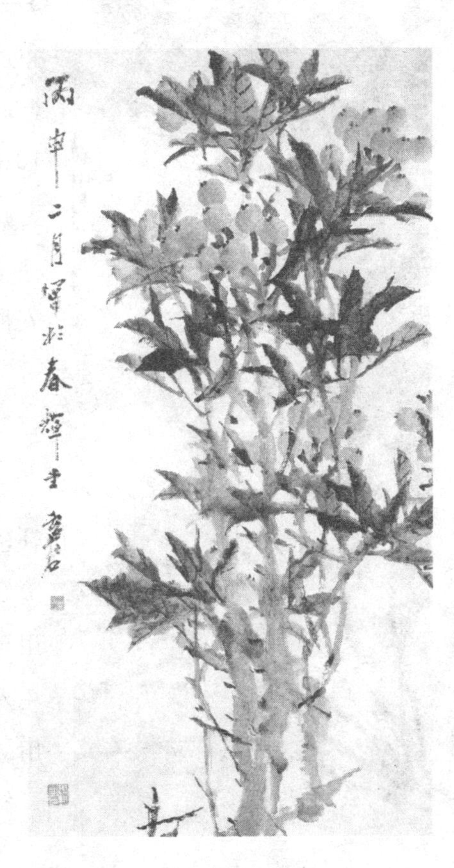

（3）桂圆枸杞黑豆汤

【原料】桂圆肉50克，枸杞子20克，黑豆50克。

【制作】砂锅内加清水1000毫升，烧开，加入洗净的黑豆。改用中火煮至黑豆八成熟时，再将桂圆肉、枸杞子倒入共煮，约20分钟即可。

【食法】空腹食，连汤一起1次食完，连食1周。

【功效】益脾胃，润肌肤，固牙齿，补气血，壮筋骨。

3.高血压病的饮食疗法

高血压病的发生虽然有许多原

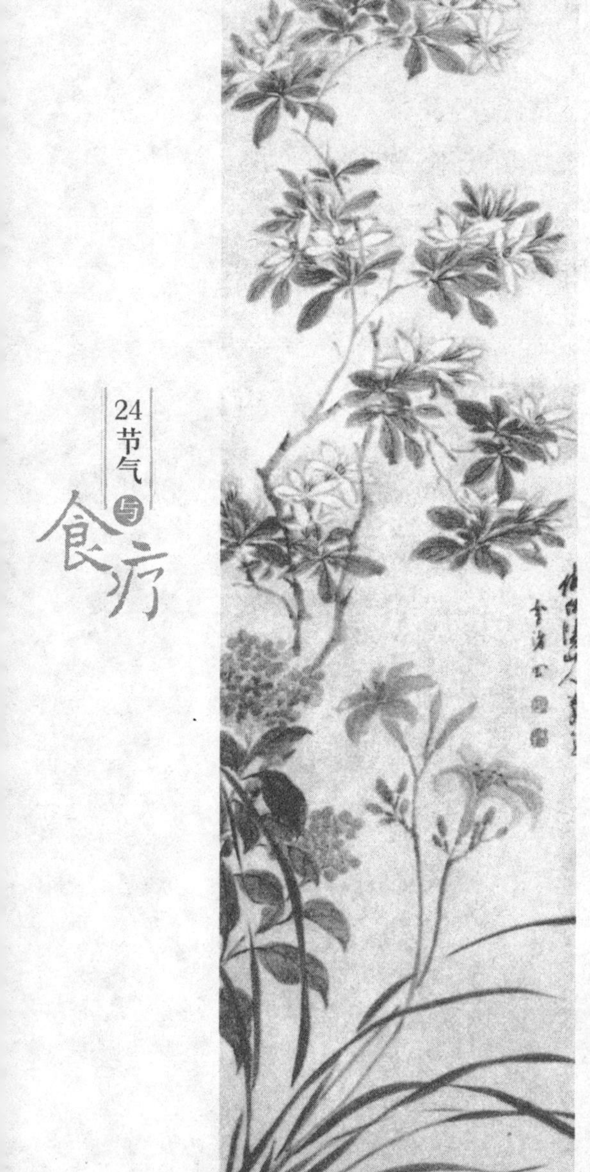

因，但膳食不当是一个重要因素。因此，改变高脂、高盐、饮酒等不良的膳食结构，是防治高血压病的重要措施。同时，利用某些食物来治疗或辅助治疗高血压病，有非药物方法所能达到的疗效。顺应春季六节气的高血压，饮食疗法有以下几种。

（1）荷叶莲心茶

【原料】荷叶的鲜叶100克，或干叶15克，莲子心（即莲子中的青绿色胚芽）3克。

【制作】将荷叶洗净，掰碎和莲子心一起放砂锅中，加水1500毫升，煎成1000毫升。

【食法】1日3次饮用。

【功效】降脂，降压，减肥，清热，安神，强心。

（2）槐花菊花茶

【原料】干槐花10克，干白菊花5克。

【制作】取一个能装250毫升的茶杯，将两种花倒入茶杯，用开水冲泡。

【食法】开水冲泡5分钟后即可饮用，每次饮用杯中水量的一半，然后再兑入新水。可先连喝4～5次，供1日饮用。宜常饮或连续饮用。

【功效】降脂降压，疏风清热，解毒

消肿。

（3）醋泡花生米

【原料】优质米醋1000毫升，花生米1000克。

【制作】将容器洗干净，倒入洗净的花生米，再把醋倒入，浸没花生米，一周后可用。

【食法】每天早上嚼食花生米15粒。

【功效】降脂，降压，止血。

（4）山楂橘皮茶

【原料】干山楂片15克，干橘子皮15克。

【制作】将山楂片、橘子皮洗净（掰成小块），放砂锅中，加水1500毫升，煎至1200毫升，待成加适量白糖。

【食法】1日数次代茶饮。每日1剂，连续饮用。

【功效】降血脂，降血压，散瘀血，健脾胃，助消化，止咳喘。

4.低血压病的饮食疗法

低血压，顾名思义，就是血压低于正常水平。所以，在导致脑血管意外和心脏疾病方面，高血压、低血压几乎难分高低。低血压引起的脑血管意外多为脑血栓。所以，认为高血压可以并发脑中风，低血压不会引起脑中风，这种认识是错误的。因此，在日常生活中对低血压病的防治不可掉以轻心，顺应春季六节气对低血压病的饮食疗法有如下几种。

（1）黑豆炖狗肉

【原料】黑豆100克，狗肉500克，料酒、葱段、生姜、大葱、花椒、肉桂、精盐、味精、胡椒粉适量。

【制作】将黑豆淘洗干净，泡发备用。将狗肉洗净，切块，下沸水锅，焯一下捞出。锅烧热，加油，油热，将生姜、葱段一起入锅煸炒一会，然后倒入黑豆共炒，加适量清水，沸后，改小火炖至豆烂肉熟，再入胡椒粉、味精调味即成。

【食法】早晚佐餐，分4次，2日食完，连续食用1个月。

【功效】安五脏，暖腰膝，壮肾阳，补胃气。

(2) 莲子蒸红枣

【原料】莲子15枚，红参片6克，冰糖30克。

【制作】莲子洗净，用清水泡发后，放碗中，加入红参片和冰糖，加适量水，上笼蒸1个小时即可。

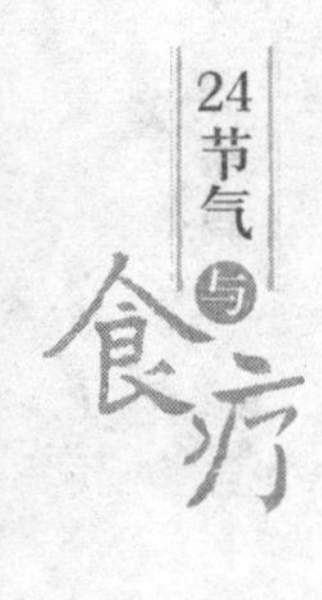

【食法】每日或隔日食1次。

【功效】补气，壮阳，温中，散寒，益肺，养心。

(3) 葡萄酒浸泡桂圆肉

【原料】红葡萄酒750毫升，桂圆肉120克。

【制作】将桂圆肉加入葡萄酒中，浸泡半个月后饮用。会饮酒者加入优质低度白酒更好。

【食法】泡于红葡萄酒者，每晚佐餐，饮25毫升；泡于白酒者，每次饮15毫升。饮完后，桂圆渣可食。

【功效】滋阴补脾，健胃强身，增进食欲，舒筋活血，益气安神。

5.冠心病的饮食疗法

冠心病，是中老年人的常见病之一。对于这一发生率较高的威胁生命的疾病，

在日常生活中进行饮食调养防治非常重要。在春季六节气应采取以下膳食调理方法。

(1) 蜂蜜米醋饮

【原料】纯蜂蜜30克，优质米醋15毫升。

【制作】将蜂蜜与米醋倒入茶杯，用200毫升温开水调和即成。

【食法】每日早、晚各1次。

【功效】镇静，安神，润燥。

(2) 海藻煮黄豆

【原料】海藻40克，黄豆150克，生姜、大茴、花椒、葱段、精盐、味精适量。

【制作】将海藻洗净，可在沸水中焯一下，捞出切段；黄豆洗净泡发；锅中加水适量，烧开，将黄豆、

海藻和生姜片、大茴、花椒入锅共煮，待八成熟时，加入精盐、葱段，直煮至豆熟、水将尽时，加入味精调味即成。

【食法】早晚佐餐。

【功效】降脂，补肾，利尿。

（3）洋葱炒黄豆芽

【原料】洋葱200克，黄豆芽250克，泡发黑木耳15克。

【制作】洋葱去老皮，去根，洗净，切片，放沸水中焯一下；黄豆芽淘洗干净。锅中加植物油适量，油热，放入豆芽、葱段、生姜丝，共煸炒，至八成熟时，加入洋葱、黑木耳、精盐，共炒至豆芽熟，加味精即可。

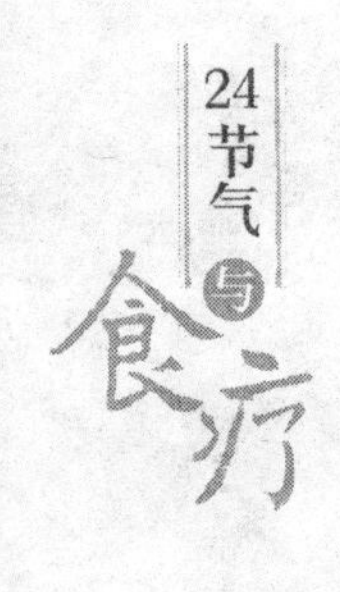

【食法】佐餐。

【功效】养心益肾，活血化淤。

（4）山楂菊花粳米粥

【原料】鲜山楂60克，菊花15克，粳米100克。

【制作】将鲜山楂洗净，每枚一切两半；粳米淘洗干净；锅中加清水1000毫升，烧沸后，倒入粳米，煮至半熟，加入山楂、菊花，至米熟即成。

【食法】佐餐，1日1～2次。

【功效】活血化淤，清热明目，开胃消食。

6.胆道病的饮食疗法

胆道病包括胆囊炎、胆结石等病症。患者应注意调整日常饮食结构，设法改变胆汁成分，调节胆汁分泌。使机体代谢恢复正常。在春季六节气里，胆道病者应顺应天时可以食用以下饮食。

(1) 玉米须炖蚌肉

【原料】玉米须30克，蚌肉200克，调料适量。

【制作】兑水适量，文火煮至烂熟，饮汤。

【食法】每隔日食1次。

【功效】平肝泄热利胆，对急慢性胆囊炎有疗效。

(2) 棒渣木耳粥

【原料】玉米渣（东北俗称小渣子）100克，木耳5克（泡发）。

【制作】两物同放锅中煮成粥，放适量调料食用。

【功效】预防结石形成。

(3) 鸡内金炒米粉

【原料】炙鸡内金30只，糯米1000克，白糖适量。

【制作】将鸡内金研成粉末备用；糯米浸2小时，捞出晒干蒸熟，再烘或晒干，磨成粉。两粉混合，再磨1次，筛粉装瓶。

【食法】每日2次，每次2匙，加白糖半匙，冲开水适量，搅拌，下钢精锅煮沸当点心吃。连吃3个月。

【功效】补中益气，化石止

泻。适用于胆石症。

(4) 鲤鱼赤豆陈皮汤

【原料】重约1000克鲤鱼1条，赤豆120克，陈皮6克。

【制作】先将鲤鱼去鳞、鳃及内脏，洗净，将赤豆洗净放入鱼肚中，入锅，加水适量，先用武火煮沸，再转用文火慢炖至鱼熟汤浓，即成。

【食法】每日2次，吃鱼喝汤。

【功效】清热解毒,利水消肿。

(5) 鸡内金粥

【原料】鸡内金5克，白糖适量，粳米100克。

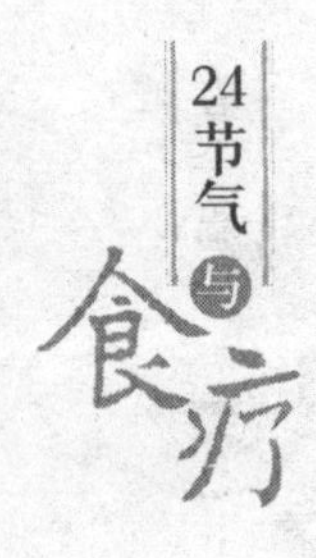

【制作】先将鸡内金用文火炒至黄褐色,研为细末；另将粳米淘洗干净入锅，加水800克和白糖适量，煮至米化汤稠时放入鸡内金粉，再稍煮即成。

【食法】每日早晚温热食用。

【功效】健脾胃,消积滞,止遗尿。

7.肾脏病的饮食疗法

肾脏病患者由于肾脏功能不好，对氮质排泄不能及时完成，在饮食上应减少氮浸出物的摄入。在春季六节气对肾脏病的饮食疗法有以下几种。

（1）消蛋白尿汤

【原料】芡实15克，白果7枚，米仁、淮山药各15克。

【制作】加水将米仁煮熟，少入冰糖调味

【功效】降低尿蛋白，尿蛋白量升高者宜食用。

（2）鲤鱼冬瓜汤

【原料】活鲤鱼1条，约500克，开膛去内脏及鳞，洗净。冬瓜500克洗净切块。

【制作】两者同炖。

【食法】喝汤食鱼，日用2次。

【功效】利水消肿，适用于早期肾炎、肾炎恢复期以及肾病综合征。

（3）野鸭大蒜汤

【原料】野鸭1只，大蒜50克。

【制作】野鸭去毛及内脏洗净，把去皮后的大蒜置于鸭腹内，放锅中煮熟。

【食法】食肉饮汤。2日食野鸭1只，连用数次。

【功效】治慢性肾炎及水肿。

（4）西葫芦饮

【原料】西葫芦1个（以开花时的胎葫芦为佳）。

【制作】去籽，切块熬水。

【食法】成人每日服120～240克，小儿酌减，重症加倍。

【功效】味甘性凉，消炎利尿，对患肾炎有热象者有效。

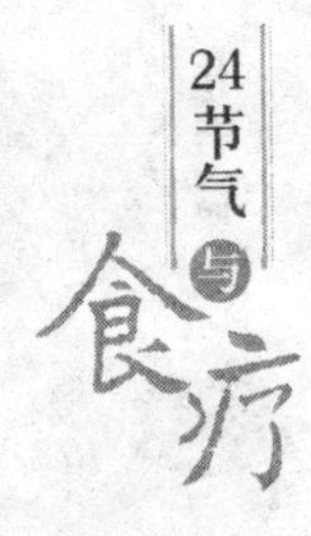

(5) 赤小豆鲤鱼粥

【原料】赤小豆50克，鲤鱼1条。

【制作】先将赤小豆煮烂，再入鲤鱼同煮，鱼烂剔去骨。

【食法】三餐均可食用。

【功效】适用于肾炎引起的水肿。

(6) 杜仲猪腰

【原料】杜仲10克，猪腰1个。

【制作】将杜仲切细放入猪腰内，用湿纸包好（3~5层），在火上烤熟。

【食法】去纸吃猪腰。每天1个。

【功效】适用于慢性肾炎。

夏季篇

夏季六节气的饮食进补

夏季六节气，运用饮食进补是祛病强身，延缓衰老的有效保证。夏季六节气的饮食进补是以炎热的气候特点为基础，历代养生家都认为其时节的饮食进补宜清补。《吕氏春秋·尽数篇》指出：“凡食无强厚味，无以烈味重酒。”唐朝的孙思邈提倡人们“常宜轻清甜淡之物，大小麦曲，粳米为佳”，又说：“善养生者常须少食肉，多食饭”。元代医家朱丹溪的《茹谈论》曰：“少食肉食，多食谷菽菜果，自然冲和之味。”从营养学角度看，饮食清淡在养生中有不可替代的作用。

另外，夏季六节气人体新陈代谢旺盛，汗易外泄，耗气伤津之时，宜多吃具有祛暑益气、生津止渴的饮食。

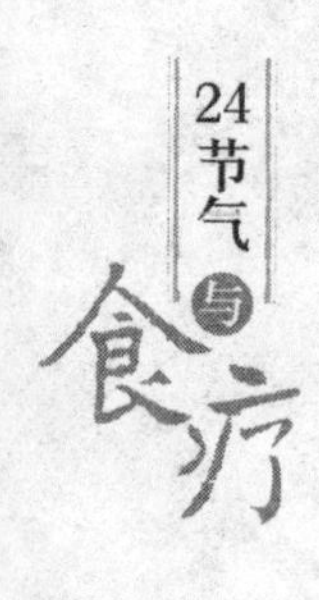

一、夏季六节气饮食进补的基本原则

夏季六节气，一方面机体营养素消耗增加；另一方面，天热大量出汗，又导致了许多营养素从汗液流失。不仅如此，夏季六节气人们的食欲减低和消化吸收不良又限制了营养素的正常摄取，所有这些均有可能导致机体营养素代谢的紊乱，甚至引起相应的营养缺乏症或其他疾病。

由此可知，夏天的饮食进补是十分必要的，但是进补又不能随心所欲，必须顺应夏季六节气特点，遵循以下基本原则。

1.补充足够的蛋白质和维生素

在高温条件下，人体组织蛋白分解增加，尿中肌酐和汗氮排出增多，从而引起负氮失衡。因此，蛋白质的摄取量应在平常的基础上增加15%左右，每天的供给量须达100克左右。蛋白质以鱼、肉、蛋、奶、豆类中的为好。

在炎热环境下，人体维生素代谢增加，此外，汗液排出水溶性维生素尤其是维生素C增多。据测定，每毫升汗液中维生素C可达10微克，如排汗5升，则损失50毫克。此外汗液中还有维生素B_1、维生素B_2。因此，在夏天人体维生素需要量比普通标准要高一倍或一倍以上，大剂量维生素B_1、维生素B_2、维生素C乃至维生素A、维生素E等，对提高耐热能力和体力有一定的作用。

在新鲜蔬菜及夏熟水果中，以西红柿、西瓜、杨梅、甜瓜、桃、李等含维生素C尤为丰富，维生素B族在粮谷类、豆类、动物肝脏、瘦肉、蛋类中含量较多。夏季六节气人们可适当补充这些食物，亦可适当口服些酵母片。

2.补充水和无机盐

当夏季六节气人体大量出汗或体温过高时，不但人体内水分不足，而且还会流失大量的钠、钾。而缺钠可引起严重缺水，所以在夏季六节气要补充水分和无机盐。水分的补充最好是少量、多次，这样可使机体排汗减慢，减少人体水分蒸发量。钠的补充，要视出汗多少而定。如果一个人工作8小时，出汗量不超过4升，则每天从食物中摄取18 克食盐就可以了；出汗量若超过6升，则另需从饮料中补充，但饮料中氯化钾浓度不宜超过0.2%。钾盐的补充办法是每日2片钾片，每片钾片含钾25毫克当量。另外，可食用含钾高的食物，如水果、蔬菜、豆类或豆制品、海带、蛋类等。

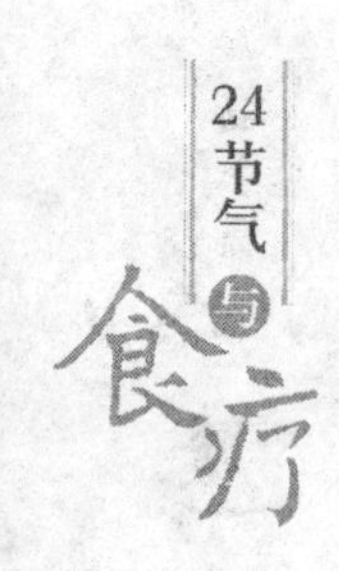

汗液中除含钠、钾外，还含有钙、镁、铁、铜、锌，还有硫、磷、锰、铬等，若不及时补充，同样能引起机体水盐代谢和酸碱平衡的紊乱，影响耐热能力，极易诱发中暑。所以，夏季六节气饮食一定不要忘了补充水和无机盐。

3.饮食宜清淡

夏季六节气，人体的胃酸分泌减少，加上饮水较多、冲淡胃酸等原因，导致人体消化功能较弱，故饮食应清淡一些，多吃营养丰富、清淡的食物，少吃油腻厚味及热性的食物，尤其是煎炸食品或糕团等油腻之物要少吃或不吃。

但是，清淡不等于素食，即完全吃素，不吃荤食。有些人到了夏季六节气便成了“素食主义者”，三餐纯素，以为这就是清淡，就能健康长寿，其实这是养生的一大误区。

人体健康需要有多种营养素来保证，食物是营养素的主要来源。各种营养素必须齐全，多的营养素并不能代替那些微量的营养素。正常情况下，人体的营养素保持着动态平衡，一旦某些物质缺乏，就必须及时补充。夏季六节气高温高湿，人体消耗大，夜晚睡眠少，尤其需要增加营养，故不能过分强调素食。素食中虽然含有多种对人体有益的物质，如维生素、矿物质、纤维素等，但人体必需的蛋白质等却含量甚少。若夏季六节气长期吃素就容易导致营养失衡，并会导致身体在“秋收冬藏”时也失去协调，从而埋伏下疾病的危机，这就是平时所说的夏天“受亏”了。夏季要适当吃些瘦肉、蛋、奶、鱼等荤食及豆制品，烹调时可多用清蒸、凉拌等方法，不使其过于油腻。此外，配菜时应注意搭配，例如荤少素多的搭配、色彩的搭配等，并多变换花样，以调胃口、增食欲。夏季蔬菜品种多，选择余地大，可充分利用“搭配技术”。“色彩”被称为是健康的“第二营养素”。家中有人食欲不振，精神萎靡时，不妨在餐桌上添加些红色的蔬菜，以刺激中枢神经，振奋精神；若工作劳累，心身疲惫，心情不悦时，餐桌上可多加点绿色和白色的菜肴，以舒缓情绪，愉悦心理，促进消化。

4.喝冷饮要适度

夏季六节气由于高温的影响，人体会产生一系列生理反应，导致精神不振、食欲减退。这时，若能在膳食上合理安排，适当吃些冷饮，不仅能消暑解渴，还可帮助消化，使人体的营养保持平衡，有益于健康。中医学养生家们认为，夏季人体阳气在外，阴气内伏，胃液分泌相对减少，消化功能低下，故切忌因贪凉而暴食冷饮。所以民间谚语说：“天时虽热，不可贪凉；瓜果虽美，不可多食。”此外，大汗之后不要过量饮用冷饮，因为冷饮喝得太多，不仅不能尽快地补充和调节体内盐类和水分的丢失，反而冲淡了胃液，降低胃液的杀菌力，使致病微生物通过胃肠道，引起胃炎、肠炎、痢疾等疾病。

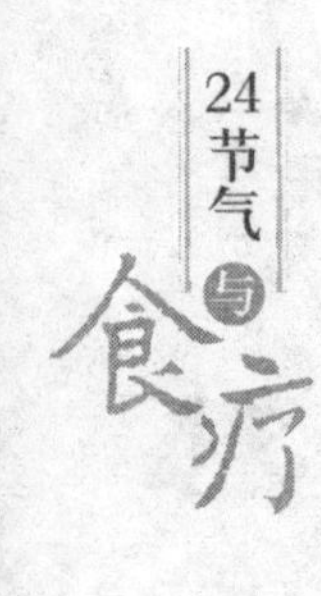

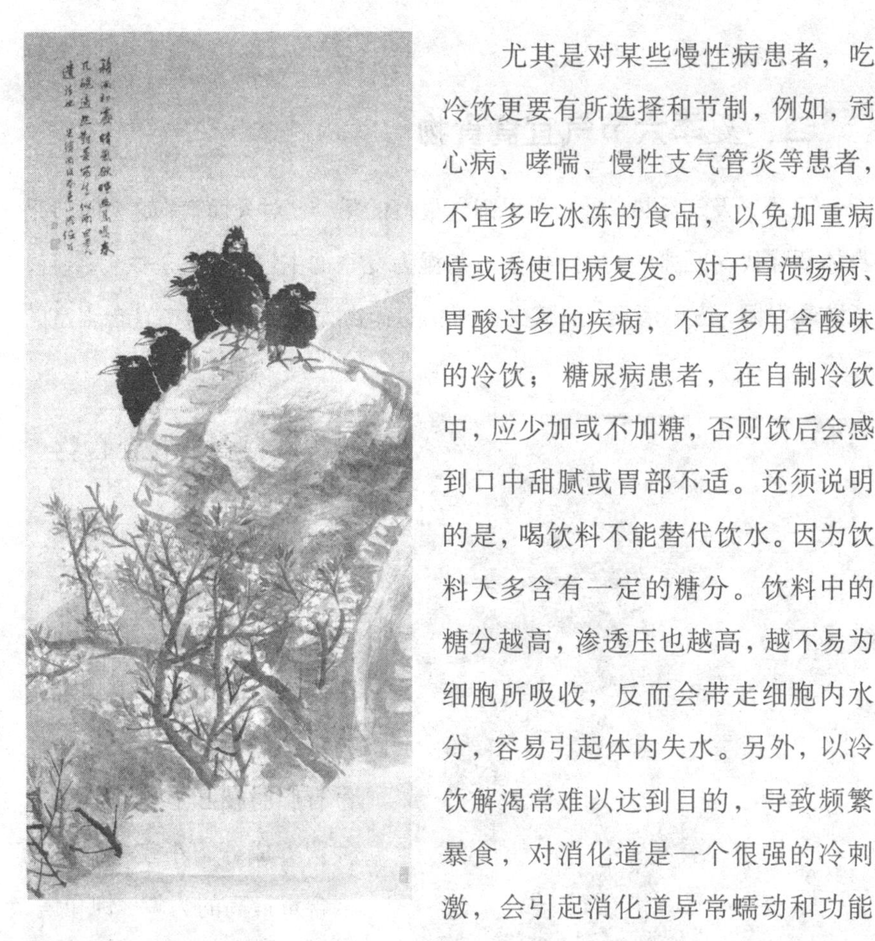

尤其是对某些慢性病患者，吃冷饮更要有所选择和节制，例如，冠心病、哮喘、慢性支气管炎等患者，不宜多吃冰冻的食品，以免加重病情或诱使旧病复发。对于胃溃疡病、胃酸过多的疾病，不宜多用含酸味的冷饮；糖尿病患者，在自制冷饮中，应少加或不加糖，否则饮后会感到口中甜腻或胃部不适。还须说明的是，喝饮料不能替代饮水。因为饮料大多含有一定的糖分。饮料中的糖分越高，渗透压也越高，越不易为细胞所吸收，反而会带走细胞内水分，容易引起体内失水。另外，以冷饮解渴常难以达到目的，导致频繁暴食，对消化道是一个很强的冷刺激，会引起消化道异常蠕动和功能紊乱，导致腹痛或腹泻等。

5.注意饮食卫生

夏季六节气饮食调养，不可忽视的一项基本原则是：一定要注意饮食卫生。因为夏季六节气喝水多，冲淡了胃液，降低了胃液的杀菌力，使致病微生物容易通过胃进入肠道；另一方面，湿热的气候环境也适合微生物的生长繁殖，食物极易腐败变质。因此，夏季六节气必须把好“病从口入”这一关，首先，要注意生吃瓜果的消毒。其次，要注意食品的保鲜。再次，不要忽略了家庭案板的消毒。最后，要适当多吃些大蒜。

二、夏季六节气宜食食物

夏季，天气炎热，是一年里阳气最盛的季节。对人而言，这个时节是身体新陈代谢旺盛的时期，由于暑与湿为夏季的主气，故夏季饮食，要注意防暑保阳，应以清炎、油腻少易消化的食物为主，且食物中宜含丰富的水、无机盐。

1.粮食类宜食食物

（1）小麦

小麦的营养价值很高，所含碳水化合物约占75%，蛋白质约占10%，是热量和植物蛋白的重要来源。小麦还含有脂肪及B族维生素等多种营养成分，小麦中微量元素含量最高的为磷、钾和镁，其次为钙、铁、锌、锰、铜和钼。小麦味甘性凉，具有养心益肾，活血健脾，除烦止渴，利尿的功效。它不仅是供应人们营养的日常食物，也是夏季六节气饮食进补的常用食物。

（2）绿豆

绿豆是夏季六节气必备

的解暑降温保健食品。除了绿豆含丰富的蛋白质、脂肪、碳水化合物及钙、磷、铁、维生素B2等，是一种营养价值非常高的豆类食品外，绿豆的药用功能也使它成为夏令清补的必备品。

中医学认为，绿豆性味甘凉，具有清热解毒、消暑利水的作用，不但能够治暑热烦渴，消水肿，还能解各种热药之毒性。

（3）小米

小米又叫粟米、谷子，主要含有蛋白质、脂肪、糖类、钙、磷、B族维生素等营养成分。小米味甘、咸，性凉。有健胃益肾，和中除热之功效，是夏季六节气饮食进补必备食物。

（4）大麦

大麦含有72.8%的碳水化合物，9.8%的蛋白质，4%的脂肪和较多量的钙、磷、铁、淀粉酶、葡萄糖、维生素B等营养成分，营养价值优于小麦。

大麦性凉（微寒）、味甘、无毒。为平补之品，宜于健脾。有除热止渴、益气宽中之功，有营养、助消化的作用。亦是夏季六节气的进补食物。

（5）黄豆

又名大豆，营养价值极高，平均蛋白质含量40%，脂肪19%，碳水化合物25%，在量和质上均可与动物蛋白相媲美，其性甘味平，有健脾宽中、

润燥消水的功能，为夏季六节气饮食进补必备食物。

2.肉蛋水产类宜食食物

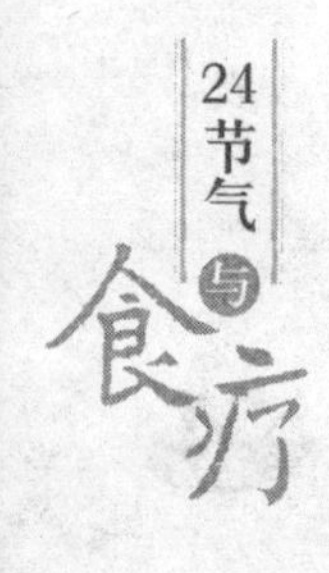

（1）鲤鱼

鲤鱼的主要营养成分有蛋白质、脂肪、维生素（A、B_1、B_2、C）、矿物质（钙、磷、铁）、肌酸、尼克酸等。鲤鱼味甘性平，有利水消肿，止咳下气，安胎通乳，清热解毒之功效，是夏令时节必备食物。

（2）银鱼

银鱼古称“脍残鱼”，上海俗称“面丈鱼”、“面条鱼”，太湖新银鱼简称“银鱼”。银鱼味甘性平，有润肺补脾之功效。

（3）猪肝

猪肝的营养十分丰富，在100克猪肝中含蛋白质21.3克、脂肪4.5克、碳水化合物1.4克、钙11毫克、磷270毫克、铁27毫克、维生素A8700国际单位、维生素$B_1$0.4毫克、维生素$B_2$2.11毫克、维生素$C_1$8毫克、尼克酸16.2克、灰分1.4克。

猪肝性温，味甘、苦。具有补肝明目、益气养血的作用。

（4）海蛰

海蛰味咸，性凉，有清热解毒，消肿降压，软坚化痰之功效。是夏令时节制作凉菜的较好原料。

（5）猪肉

猪肉主要含蛋白质、脂肪、碳水化合物、钙、磷、铁、维生素C、B1、B2等营养成分，是四季日常食品，其味甘咸，性微寒，有滋阴润燥，补中益气，益肾养血之功效。亦可做夏季食物。

3.蔬菜类宜食食物

（1）菠菜

菠菜味甘，性凉。有润燥滑肠，清热除烦，生津止渴，养肝明目的功效。是夏令时节做菜的好原料。

（2）苦瓜

苦瓜营养丰富，所含维生素C是橘子的3倍、西红柿的7倍、黄瓜的14倍、苹果的21倍，还含有多种微量元素及苦瓜甙、苦瓜素及多种氨基酸。所以苦瓜吃起来虽然味苦，但吃后给人一种凉爽舒适的感觉，有很好的防病保健作用。是一种受人喜爱的夏季佳蔬。

苦瓜具有涤热祛暑、消炎消肿、明目清心之功效。

（3）芹菜

芹菜味辛、甘，性凉。有清热平肝，健胃下气，利小便的功效，是夏令时节做菜的佳蔬。

(4) 南瓜

南瓜，其子如冬瓜子，其肉厚，不可生食。南瓜味甘适口，是夏季蔬菜之一。南瓜含有丰富的糖类、淀粉。每百克含蛋白质1.2克，碳水化合物4.1克，钙31毫克，磷40毫克，铁1.1毫克，胡萝卜素0.42毫克，维生素C6毫克，热量87.8千焦

[耳]。种子可炒食，可入药，南瓜蒂也作药用。湿热内蕴、气滞者少食。过量服食可见黄疸。

(5) 土豆

土豆，味甘，性平。有益气健脾，消炎解毒功能。既可作主食，又可当蔬菜，且营养丰富，比米、面有更多的优点，能供给人体大量热能，国外营养学家认为马铃薯是"十全十美的食物"，美国的农业研究所认为："每餐只吃全脂牛奶和马铃薯，可得到人体所需的全部食物元素。"是夏令时节佳蔬。

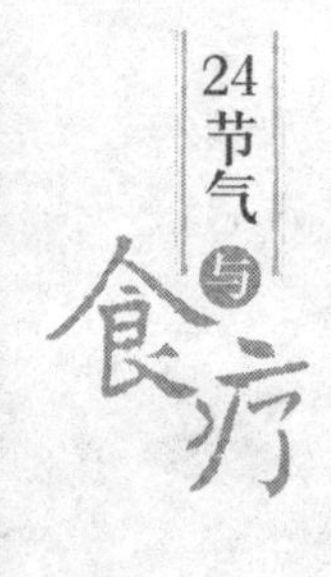

(6) 扁豆

扁豆，味甘，性平。有健脾和中，消暑化湿功能，是夏令时节佳蔬。

(7) 黄瓜

黄瓜，味甘，性凉。有清热、解毒、利尿之功效。是夏令做菜的最好原料，既可做热菜汤菜，又可做凉菜，还可生食。嫩黄瓜与蜂蜜相拌同食，能治疗盛夏常见的小儿热痢。

(8) 西红柿

西红柿营养丰富，色、香、

味俱佳，不仅可供食用，也可药用，维生素PP的含量居果蔬中的第一名，其味酸甘，性平，有清热解毒、凉血平肝、解暑止渴的作用，是夏令时节主要蔬菜之一。

4.水果类宜食食物

(1) 杏

杏有家杏、山杏之分，品种很多，有沙杏、梅杏、金杏、奈杏等。杏实营养丰富，每百克含蛋白质1.2克，碳水化合物11.1克，钙20

毫克，磷24毫克，铁0.8毫克，胡萝卜素1.79毫克，维生素C7毫克，热量205千焦

[耳]。但杏性温，一次不可多食，多食易诱发腹泻疖肿，对牙齿不利，需注意。杏核中的果仁叫杏仁，杏仁分苦、甜两种，均可以入药。

(2) 草莓

草莓味甘、酸，性凉，无毒。有润肺生津、健脾、消暑、解热、利尿、止渴之功效，是夏季时令水果。

(3) 西瓜

西瓜味甘，性寒。有清暑除烦、生津止渴、利尿等作用。对暑热烦渴、头胀胸闷、咽干喉痛、咳血及小便短赤皆有疗效。现代医学还发现，西瓜可降压消炎，对高血压、肾炎病都有疗效。西瓜外层硬皮洗净后切片晒干，可做药用，名称为“西瓜翠衣”。用西瓜翠衣煎汤内服，有清热降火、生津止渴的作用，是夏季时令水果。

三、立夏进补食谱

立夏是夏季开始的第一个节气，又正当春夏交替之际，在饮食上应注意忌食性热升发的食物，以免耗气伤津；同时也不宜过早食用生冷食物，以免损伤脾胃阳气。应以低脂、低盐、多维、清淡为主。立夏时节进补食谱如下。

1.菜肴类进补食谱

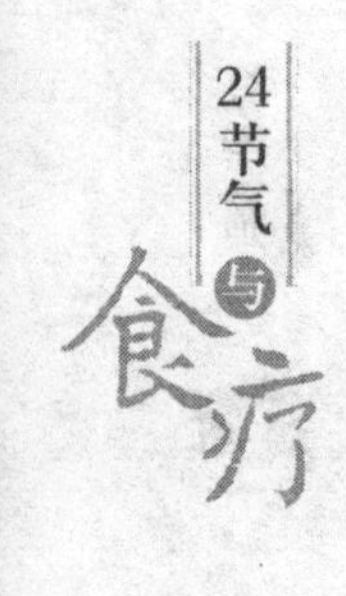

(1) 一品鸡排

【原料】新鲜母鸡腿4只，鸡蛋2枚，面包粉250克，料酒10克，盐5克，白糖5克，味精5克，淀粉15克，辣酱油50克，油1000克（实耗100克）。

【制作】将鸡腿剖开剔除大骨，用直刀排列，斩十字花刀，放入盘内加入盐、味精、料酒、白糖、鸡蛋、淀粉腌拌10分钟后，拍上面包粉备用。

锅烧热，放入油，烧至五成热时放入拍好的鸡排，炸至金黄色，用漏勺捞出，然后再斩成长约6厘米的窄条，装盆，洒上辣酱油一起上桌即可。

【功效】益气温脾，补肾养精。

【禁忌】表证外邪未解、内有湿热宿食者不宜食用。

（2）刀豆烧肉

【原料】嫩刀豆250克，猪肉100克，黄酒、精盐、酱油、白糖、葱花、姜末各适量。

【制作】将嫩刀豆摘去两头和老筋，切成段，洗净；猪肉洗净切成片。

炒锅上火，炒锅放油烧热下猪肉煸炒，加入酱油、葱、姜煸炒后再加入精盐、黄酒和适量的清水，炒到肉熟，加入嫩刀豆烧至熟而入味，出锅装盘即成。

【功效】滋阴润燥，补中益气。

【禁忌】积食胃胀、消化不良者不宜食用。

（3）刀豆鹌鹑丁

【原料】刀豆150克，鹌鹑肉150克，鸡蛋清1个，黄酒、味精、精盐、白糖、熟猪油、淀粉各适量。

【制作】将刀豆撕去两头和老筋，洗净，沸水焯3分钟，冷水冲淋切丁备用；鹌鹑肉洗净切丁，加黄酒少量及精盐、鸡蛋清、淀粉拌和，备用。

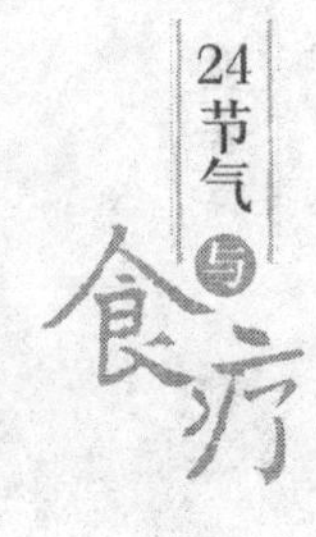

炒锅上火，加猪油烧至六成热，爆入鹌鹑丁；大火翻炒，再加上刀豆丁煸炒至熟，调味后淋上猪油，即成。

【功效】润肺，补脑，增乳，和胃。

【禁忌】食积或湿热内盛或痰饮阻肺者不宜食用。

(4) 三色银芽

【原料】绿豆芽300克，水发冬菇25克，青红椒50克，味精、精盐、白糖、姜丝、麻油、豆油各适量。

【制作】将绿豆芽洗净，青红椒去籽洗净，水发冬菇去蒂洗净，分别切成丝。

炒锅上火，加入清水烧滚，投入绿豆芽翻炒，不要太热，即可出锅，装盘。炒锅内放入豆油，烧热后投入青红椒和香菇丝煸炒，加入味精、精盐、白糖拌炒后停火晾凉，拌入绿豆芽，撒上姜丝，淋上麻油即成。

【功效】清热，降压，降脂。

【禁忌】脾胃虚寒便溏者少食。

(5) 山药猪腰

【原料】 山药10克，猪腰500克，调料适量。

【制作】将猪腰切开，剔去筋膜、肾盂，洗净。山药洗净切片。

猪腰、山药同放砂锅内，加水适量，清炖至猪腰熟透，捞出。猪腰冷却后，切薄片，与山药片同拌入酱油、醋、盐、姜丝、蒜末、香油装盘即可。

【特点】酥烂嫩滑。

【功效】养血益气，补肾润肺。

【禁忌】无特殊禁忌。

2.汤羹类进补食谱

(1) 珍珠三鲜汤

【原料】鸡肉脯50克，豌豆50克，西红柿1个，鸡蛋清1个，牛奶25克，淀粉25克，料酒、食盐、味精、高汤、麻油适量。

【制作】鸡肉剔筋洗净剁成细泥；5克淀粉用牛奶搅拌；鸡蛋打开去黄留清；把这三样放在一个碗内，搅成鸡泥待用。

西红柿洗净开水滚烫去皮，切成小丁；豌豆洗净备用。

炒锅放在大火上倒入高汤，放盐、料酒烧开后，下豌豆、西红柿丁，等再次烧开后改小火，把鸡肉泥用筷子或小勺拨成珍珠大圆形小丸子，下入锅内，再把火开大待汤煮沸，入水淀粉，

烧开后将味精、麻油入锅即成。

【功效】温中益气，补精填髓，清热除烦。

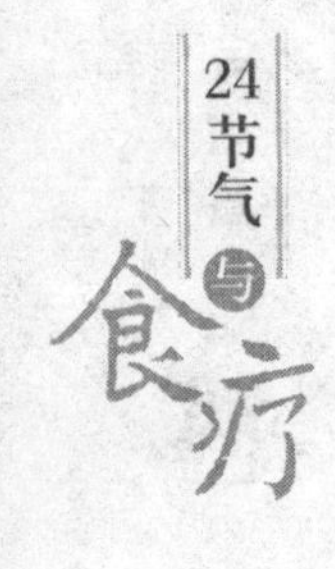

(2) 甘蔗粥

【原料】甘蔗汁100~150毫升，粳米100克。

【制作】用新鲜甘蔗榨取汁，兑水适量，同粳米煮粥。

【功效】清热生津，养阴润燥。

(3) 苡仁冬瓜羹（凉）

【原料】苡仁100克，冬瓜500克。

【制作】将冬瓜洗净，去皮，去瓤，切2厘米见方的小块，用果汁机榨取汁液。

将苡仁放入锅内，加水适量。将冬瓜汁液放入苡仁锅内，置武火上烧沸后，转用文火煎熬2小时即成。

【食法】每日早、晚空腹各服1汤匙。

【功效】清热解暑，健脾利尿。

【禁忌】妊妇慎食。

(4) 茉莉银耳（凉）

【原料】银耳20克，茉莉花30朵，清汤1500毫升，味精、料酒、食盐各适量。

【制作】将银耳用凉水洗2次，再用凉水浸泡，待涨发后，用开水焯1下，放入凉水漂凉待用；将茉莉花去蒂，用清水洗净，扣在盘中（以防失去香味）待用。

将锅内放入清汤，下料酒、食盐、味精，用火烧沸后，撇去浮沫。将汤盛入汤碗中，随后把泡银耳的水滤去，用开水将银耳焯透，放入汤碗中，再将茉莉花撒在碗中即成。

【食法】可佐餐，亦可单食。

【禁忌】无特殊禁忌。

【功效】滋阴、润肺、养胃、生津，清热解表，和中下气。适用于夏季调养。

3.饮料类进补食谱

（1）清燥润肺饮

【原料】石膏15克，杏仁6克，枇杷叶2片（去毛蜜炙），雪梨1只，蜂蜜适量。

【制作】先煎石膏、杏仁、枇杷叶，待沸后，入雪梨肉（捣碎），取汁去渣，贮瓶内，分次兑入蜂蜜适量饮用。每日1剂。

【功效】去燥润肺。

（2）除烦冰糖茶

【原料】冰糖25克，芦根50克（鲜品100克）。

【制作】鲜芦根洗净与冰糖同放入瓦盅，加清水1碗半，隔水炖半小时，取汁去渣饮用。每日1剂。

【功效】清热安神，润肠养胃，生津止渴。

【禁忌】脾胃虚弱，大便稀烂者,不可饮用。

（3）五味枸杞饮

【原料】醋炙五味子5克，枸杞子10克，白糖适量。

【制作】五味子和剪碎的枸杞子放入瓷杯中，以沸水冲泡，温浸片刻，再入白糖，搅匀即可饮入。

【功效】滋肾阴、助肾阳。适用于“夏虚”之症，是养生补益的有效之剂。

（4）苦瓜菜

【原料】苦瓜1只，绿茶适量。

【制作】将苦瓜上端切开，挖去瓤，装入绿条，把苦瓜挂于阴凉通风之处阴干。需服时，取下洗净，连同茶叶切碎，混匀。装瓶备用。

每取10克放入杯中，以沸水冲泡，盖闷半小时后，饮服。

【功效】解暑清热，清心除烦，生津止渴。

【禁忌】脾胃虚寒、便溏久泻者不宜饮用。

（5）西瓜番茄汁

【原料】四瓜1000克，番茄250克。

【制作】将西瓜洗净，去皮、去籽，取瓤；番茄洗净，用沸水冲烫片刻后去皮、去籽。分别切成小块。

将西瓜瓤和番茄肉分别或同放搅拌器中搅汁，混合后，即可饮用。

【功效】清热消暑，生津止渴，美容利尿。

【禁忌】虚寒胃痛便泄者不宜饮用。

（6）双瓜饮

【原料】西瓜500克，冬瓜500克。

【制作】将西瓜、冬瓜（带皮）洗净，切成小块。

西瓜、冬瓜同放入搅拌器中，搅拌取汁，即可饮用。

【功效】清热生津，利水消肿。

【禁忌】无特殊禁忌。

附：立夏习俗：饮“七家茶”

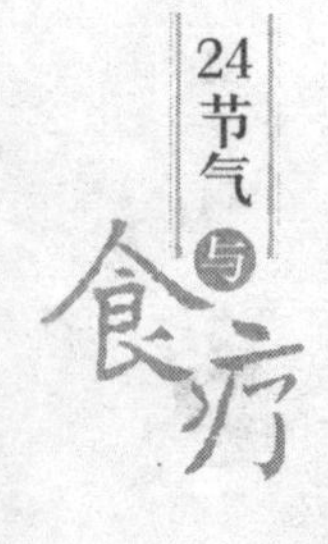

我国物产丰富的杭州，在立夏日最为讲究。每逢立夏，家家各烹新茶，并配以各色细果，馈送亲友毗邻，叫做”七家茶”。还在茶杯内放两颗“青果”即橄榄或金桔，表示吉祥如意的意思。杭俗立夏日还有食乌米饭和乌饭糕的风俗。乌米饭取乌饭叶子（又名精青叶）挤汁浸糯米蒸饭而成。据说，立夏吃乌米饭，不会疰夏，能祛风败毒，乌蚊子不敢叮咬。杭人又有立夏食“野夏饭”之俗。是日，儿童少年成群结队，向邻里各家乞取米、肉。地上的蚕豆、竹笋任其采掘，然后到野地里去用石头支起锅灶，自烧自吃，称为吃“野夏饭”或”立夏饭”。这种风俗就是自比乞丐，以为可以避灾祸。吃完立夏饭，大人拿来箩筐、大秤，给孩子们秤体重，看比去年重了多少。

四、小满进补食谱

小满时节，万物里长最旺盛，人体生理活动也处于最活跃的时期，消耗的营养物质为四季最多，所以，应及时进补才能使身体保持健康，不受损伤。进补要偏于清凉，切忌过于温热，损伤阴津，也不宜过于寒凉滋腻，反使暑热内伏，不能透发。小满时节进补食谱如下。

1.菜肴类进补食谱

(1) 家常公鸡

【原料】嫩公鸡250克，芹菜75克，冬笋10克，辣椒20克，瘦肉汤30克，姜、豆瓣酱、白糖、酱油、醋、食盐、淀粉、味精、植物油各适量。

【制作】鸡肉切成小块，用开水焯后捞出备用；芹菜切断，冬笋切细条，辣椒剁碎，姜取其末，淀粉兑成湿粉，取一半和酱油、料酒、醋、盐放入同一碗内拌匀；另一半湿淀粉和白糖、味精、高汤、调和成粉芡备用。植物油入锅加后，过滤取汁。在山药汁中加入甘蔗汁，酸石榴汁，蛋黄，煮沸即可。

【功效】健脾益肺，滋阴益精。

(2) 炒胡萝卜酱

【原料】瘦猪肉300克，胡萝卜100克，豆腐干1块，海米10个，黄酱6克、酱油3克，料酒3克，熟猪油50克、玉米粉（湿）6克，香油3克，味精、葱末、姜末、食盐各适量。

【制作】把胡萝卜、豆腐干切成0.6厘米见方的丁；海米用水泡透；将胡萝卜用熟猪油炸透捞出；把锅烧热后，倒入熟猪油，随即放入切好的肉丁进行煸炒，待肉

丁内的水分炒出来时，锅内响声增大，便把锅移到小火上，到响声渐小，肉的水分已尽时，再移到大火上，炒到肉的颜色由深变浅时，即放入葱末、姜末和黄酱，待酱放到肉中发出酱味时，加入料酒、味精、酱油，稍炒一会，加入胡萝卜、豆腐干、海米等，再炒一下，淋上香油，炒匀即成。

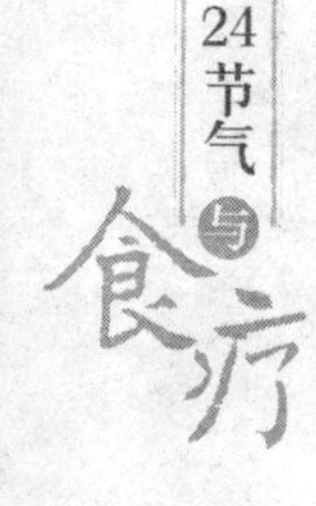

【功效】养心安神。

（3）荷叶凤脯

【原料】鲜荷叶2张，火腿30克，剔骨鸡肉250克，水发蘑菇50克，玉米粉12克，食盐、白糖、鸡油、绍酒、葱、姜、胡椒粉、味精、香油各适量。

【制作】鸡肉、蘑菇均切成薄片，火腿切成10片，葱切短节、姜切薄片，荷叶洗净，用开水稍烫一下，去掉蒂梗，切成10块三角形备用。

蘑菇用开水焯透捞出，用凉水冲凉，把鸡肉、蘑菇一起放入盘内加盐、味精、白糖、胡椒粉、绍酒、香油、鸡油、玉米粉、葱节、姜片搅拌均匀，然后分放在10片三角形的荷叶上，再各加一片火腿，包成长方形包，码放在盘内，上笼蒸约2小时，若放在高压锅内只须15分钟即可。出笼后可将原盘翻于另一干净盘内，拆包即可食用。

【功效】清芬养心，升运脾气。可作为常用补虚之品，尤为适宜夏季食补。

(4) 鱼腥草拌莴笋（凉）

【原料】鱼腥草100克，莴笋250克，食盐、酱油、醋、味精、麻油各适量。

【制作】将鱼腥草择去杂质、老根，淘洗干净，沥干水分，加食盐2克，拌和腌渍待用。

将莴笋去皮，冲洗干净，切成细丝，加食盐1克，腌渍沥水。

将鱼腥草和莴笋丝放在盘内，加入酱油、醋、味精、麻油，拌匀入味即成。

【功效】清热解毒，利湿排脓。尤宜于夏季体内有湿热者食用。

(5) 文蛤大葱煎

【原料】文蛤60克，葱5根，味精和盐适量。

【制作】将文蛤在清水中养1天，洗净。葱洗净，切段。

文蛤、葱加水煮，水沸后加入味精和盐，调味即成。

【功效】清热利湿，化痰，软坚散结。

(6) 火腿鲥鱼

【原料】鲥鱼100克，竹笋、香菇、火腿、姜、调味品适量。

【制作】将鲥鱼（不去鳞），剖腹去内脏、鳃，洗净。竹笋洗净，切片。香菇洗净，切丝。火腿洗净，切丝。

鲥鱼放盘中，鱼身上放姜、竹笋丝、香菇丝、火腿丝，烹黄酒，加盐、味精，上笼蒸熟，即成。

【功效】温中补虚，滋补强身，降脂抗癌。

【禁忌】患疥癞者慎用。

(7) 平菇炖豆腐

【原料】豆腐500克，鲜平菇200克，精盐、黄酒、味精、酱油、麻油各适量。

【制作】将鲜平菇去杂洗净，撕成小片；豆腐放锅中煮沸一下，滗去水，切成小方块。

砂锅内放豆腐、平菇、酱油、黄酒、精盐，加水适量，炖至豆腐和平菇入味，加入味精，淋上麻油，出锅装盘即成。

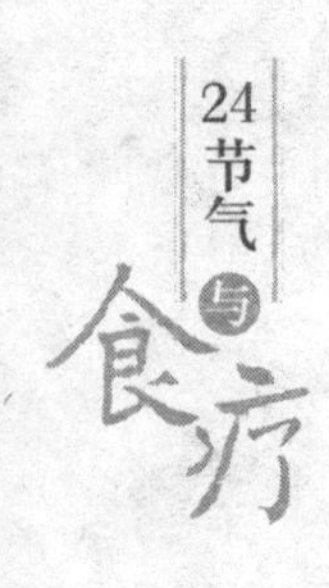

【功效】舒筋活血，降压降脂。

2.汤羹类进补食谱

(1) 木耳冬瓜三鲜汤

【原料】冬瓜150克，水发木耳150克，海米15克，鸡蛋1枚，食盐、水淀粉、味精、麻油适量。

【制作】冬瓜去皮洗净切片。木耳、海米洗净备用。鸡蛋打匀摊成蛋皮切宽片备用。

锅内加鲜汤上火烧开，下海米、木耳煮沸5分钟，再将冬瓜放入，开

锅后撒入食盐、淀粉，起锅前倒入蛋皮，淋上麻油几成。

【功效】生津除烦，清胃涤肠，滋补强身。

（2）薏仁粥

【原料】薏苡仁50克，粳米200克，白糖适量。

【制作】将薏苡仁洗净，置于锅内，加水适量。将锅置武火上烧沸，再用文火煨熬，待薏苡仁熟烂后，加入白糖即成。

【功效】健脾除湿。适用于暑湿偏盛、脾胃虚弱、水肿者食用。

（3）扁豆粥

【原料】扁豆100克，粳米100克。

【制作】入锅同煮成粥。

【功效】健脾利胃、清暑止泻。尤适于暑湿引起的食欲不振、恶心呕吐、大便溏泄者食用。

（4）丝瓜西红柿粥

【原料】丝瓜500克，西红柿3个，粳米100克，葱姜末、盐、味精适量。

【制作】丝瓜洗净去皮，切小片西红柿洗净切小块备用。粳米洗净放入锅内，倒入适量清水置火上煮沸，改文火煮至八成熟，放入丝瓜、葱姜末、盐煮至粥熟，放西红柿、味精稍炖即成。

【功效】清热，化痰止咳，生津除烦。

（5）莲子粥

【原料】莲子50克，粳米100克。

【制作】入锅同煮，至莲子极烂为好。

【功效】清心除烦，健脾止泻，暑热心烦难眠者尤为适宜食用。

（6）青蒿绿豆粥

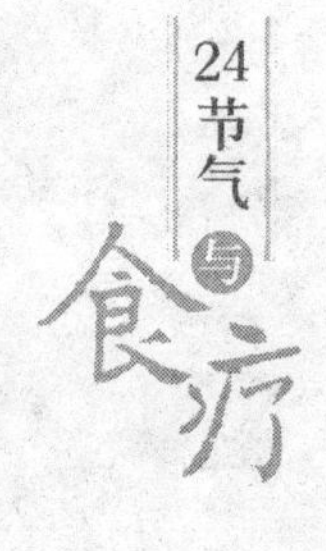

【原料】青蒿5克，西瓜翠衣60克，茯苓12克，鲜荷叶10克，绿豆30克，粳米30克。

【制作】将青蒿（或鲜的用绞汁）、西瓜翠衣、茯苓入镐内共煎取汗去渣。将绿豆淘洗后。与粳米、荷叶同煮为稀粥，待粥煮熟，加入以上药汁再稍煮即成。

【功效】生津消，渴安神除烦。

（7）绿豆番瓜汤

【原料】绿豆50克，老番瓜500克，食盐少许。

【制作】绿豆清水洗净，趁水气未干时加入食盐少许（3克左右）搅拌均匀，腌制几分钟后，用清水冲洗干净。番瓜去皮、瓤用清水洗净，切成2厘米见方的块待用。锅内加水500毫升，烧开后，先下绿豆煮沸2分钟，淋入少许凉水，再煮沸，将番瓜入锅，盖上锅盖，用文火煮沸约30分钟，至绿豆开花，加入少许食盐调味即可。

【功效】生津，益气，清暑，解毒，利尿。是夏季防暑最佳膳食。

3.饮料类进补食谱

(1) 银花露

【原料】金银花5克，清水、白糖适量。

【制作】将金银花洗净后放入沙锅内，加水适量，用火煎煮，当水浓缩至1/3时，加入白糖即成。

【功效】清热解毒，预防夏季疾患。

【禁忌】脾胃虚寒者不宜多饮。

(2) 绿豆茶

【原料】绿豆30克，绿茶3克，白糖适量。

【制作】将绿豆洗净捣碎，茶叶装入纱布袋中。两味一同放入砂锅，加水600克，先用大火煮沸，再用小火慢煎至300克，去茶叶袋，调入白糖，即成。

【功效】疏风清热，解暑消渴。

【禁忌】外感风寒或脾胃虚寒者不宜饮用。

(3) 乌梅清暑饮

【原料】乌梅15克，石斛10克，莲子心6克，竹叶卷心30根，西瓜翠衣30克，冰糖适量。

【制作】先用清水将各味洗净，石斛入砂锅先煎，后下诸味共煎取汁，去渣，调入冰糖令其溶化即可。

【功效】养肾安神，清热除躁。

【禁忌】暑温湿困于脾、腹泻、神疲乏力者，不可饮用。

(4) 玫瑰花茶

【原料】玫瑰花30克。

【制作】将玫瑰花洗净阴干备用。每次取干品3～5克，沸水冲泡，代茶饮用。

【功效】理气活血，舒肝解郁。

(5) 苹果梨子汁

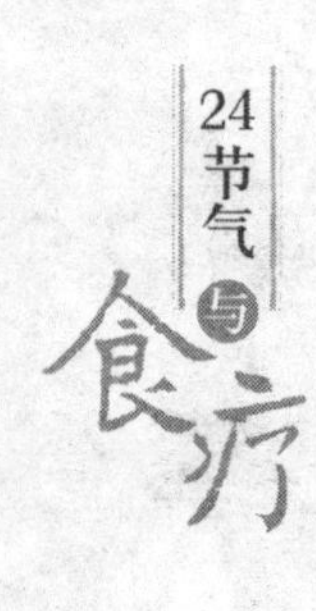

【原料】苹果500克，梨500克，白糖30克。

【制作】将苹果、梨去皮，去核，切成薄片，用白布绞取汁液。将汁液倒入茶杯内，加入白糖，拌匀即成。

【功效】生津，润肺，除烦，解暑。

(6) 绿豆蜂蜜饮

【原料】绿豆50克，蜂蜜50克。

【制作】将绿豆去杂质，淘洗干净，放入锅内；并将蜂蜜放入锅内，加水适量。将盛有绿豆、蜂蜜的锅置武火上烧开，转用文火煎熬绿豆烂，

滤渣取汁即成。

【功效】清热解毒，消暑利水。

五、芒种进补食谱

芒种时节，多雨潮湿，我国江淮地区将进入黄梅时期。由于这个时节，空气十分潮湿，天气异常闷热，故易伤脾胃，所以，饮食要少油腻，注意保护脾胃，以免影响消化功能，芒种时节进补食谱如下。

1.菜肴类进补食谱

(1) 银杏蒸鸭

【原料】银杏100克，白鸭1只，猪肘肉250克，绍酒、清汤、生姜、葱、食盐、花椒、胡椒粉、味精各适量。

【制作】将银杏捶破去壳，在开水内煮熟。姜、葱洗净切段。

将鸭宰杀后，洗净，除去内脏。用食盐、胡椒粉、绍酒将鸭身内外抹匀，放入盆中，加入生姜、葱、花椒、腌渍1小时取出，用刀从脊背处宰开，去净全身骨头，铺入碗内，齐碗口修圆。修下的鸭肉切成银杏大小的丁，同银杏和匀，放入鸭脯上。将猪肘也切成银杏

大小的丁，放在鸭的周围，注入清汤，上笼蒸2~3小时装盘。

将清汤放入锅中烧沸，加余下的绍酒、食盐、味精、胡椒粉，用湿淀粉少许勾薄芡，浇在鸭肉上即成。

【功效】益肺肾，补虚劳，定喘咳，除滞浊。用于夏季食补，尤宜于虚喘频发者食用。

（2）四季豆炒鸡肫

【原料】四季豆250克，熟鸡肫150克，黄酒、精盐、味精、葱花、姜丝、白糖、豆油、鲜汤各适量。

【制作】将嫩四季豆摘去两头和老筋，洗净切成段。炒锅上火，放油烧热，放入葱、姜煸香，再下鸡肫片煸炒几下，加入精盐、黄酒、白糖、鲜汤，煸炒入味，投入四季豆，再加适量精盐、鲜汤炒熟，入味，加入味精，推匀，出锅装盘，即成。

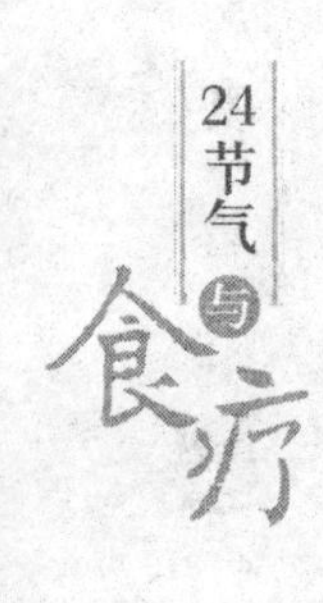

【功效】清凉利尿，消肿，助消化。

【禁忌】不宜过咸。寒湿湿热、伤食而致消化不良者不宜。

（3）冬瓜盅

【原料】带皮冬瓜半只（高22厘米左右，口径15厘米左右），猪肉丁100克，鸭肉丁100克，干贝25克，水发草菇丁50克，熟鸭肉粒50克，

虾仁50克，猪腰丁100克，鲜莲子肉100克，火腿丁25克，姜片2片，精盐10克，黄酒10克，味精5克，湿淀粉15克，鲜汤1400克。

【制作】将冬瓜挖尽瓜瓤，冬瓜上口四周用刀批成锯齿形，正面瓜皮上雕刻出各种图案，放入沸水内烫片刻，取出沥干水分，即成“冬瓜盅”。再把猪肉丁、鸭内丁用湿淀粉拌匀，与腰丁一起入沸水锅焯熟捞出。鲜莲子去皮、通心，蒸熟待用。虾仁用湿淀粉搅拌后和熟鸭肉粒一起放入沸水烫熟。

把猪肉丁、鸭肉丁、腰丁一起放入“冬瓜盅”内，加入干贝、火腿丁、草菇丁、熟鸭肉粒、姜片、精盐，再加鲜汤500克，入蒸笼蒸半小时，至熟透后备用。再将虾仁与蒸好的鲜莲等一起放入“冬瓜盅”内，加鲜汤、精盐，撇去汤面浮沫，再上蒸笼用大火蒸10分钟后取出，加酒、糖、味精调好味，撒上火腿末，瓜皮上用油抹遍即可。

【功效】益气养阴，健脾补肾。

（4）丝瓜烩豆腐

【原料】嫩丝瓜120克，嫩豆腐180克，熟猪油30克，酱油18克，白糖6克，鲜汤60克，味精0.3克，湿淀粉18克，葱花1克。

【制作】将嫩丝瓜刮去外皮洗净，切成旋刀块；豆腐切成小方块，放在开水锅中煮4~5分钟，取出沥干。

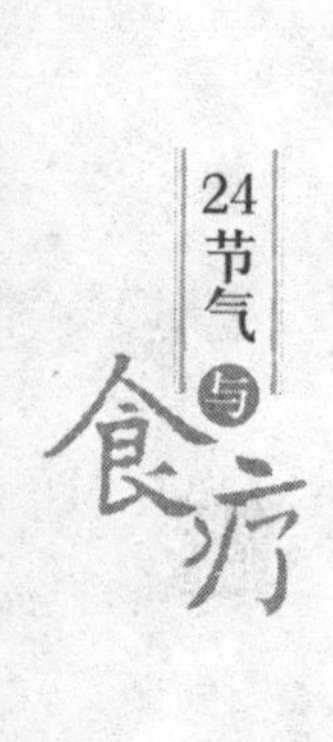

炒锅上火，加入熟猪油21克烧热，倒入丝瓜，炒至丝瓜发软，加入鲜汤、葱花、白糖、酱油，翻动几下，烧开后立即倒入豆腐，再煮沸后改用小火焖2分钟，再用大火烧几秒钟，加入味精，用湿淀粉勾芡，淋上熟猪油10克，转动几下即成。

【功效】调中益气，清湿热，凉血热。

【禁忌】体虚内寒者少食。

2.汤羹类进补食谱

(1) 百合莲子汤

【原料】干百合100克，干莲子75克，冰糖75克。

【制作】百合浸水一夜后，冲洗干净。莲子浸泡4小时，冲洗干净。将百合、莲子置入清水锅内，武火煮沸后，加入冰糖，改文火续煮40分钟即可食用。

【功效】安神养心，健脾和胃。

(2) 荸荠羹

【原料】荸荠200克，牛奶200克，鸡蛋2枚，白糖、生粉适量。

【制作】先将荸荠去皮洗净，剁碎，鸡蛋两边敲破，将蛋清留在碗内待用。置锅中加水大火煮开后，加入白糖、牛奶，然后加入蛋清搅匀，使成羹状，还可适当加些生粉，最后撒入剁碎的荸荠，再煮开即可。

【功效】清热化痰，止咳平喘，生津止渴，疏肝解郁。

【禁忌】脾胃虚寒者、便溏者忌食用。

（3）苦瓜菊花粥

【原料】苦瓜100克，菊花50克，粳米60克，冰糖100克。

【制作】将苦瓜洗净去瓤，切成小块备用。粳米洗净，菊花漂洗，二者同入锅中，倒入适量的清水，置于武火上煮，待水煮沸后，将苦瓜、冰糖放入锅中，改用文火继续煮至米开花时即可。

【功效】清利暑热，止痢解毒。

【禁忌】喝此粥时，忌食一切温燥、麻辣、厚腻之物。

（4）绿豆芽蛤蜊

【原料】绿豆芽500克，蛤蜊肉250克，豆腐6块，冬瓜皮1000克。

【制作】冬瓜皮、蛤蜊肉洗净。放入锅内，加清水适量，武火煮沸后，文火煲半小时，绿豆芽洗净。豆腐下油锅稍煎香，与绿豆芽一齐放入冬瓜皮汤内，煮沸片刻，调味供食。每日1剂。

【功效】安神止渴，解暑祛湿，通利小便。

【禁忌】脾肾虚寒、畏寒肢冷、神疲乏力、便溏、口淡无味者，不可食用。

（5）解暑益气汤（凉）

【原料】荷叶10克，金银花6克，党参10克，白糖适量。

【制作】将荷叶洗净后，切丝；金银花挑去杂质，洗净；党参润透切片。

将荷叶、金银花党参放入沙锅中，加水适量，用中火煮20分钟后，滤渣，加入白糖即成。

【功效】清暑热、生津止渴。适用于夏季暑热所致高热。中暑以及感冒发热者食用。

3.饮料类进补食谱

（1）茼蒿蛋白饮

【原料】鲜茼蒿250克，鸡蛋3枚，油、盐各适量。

【制作】鲜茼蒿剪去黄杂叶洗净。茼蒿加适量水煎煮，将要熟时，加入鸡蛋白煮片刻，以油盐等调味。

【功效】补脾胃，助消化，清热养心，镇咳化痰。

【禁忌】泄泻者忌饮用。

（2）鲜藕荸荠汁

【原料】鲜藕250克，荸荠250克，白糖30克。

【制作】将鲜藕洗净，去皮，切丝；荸荠洗净，去皮，切丝；用洁净纱布绞取汁液。在汁液中加入白糖、冷开水适量，稀释，搅均匀即成。

【功效】清热解毒，凉血止渴。

（3）藕节汁

【原料】鲜藕150克，藕节150克，白糖30克。

【制作】将藕去皮，切薄片，用洁净纱布绞取汁液；藕节洗净，切2厘米见方的小块捣汁；再用洁净纱布绞取汁液。将汁液放入盆里，加白糖、凉开水适量，拌匀即成。

【功效】清热凉血，止血散淤。

（4）海带绿豆糖水

【原料】绿豆150克，陈皮1角，冰糖、海带适量。

【制作】将海带用清水浸透，再用清水洗干净，去掉砂粒和碱味，备用。把绿豆、陈皮分别用清水洗干净，连同海带、冰糖放入煲内，加入适量清水，先用猛火煲滚，再用中火至绿豆烂。

【功效】清热解毒，凉血，可防治疖子。

（5）双花杏蜜饮

【原料】金银花10克，菊花10克，杏仁10克，蜂蜜20克。

【制作】先将杏仁研碎，同金银花、菊花一起放入砂锅，加水三碗半煮至一碗半，去渣取汁，兑入蜂蜜和匀即可。

【功效】解暑止渴，润肺化燥。

六、夏至进补食谱

夏至是盛阳覆盖其上而阴气始生于其下，所谓“阴阳争死生分”的时节，是一种中阴阳气交的关键。从这一时节起进入一年中最炎热的阶段，

也是人体进补和调治宿疾的最佳时期之一。夏至时节进补食谱如下。

1.菜肴类进补食谱

(1) 枸杞滑溜里脊片

【原料】猪里脊肉250克，枸杞子50克，水发木耳、水发笋片、豌豆各30克，1个鸡蛋的蛋清，调料适量。

【制作】将枸杞子分2份，一份加水煮，提取枸杞子浓缩汁约25毫克，另一份洗净蒸熟；猪里脊肉抽去白筋切成片，用蛋清、水淀粉、食盐拌匀浆好，投入热油中，待滑透捞出沥油；等锅内油热时放入木耳、笋片和豌豆、葱、姜、蒜、香醋、料酒、食盐翻炒片刻，加入熟枸杞子、肉片、枸杞子浓缩汁和清汤，翻炒片刻即成。

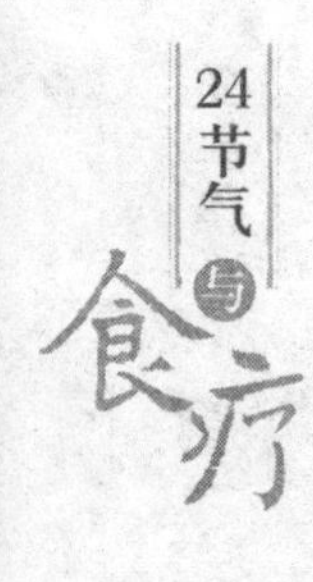

【功效】养心安神。

(2) 长春鹌鹑蛋

【原料】鹌鹑蛋3枚，银耳3克，莲子10克，冰糖30克，百合10克。

【制作】在铁锅中加适量水煮沸，加入胀发后去掉皮和心的莲子、洗净的百合、发胀洗净的银耳，煮烂后，加冰糖溶化，最后加入蒸熟去壳的鹌鹑蛋即成。

【功效】养心安神。

(3) 地黄鸡

【原料】生地黄100克，母鸡1只，大枣10枚。

【制作】将母鸡宰杀洗净后，掏去内脏，剁去爪、翅尖，再洗净血水，入沸水锅内略焯一下，捞出。将生地洗净后，切成约0.5厘米见方的颗粒，放入鸡腹内，再将鸡与大枣都放入瓷罐内，灌入米汤，封口后，上笼用武火蒸制。蒸2～3小时，待其熟烂即可，取出后，加调味即成。

【功效】养阴益肾。适用于夏季气阴不足的调补。有益于消除心脾虚弱、气血不足、肾阴亏损、虚热、盗汗等症。

【禁忌】脾虚湿滞、腹满便溏者不宜多服。

(4) 炝拌什锦

【原料】豆腐1块，嫩豆角50克，西红柿50克，木耳15克，香油、植物油、精盐、味精葱末各适量。

【制作】将豆腐、豆角、西红柿、木耳均切成丁。锅内加水烧开，将豆腐、豆角、西红柿、木耳分别焯透（西红柿略烫即可），捞出淋干水分，装盘备用。炒锅烧热，入植物油，把花椒下锅，炝出香味，再将葱末、盐、西红柿、味精同入锅内，搅拌均匀，倒在烫过的豆腐、豆角、木耳上，淋上香油搅匀即可。

【功效】生津止渴，健脾清暑，解毒化湿。

(5) 凉拌莴笋

【原料】鲜莴笋350克，葱、香油、味精、盐、白糖各适量。

【制作】莴笋洗净去皮，切成长条小块，盛入盘内加精盐搅拌，腌1小时，滗去水分，加入味精、白糖拌匀。将葱切成葱花撒在莴笋上，锅烧热放入香油，待油热时浇在葱花上，搅拌均匀即可。

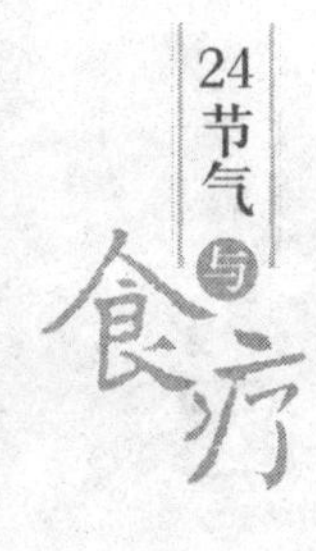

【功效】利五脏，通经脉。

（6）奶油冬瓜球

【原料】冬瓜500克，炼乳20克，熟火腿10克，精盐、鲜汤、香油、水淀粉、味精各适量。

【制作】冬瓜去皮，洗净削成见圆小球，入沸水略煮后，倒入冷水使之冷却。将冬瓜球排放在大碗内，加盐、味精、鲜汤上笼用武火蒸30分钟取出。把冬瓜球复入盆中，汤倒入锅中加炼乳煮沸后，用水淀粉勾芡，冬瓜球入锅内，淋上香油搅拌均匀，最后撒上火腿末出锅即成。

【功效】清热解毒，生津除烦，补虚损，益脾胃。

2.汤羹类进补食谱

（1）兔肉健脾汤

【原料】兔肉200克，淮山30克，枸杞子15克，党参15克，黄芪15克，大枣30克。

【制作】兔肉洗净与其它配料武火同煮，煮沸后改文火继续煎煮2小时，汤、肉同食。

【功效】健脾益气。

（2）荷叶茯苓粥

【原料】荷叶1张（鲜、干均可），茯苓50克，粳米或小米100克，白糖适量。

【制作】先将荷叶煎汤去渣，把茯苓、洗净的粳米或小米加入药汤中，同煮为粥，出锅前将白糖入锅。

【功效】清热解暑，宁心安神，止泻止痢。

（3）莲叶绿豆汤

【原料】新鲜莲叶1角，绿豆120克，花旗参9克，陈皮1角，乳鸽1只，幼盐少许。

【制作】将乳鸽洗干净，去毛，去内脏，备用。新鲜莲叶、绿豆、花旗参、陈皮分别用清水洗干净。花旗参切片，备用。在瓦煲内加入适量清水，先用猛火煲至水滚，然后加入绿豆、花旗参、陈皮、乳鸽，一起继续用文火煲2小时左右，加入新鲜莲叶及少许盐稍滚片刻即可饮汤吃肉。

【功效】消暑清热，防治热痱。

（4）荸荠冰糖藕羹

【原料】荸荠250克，藕150克，冰糖适量。

【制作】荸荠洗净去皮，藕洗净切小

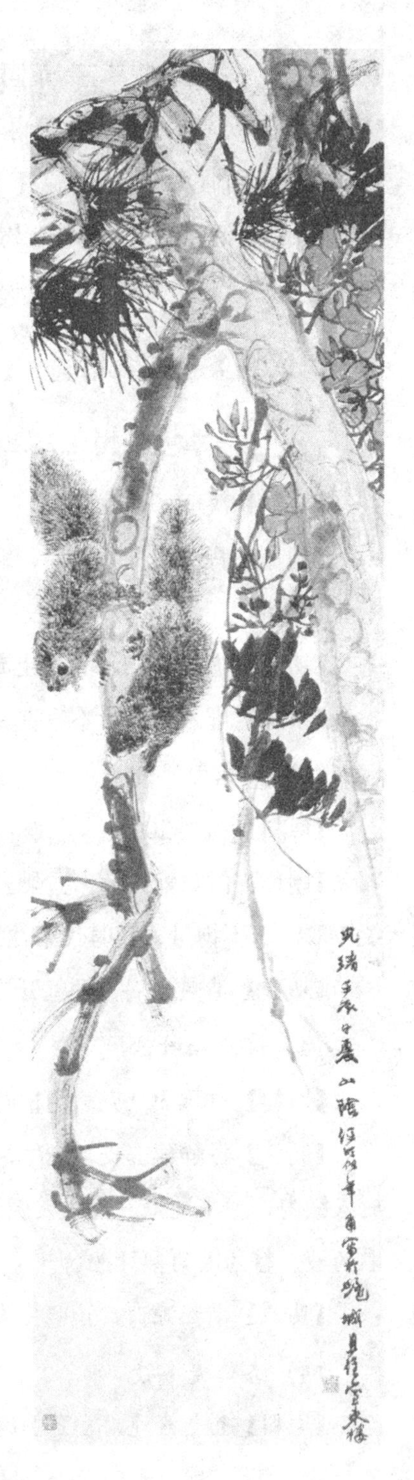

块。沙锅加水适量，将荸荠、藕同入锅内文火煮炖20分钟时，加入冰糖再炖10分钟，起锅即可食用。

【功效】清热利湿，健脾开胃，止泻固精。

3.饮料类进补食谱

（1）决明子茶

【原料】决明子200克。

【制作】将决明子炒熟后，取适量，以沸水冲泡。

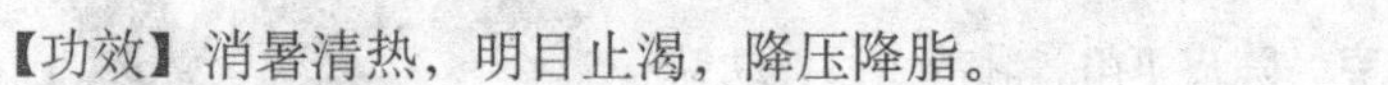

【功效】消暑清热，明目止渴，降压降脂。

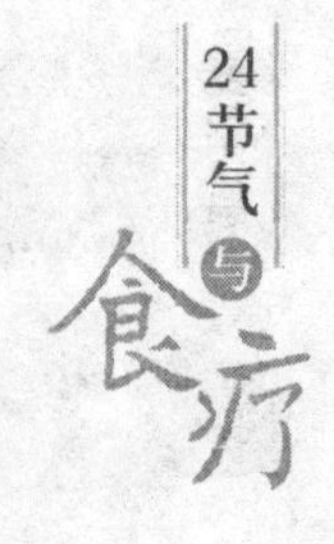

【禁忌】虚寒便泄者不宜饮用。

（2）白藕雪梨汁

【原料】雪梨200克，新鲜白藕250克。

【制作】白鲜藕去节，雪梨去皮，各等量切碎，用消毒纱布将藕和梨绞榨取汁，不拘量，随时代茶饮。

【功效】清热止渴，理气开胃，和中止痛。

（3）鲜藕柏叶汁

【原料】鲜藕300克，侧柏叶30克，白糖30克。

【制作】将鲜藕去皮，洗净，切丝，用洁净纱布纹取汁液。将侧柏叶放入锅内，加水适量，置武火烧沸，文火煎熬75分钟，停火，过滤，收取药液。将药液与藕汁液合并，加入白糖，搅均匀即成。

【功效】清热凉血，止咳生发。

（4）杏仁麦冬饮

【原料】杏仁6克，麦冬10克。

【制作】将杏仁去尖,拣净杂质,沸水中略煮,皮微皱时捞出,浸凉水中,脱去皮。将麦冬挑选干净，去杂质，洗净，与杏仁共放入锅内，加清水适量，置武火上烧沸后，转用文火煮15分钟，去渣留汁即成。

【功效】宣肺止咳，养阴生津。

(5) 乌梅汁

【原料】乌梅300克，白糖30克。

【制作】将乌梅洗净，去皮、核，用洁净纱布绞取汁液。在汁液中放入白糖、凉开水稀释，拌均匀即成。

【功效】收敛生津，止烦渴。

附：夏至习俗：食面条

夏至食俗中有“冬至饺子夏至面”的说法。

夏至食面，一般指的是面条。南方的面条品种多，如阳春面（光面）、干汤面（酱油、葱花、猪油拌面）、菜热面、肉丝面、油渣面、三鲜面、片儿川、肉丝炒面、过桥面及夏季的麻油凉拌面等许多品种。北方则主要是打卤面和炸酱面。因夏至新麦已经登场，所以夏至食面也有尝新的意思。

七、小暑进补食谱

小暑时节，正是将进入伏天的开始，由于天气炎热，人们的食欲

减退，饮食选择要以清淡芳香为主，因为清淡易于消化，芳香刺激食欲。进补要能使体内阳气向外宣泄，以与“夏长”之气相适应，符合夏季养“长”之机。小暑时节进补食谱如下。

1.菜肴类进补食谱

（1）番茄砂糖藕

【原料】番茄2个，藕1节，沙糖适量。

【制作】番茄去皮，开水煮藕（3至5分钟），两者一并放入盘中，撒上砂糖即可。

【功效】健脾开胃，生精止渴。

（2）玉竹猪心

【原料】玉竹50克，猪心500克，生姜、葱、花椒、食盐、白糖、味精、香油各适量。

【制作】将玉竹洗净，切成节，用水稍润，煎熬2次，收取汁液1000克；将猪心破开，洗净血水，与玉竹液、生姜、葱、花椒同置锅内、在火上煮到猪心六成熟时，将它捞出放凉；将猪心放在卤汁锅内，用文火煮熟捞起，揩净浮沫。在锅内加卤汁适量，放入食盐、白糖、味精和香油，加

热成浓汁，将浓汁均匀地涂在猪心里外即成。

【功效】养心安神。

（3）桂圆童子鸡

【原料】童子鸡1只（约重1000克），干桂圆肉10克，料酒100克，葱、姜各10克，精盐5克。

【制作】将干净的鸡剁去爪，把鸡颈和鸡腿别在鸡翅下面，使其团起来，放入沸水锅中焯一下，以去血水，捞出洗净。桂圆肉亦用清水洗净；把鸡放入汤锅，再放入桂圆、料酒、葱、姜、盐和清水500克，上笼蒸约1小时左右，取出姜、葱即可。

【功效】养心安神。

（4）生爆鳝片

【原料】大鳝鱼2条（约500克），大蒜头10克，绍酒15克，酱油25克，白糖25克，精盐2克，芝麻油10克，米醋15克，面粉50克，湿淀粉50克，生油100克。

【制作】将鳝鱼剔去脊骨，斩去头尾，洗净，平放在砧板上用刀背虚刀排斩，然后批成菱角片，盛入碗内，加盐拌捏，用绍酒5克浸渍，再加入湿淀粉40克、水25克，撒上面粉轻轻拌匀。再将蒜头拍碎斩末，放在碗中，加酱油、白糖、米醋、绍酒、湿淀粉，再加清水50克，调成芡汁待用。

将炒锅置大火上，下生油烧至七成热，将鳝鱼片逐片迅速投入锅内，炸至外皮结壳时，即用漏勺捞起；待油温生至八成热时，再将鳝片下锅，

炸至金黄松脆时捞出，盛入盘内。锅内留底油25克，迅速将芡汁调匀倒入锅中，用手勺推匀，淋上芝麻油，浇在鳝片上即可。

【功效】补虚损，益气血，强筋骨，除风湿。

【禁忌】鳝肉性甘温，故病属内热证或热病初愈者不宜食用。

2.汤羹类进补食谱

(1) 荷叶茅根粥

【原料】鲜荷叶1个，白茅根30克，粳米一小撮，白糖适量。

【制作】先将白茅根洗净，加水1000毫升煎煮30分钟，去渣取汁。用汁煮粥米至烂熟时，放入洗净的鲜荷叶，略煮即成，食时放少许白糖调味。

【功效】清热利湿，对痱子有效。

(2) 冬瓜薏米汤

【原料】冬瓜250克，薏米50克，盐少许。

【制作】将冬瓜与薏米一起水煎，加入少量盐。食冬瓜、薏米，饮汤。

【功效】清热利湿，适用于痱子的防治。

(3) 马齿苋绿豆汤

【原料】马齿苋120克，绿豆30克。

【制作】煎汤服食，每日1次，连服3~4次。

【功效】清热，解毒，止痢，用于湿热痢。

(4) 百合花生粥

【原料】百合15克，花生米15克，糯米30克。

【制作】花生米加水煮20分

钟，入糯米煮粥，煮沸后，入百合，再煮2~3分钟即可。

【功效】补肺养阴、健脾宁嗽。

(5) 生芦根粥

【原料】鲜芦根100克（洗净），竹茹15克，粳米60克，生姜1片。

【制作】鲜芦根切断，与竹茹加水共煎，去渣，入粳米60克煮粥，将熟时入生姜，略滚即可。

【功效】清热除烦，生津止呕。

【禁忌】胃寒呕吐，肺寒咳嗽者食用。

3.饮料类进补食谱

(1) 银杞菊花茶

【原料】金银花2克，白菊花3克，枸杞子4克，绿茶叶5克。

【制作】将前3味药放进砂锅中，加水约500毫升煮汁，出汁后冲泡茶叶饮用。

【功效】清凉明目解暑。

(2) 姜蜜葡萄汁

【原料】绿茶5克，蜂蜜1汤匙，生姜汁20毫升，葡萄汁50毫升。

【制作】取绿茶冲沸水1杯浸泡后，除去茶叶，加入生姜汁，葡萄汁及蜂蜜各1汤匙，调匀即成。

【功效】除烦止渴，暖胃止泻。

(3) 生津饮

【原料】绿豆15克，青果（鲜）

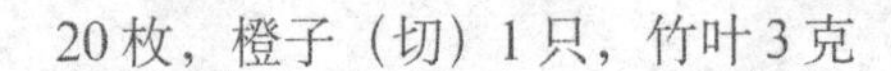
20枚，橙子（切）1只，竹叶3克

【制作】上料分别加水煎煮后过滤,合并滤液,静置让其沉淀,取清液饮用。

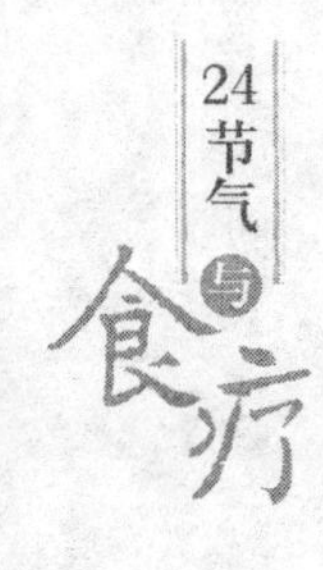

【功效】滋养生津，清利胃热。

八、大暑进补食谱

大暑，正值中伏前后，进入一年中最热的时期。在这酷热难耐的时节，防暑降温不容忽视然而此时天气虽热，但暑主阴，人体容易为暑、湿邪气所侵扰，甚至发病，所以除了适当吃些瓜果冷饮，起到防暑降温的作用外，还应适当吃些狗肉、羊肉等属于热性的食物。大暑时节进补食谱如下。

1.菜肴类进补食谱

（1）毛豆焖双肉

【原料】毛豆300克,黄牛肉100克,瘦猪肉100克，鲜菜心50克，黄酒8克，味精1克，精盐4克，胡椒粉0.5克,水淀粉10克,姜末5克,葱花5克,豆油50克。

【制作】将毛豆洗净；黄牛肉去筋洗净，切成肉粒；瘦猪肉洗净，切成粗粒；鲜菜心洗净沥干水分。净锅置火上，下豆油烧至七成热后放入猪肉、牛肉粒炒出香味，烹入黄酒，再炒几下，加入毛豆粒、姜末，炒至变色，掺入鲜汤、胡椒粉，加盖焖至毛豆熟烂，投入菜心、葱花、精盐，煮沸加入味精，用水淀粉勾芡，推转均匀，出锅即成。

【特点】酥烂鲜香。

【功效】补脾胃，益气血，生肌肉。

【禁忌】猪肉不宜过肥。必须烹调至豆熟肉烂。火热之症者忌食。

(2) 菠菜肝片

【原料】鲜猪肝250克，水发黑木耳25克，菠菜叶50克，绍酒10克，醋5克，食盐、淀粉、酱油各适量，葱丝、蒜片、姜粒各15克，汤50克，油适量。

【制作】将猪肝剔去筋洗净，切片待用。然后将猪肝片加入适量湿淀粉和盐少许，搅拌均匀，另把酱油、绍酒、盐、醋、湿淀粉和汤兑成滋汁备用。炒锅置武火上烧热加入油，烧至七、八成熟，放入肝片滑透，用漏勺沥去余油，锅内剩油50克，下入蒜片、姜粒略炒后，下肝片，同时将菠菜、木耳入锅内翻炒几下，倒入滋汁炒匀，下入葱丝，起锅即成。

【功效】滋阴补肝，消渴安神。

【禁忌】便溏及腹泻者慎用。

(3) 青椒炒鸭块

【原料】青椒150克，鸭脯肉200克，鸡蛋1枚，黄酒、盐、干淀粉、鲜汤、味精、水淀粉、植物油各适量。

【制作】鸭脯肉劈成2寸长、6分

宽的薄片，用清水洗净后淋干；将鸡蛋取清和干淀粉、盐搅匀与鸭片一起拌匀上浆；青椒去籽、去蒂洗净后切片。

锅烧热后加油烧至四成热，将鸭片下锅，用勺划散，炒至八成熟时，放入青椒，待鸭片炒熟倒入漏勺淋油。

锅内留少许油，加入盐、酒、鲜汤、烧至滚开后，再将鸭片、青椒倒入，用水淀粉勾芡，翻炒几下装盘即成。

【功效】温中健脾，利水消肿。

（4）芹菜豆腐

【原料】芹菜150克，豆腐1块，食盐、味精、香油冬少许。

【制作】芹菜切成小段，豆腐切成小方丁，均用开水焯一下，捞出后用凉开水冷却，控净水待用。将芹菜和豆腐搅拌，加入食盐、味精、香油拌搅匀即成。

【功效】平肝清热，利湿解毒。清凉适口，夏令佳菜。

（5）五彩蜜珠果

【原料】苹果1个，梨1个，菠萝半个，杨梅10粒，荸荠10粒，柠檬1个，白糖适量。

【制作】苹果、鸭梨、菠萝洗净去皮，分别用圆珠勺挖成圆珠，荸荠洗净去皮，杨梅洗净待用。将白糖加入50毫升清水中，置于锅内烧热溶解，冷却后加入柠檬汁，把五种水果摆成喜欢的图案，食用时将糖汁倒入水果之上，即可。

【功效】生津止渴，和胃消食。

(6) 醋椒鱼

【原料】黄鱼1条，香菜、葱、姜、胡椒粉、黄酒、麻油、味精、鲜汤、白醋、盐、植物油各适量。

【制作】黄鱼洗净后剞成花刀纹备用，葱、姜洗净切丝。油锅烧热，鱼下锅两面煎至见黄，捞出淋干油；锅内放少量油，热后，将胡椒粉、姜丝入锅略加煸炒，随即加入鲜汤、酒、盐、鱼，烧至鱼熟，捞起放入深盘内，散上葱丝、香菜；锅内汤汁烧开加入白醋、味精、麻油搅匀倒入鱼盘内即可。

【功效】健脾开胃，填精，益气。

(7) 西瓜鸡丁汤

【原料】西瓜1个，鸡肉适量。

【制作】西瓜去瓤，留完整瓜壳，鸡肉切丁放入瓜壳内，加适量清水，隔水炖至鸡肉熟。

【功效】中暑。

2.汤羹类进补食谱

(1) 木耳红枣汤

【原料】黑木耳（干）30克，红枣30枚。

【制作】将上料分别加水浸泡使其发胀，洗净后加水适量煮熟即可。

【功效】补血益气。

(2) 桂圆莲子汤

【原料】桂圆肉（干）15克，莲子（干）30克芡实30克，冰糖20克。

【制作】上料分别洗净入锅，加水适量用小火炖煮至熟，加冰糖溶解即可。

【功效】补血养血，宁心健脾。

(3) 桂圆粥

【原料】桂圆25克，粳米100克，白糖少许。

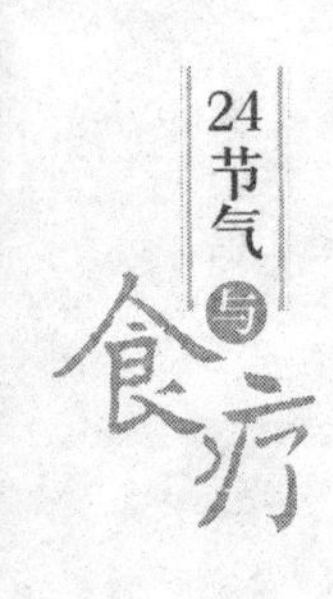

【制作】将桂圆同粳米共入锅中，加适量的水，熬煮成粥，调入白糖即成。

【功效】补益心脾，养血安神。

【禁忌】喝桂圆粥忌饮酒、浓茶、咖啡等物。

(4) 苋菜粥

【原料】苋菜（鲜）200克，粳米100克，精盐少许。

【制作】取粳米加水适量，煮沸片刻后，加入洗净切碎的苋菜煮成粥，食前加少许精盐搅匀。

【功效】清热止痢。

3.饮料类进补食谱

（1）柿饼红糖茶

【原料】柿饼、红糖。

【制作】柿饼焙焦研成细末，每次10克，加红糖15克

【功效】健脾养胃。

（2）桑菊薄竹饮

【原料】桑叶、菊花各5克，竹叶、白茅根各30克，薄荷3克，沸水冲泡10分钟。

【制作】沸水冲泡10分钟。

【功效】清热解暑、消渴。

（3）鲜饮

【原料】鲜藕120克，白茅根（鲜）120克。

【制作】鳞藕切片、白茅根切段，加水适量煎煮，取其滤液。

【功效】有凉血止血、清热化痰的作用，能生津止渴、润肺止咳、泻火降逆。

（4）杨梅甜酒

【原料】鲜杨梅500克，白糖50克。

【制作】杨梅捣烂放入瓷罐中，自然发酵一周成酒。用纱布滤汁，即为12度杨梅甜酒。如甜度不够可加适量白糖，再置锅中煮沸，停火待冷装瓶，密闭保存，陈久为良。夏季佐餐随量饮用。

【功效】预防中暑，治疗腹泻。

附：莆田人习俗：过大暑

我国莆田人在大暑节那天，有吃荔枝、羊肉和米糟的习俗，叫做“过大暑”。

荔枝是莆田特产，其中如宋家香、状元红、十八娘红等是优良品种，古今驰名。在大暑节前后，荔枝已是满树流丹、飘香十里的成熟时候了。荔枝含有多量的葡萄糖和多种维生素，富有营养价值，所以吃鲜荔枝可以滋补身体。宋比玉的《荔枝食谱》中载：“采摘荔枝要含露采摘，并浸在冷泉中，食时最好盛在白色的瓷盆上，红白相映，更能衬出荔枝色彩的娇艳；晚间，浴罢，新月照人，是啖荔枝的最好时间。”蒲田人在大暑节那天，先将鲜荔枝浸于冷井水之中，大暑节时刻一到便取出品尝。这时刻吃荔枝，最惬意、最滋补。于是，有人说大暑吃荔枝，其营养价值和吃人参一样高。

温汤羊肉是莆田独特的风味菜肴之一。把羊宰后，去毛卸脏，整只放进滚汤的锅里翻烫，捞起放入大陶缸中，再把锅内的滚汤注入，泡浸一定时间后取出上市。吃时，把羊肉切成片片，肉肥脆嫩，味鲜可口。羊肉性温补，食用、药用咸宜。大暑节那天早晨，羊肉上市，供不应求。

将米饭拌和白米曲让它发酵，透熟成糟；到大暑那天，把它划成一块块，加些红糖煮食。据说可以“大补元气”。蒲田人在大暑节那天，也要以荔枝、羊肉为互赠亲友之间的礼品。

九、夏季六节气因人而异的饮食进补

夏季六节气湿热，但对于不同的人产生的影响却有所不同，所以，其时节饮食进补须因人而异，老人须温补，中年人须壮补，青年人须养补，女性须滋补，而儿童则不能乱补。适于不同的人顺应夏季六节气的饮食进补方案择优介绍如下。

1.老年人的饮食进补

老年人生理机能逐渐衰退，膳食安排得当，对推迟衰老有一定作用，一般要求食物多样化，选择易于消化的食物，多食低糖少盐食物。

盛夏时节，老人可经常吃一些清热降暑，调养肠胃的药粥和菜肴，将对老年人安度盛夏大有裨益。

（1）苡仁扁豆粥

【原料】薏苡仁50克，炒扁豆50克，粳米100克。

【制作】加适量水同煮为粥。

【功效】健脾益胃，消暑止渴，是最为理想的夏令进补之粥。

（2）芹菜粥

【原料】鲜芹菜150克，大米100克。

【制作】芹菜连根洗净，切碎大米淘净，加适量水同煮为粥。

【功效】降压，平肝，镇静，利尿，适于高血压病、头痛头晕及失眠者的夏日进补。

（3）清蒸乌骨鸡

【原料】乌骨鸡（重800克左右）1只，姜、葱各10克，精盐8克，黄酒15克。

【制作】将鸡宰杀去内脏肠杂及毛，保留肫、肝和鸡血，切块放进砂锅内，加清水400毫升及调味品，盖严砂锅盖，放入蒸笼中用旺火蒸煮半小时即成。

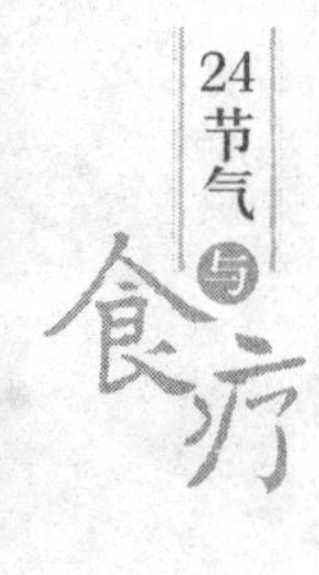

【功效】补益身体的营养佳肴。

（4）猪肚莲子芡实粥

【原料】猪肚1个，莲子50克，芡实30克。

【制作】加水适量，文火煎至莲子熟烂，加入大米100克同煮，加食盐少许，则味道鲜美。

【功效】健脾胃，增食欲，不温不燥，不失为夏日进补第一方。尤其对脾胃素虚、纳食欠佳的老人更为适用。

（5）冬瓜子粥

【原料】冬瓜子100克。

【制作】打碎，加水适量煮20～30分钟，去渣取汁，再加入适量水与冰糖。

【功效】通利小便，清热除烦，化痰止咳，可治疗暑季心胸烦闷，咳嗽有痰，小便赤黄等症。

2.中年人的饮食进补

人到中年，机体各组织器官均呈不同程度的萎缩或减弱，相继出现与衰老有关的特征变化，因此，夏季六节气中年人饮食进补既要顺应时节特点，又要结合中年人身体实际情况，使之和谐恰到好处。

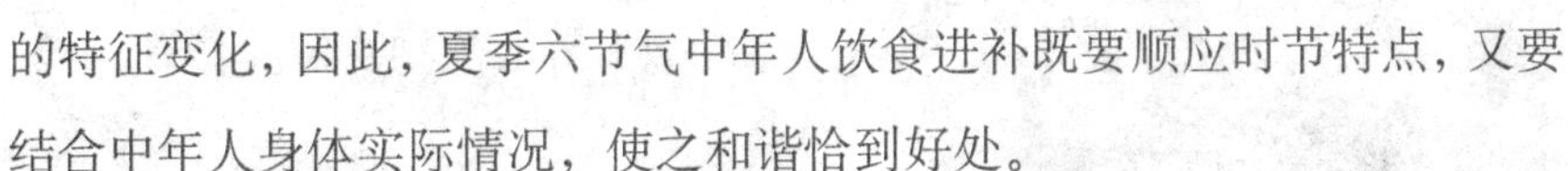

（1）藿香粥

【原料】藿香20克，粳米100克。

【制作】取藿香洗净，放进小砂锅中，加水适量煎煮出汁，滤去药渣，将药汁倒入即将煮熟的粥中即可。

【功效】化湿醒脾。

（2）酸梅藕

【原料】乌梅100克，嫩藕（切片）500克，白糖150克。

【制作】先取乌梅加水适量煮沸片刻，再加入嫩藕片煮熟，最后加白糖溶解搅匀即成。

【功效】清热凉血，生津解暑。

(3) 荷叶冬瓜汤

【原料】冬瓜(连皮)500克，鲜嫩荷叶1张。

【制作】取冬瓜切成块状放入锅内，再取鲜荷叶1张，撕成数片投入，加水1000毫升，煎煮至冬瓜熟烂，捞出荷叶，加盐少许搅溶。

【功效】治夏暑口渴，心烦。

(4) 薄荷莲子汤

【原料】莲子150克，薄荷油数滴，桂花5克，冰糖300克。

【制作】取莲子加水1000毫升煮沸后，加冰糖300克及桂花，溶解后滴入薄荷油数滴即成。

【功效】养心安神，健脾养胃。

3.青年人的饮食进补

青年人爱好活动，体力消耗较多，在营养方面如对蛋白质、钙、维生素的需要量较高，宜多食一些粗纤维的植物，但少吃甜食，下面是几例顺应夏季六节气的青年人饮食进补方案。

(1) 六节气的芝麻面

【原料】芝麻15克，香油10克，挂面150克。

【制作】将黑芝麻挑选干净，除去泥沙，用锅炒黄，出香味，研成细泥，放入香油调匀。将锅内加入清水，置武火上烧开，下入挂面，煮4~5分钟，熟透；用筷夹入碗中，拌入作料和黑芝麻泥即成。

【功效】滋补肝肾，润肠通便。

(2) 参麦甲鱼

【原料】党参20克，浮小麦20克，茯苓10克，活甲鱼1只约500～1000克，瘦火腿100克，鸡蛋1枚，葱节、生姜、食盐、鸡汤、绍酒各适量。

【制作】将甲鱼宰杀、去内脏，洗净。将锅置火上，放入清水。和团鱼，烧沸后，用文火炖约半小时捞出，剔去甲骨，切成约2厘米见方的块，摆放碗内。

将火腿切成小片，盖在鱼肉上面，与调料（味精暂不用）共同兑入适量的鸡汤，注入大瓷碗内。将浮小麦、茯苓用纱布包后，放入汤中，党参切成薄片，放在上面，盖上盖，上笼蒸2～3小时即成。将甲鱼出笼后，拣去葱、姜，滗出原汤，把甲鱼扣入碗中，剩全鸡汤倒在手勺里，加入调料，烧开后撇去浮沫，再打一枚鸡蛋在汤内，略煮后，浇在甲鱼上面即成。

【功效】滋阴，益气，补虚。适用于夏季炎热时节清补之用。

(3) 豆蔻馒头

【原料】白豆蔻6克，面粉500克，酵面30克。

【制作】将白豆寇除去杂质，粉碎成细末。将面粉放入盆中，加水和酵面，揉匀成团，待其发酵后（掌握好发酵程度）加入适量碱水，撒入白豆蔻粉后，开始揉面，将碱液、药粉均匀揉成面团，按量切块，每块生坯约50克。将面坯放入笼内摆好，间隔距离合适，盖上蒸笼，武火大汽蒸

15分钟即成。

【功效】芳香化湿，行气健胃。

4.儿童的饮食进补

儿童处在不断生长发育的过程,因此,儿童应多作食物补养,但不能乱补,以免使机体阴阳失调而影响健康。顺应夏季六节气的儿童饮食进补方案如下：

(1) 鲫鱼陈皮枸杞菜

【原料】活鲫鱼1条，鲜枸杞菜100克，陈皮3克，盐少许。

【制作】将鲫鱼去鳞剖腹去内脏，洗净，与陈皮、生姜同入锅，加适量水煮开。鲜枸札菜洗净，放入锅内，与鲫鱼同煮。水沸后改小火炖之，至鱼熟汤浓，加盐调味即可。趁热分2次吃完。婴幼儿喝汤。

【功效】清热解毒，理气开胃。

(2) 百部蒸豆腐

【原料】百部8克，紫苏叶8克，豆腐250克，冰糖25克。

【制作】先将豆腐放入一大碗内，再将百部、杏仁、紫苏叶研成粗末，均匀撒在豆腐上，加少量清水，放锅内隔水蒸约30分钟。用筷子或刀刮去药渣。加入冰糖再蒸5分钟即可。

【功效】润肺止咳。

(3) 薄荷黄芩冰糖饮

【原料】薄荷6克，黄芩3克，冰糖适量。

【制作】将薄荷、黄芩同入锅内

加水适量煎煮20分钟，去渣取汁，加冰糖适量调味。

【功效】清凉润喉，消炎去肿。

(4) 百合杏仁赤豆粥

【原料】百合10克，杏仁6克，赤小豆60克，粳米100克，白糖适量。

【制作】将百合、杏仁、赤小豆、粳米淘洗干净，一同入锅，加水适量，先用旺火烧开，再转用文火熬煮成稀粥，加入白糖搅匀即成。

【功效】清热利湿，滋阴润肺。

(5) 红枣乌梅饮

【原料】红枣10枚，乌梅10克，五味子5克，清茶少许。

【制作】用沸水浸泡。

【功效】益气养血，生津止渴，消除烦热。

5.女性的饮食进补

女性生理特点，决定饮食和男性有所区别，适合女性，顺应夏季六节气的饮食进补应遵循益精养血，滋肾养肝，补中益气的原则，下面是几个夏季六节气女性的进补方案。

(1) 艾叶生姜煲鸡蛋

【原料】艾叶10克，姜炭10克，鸡蛋1～2只。

【制作】水适量共煮，鸡蛋煮熟后剥去蛋壳，放入再炖20分钟，吃蛋喝汤。

【功效】补益气血，温经散寒，止痛止血。

（2）马鞭草炖猪蹄

【原料】猪蹄2只，马鞭草30克，黄酒30克。

【制作】猪蹄洗净切块。炒锅加热后入生油，烧热后炒马鞭草30克，加黄酒30克，稍炒几下，起锅装入陶瓷罐内，把猪蹄放入加水适量，隔水用文火炖至猪蹄烂熟。

【功效】活血散瘀，通经止痛。

（3）北芪乌骨鸡

【原料】乌骨鸡1只，黄芪100克。

【制作】乌骨鸡去毛及内脏，洗净后把黄芪切片，置于鸡腹内，加水1000毫升，煮沸后改用文火炖，直至鸡烂熟后调味即可。

【功效】温养脾胃，补虚益气。

十、通过饮食进补预防夏季多发病

夏季六节气气候炎热，适宜细菌滋生，人若正气欠亏或劳倦过度而津伤气耗，则抗御外邪入侵的能力下降，病邪易乘虚而入，使人体发病。所以，夏季六节气要进行饮食进补，以增强体质，提高免疫力达到预防夏季多发病之目的。

1.预防暑症

夏季因感受暑热所致的种种热性病，中医称之为暑症。症状表现为身热烦躁、气喘气短、头昏头痛、大汗淋漓，或全身汗闭、恶寒发热，严重时会突然发生晕厥、抽搐及至昏迷不省人事。治疗上对热症者采取清利邪热，伤津者则益气生津。

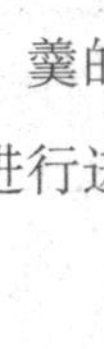

饮食上充分利用粥、汤、羹的方式，配新鲜蔬菜瓜果原汁进行进补，可以达到防治之目的。

(1) 绿豆粥

【原料】绿豆100克，粳米100克。

【制作】上料加水适量，小火熬煮成粥。

【功效】清暑，解毒，利湿。

(2) 山药粥

【原料】生山药250克，粳米100克，白糖适量。

【制作】上料加水（山药先切成片状）煮粥，至粥汁黏稠即成。

【功效】益脾，滋肾，补肺

(3) 扁豆苡仁米粥

【原料】扁豆60克，苡仁米60克。

【制作】上料加水适量，用小火熬煮成粥即可。

【功效】健脾胃，清暑热，助消化。

(4) 银花粥

【原料】银花30克，粳米50克。

【制作】取银花加水煎煮后，去渣取汁，加入粳米粥中稍煮即可。

【功效】清热解毒，防止发生中暑，预防疔、疖等感染性皮肤病。

（4）瓜米炖鸭

【原料】冬瓜500克，米仁30克，鸭1只。

【制作】将鸭去毛皮及内脏，洗净切块，冬瓜去皮切块，与米仁同放锅中，加适量水煮汤。

【功效】适用于中暑先兆及轻症者。

（5）山楂粥

【原料】生山楂30克，粳米100克，白糖适量。

【制作】生山楂加水煮成浓汁，去山楂渣后加入快熟的粥中，继续小火煮粥，煮熟后加白糖搅匀即成。

【功效】健脾胃，消食积，散瘀血，解暑气。

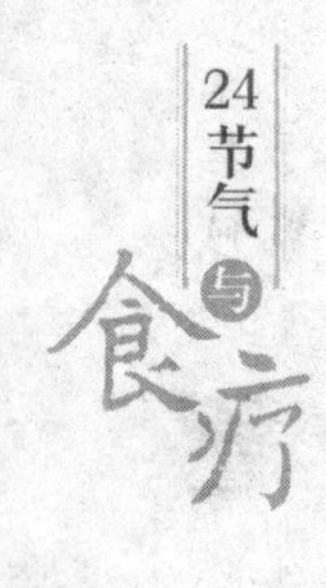

2.预防菌痢

夏季由于气温高，气候潮湿，细菌繁殖旺盛。人们若吃了被细菌污染了的食品就会得菌痢。人们得了这种病后，在饮食方面要特别注意，并且应该禁食牛奶、鸡蛋等较难消化的食品，可吃一点蛋糕、饼干之类的食品。恢复期则可进食少油、少渣的软饭菜，仍不宜食用多渣的蔬菜和水果。葱、蒜等食物，具有抑菌、杀菌的作用；茶叶中的茶单宁鞣质，有凝固菌蛋白体的功用；醋具有杀灭痢疾杆菌的作用。因此，葱、蒜、茶、醋等可作为夏季防止发生菌痢的常用食

物，防治菌痢的饮食方案如下：

（1）马齿苋粥

【原料】鲜马齿苋250克，粳米100克，红糖少许。

【制作】取鲜马齿苋洗净捣烂挤汁，粳米加水煮沸至米粒开花，加入马齿苋汁及红糖少许，共煮至熟。

【功效】清热利湿，消肿止泄。

（2）山楂木香茶

【原料】红花15克，炒山楂25克，木香6克，食糖20克。

【制作】将茶叶、炒山楂、木香煎汤约500毫升，加入食糖（赤痢用白糖；白痢用红糖；赤白痢用红、白糖各半）搅匀即可。

【功效】理气和中，消食止痢。

（3）乌梅胡椒茶

【原料】胡椒10粒，乌梅5个，茶叶5克。

【制作】共研细末，开水冲服。

【功效】虚寒性细菌性痢疾。

（4）大蒜糯米粥

【原料】紫皮大蒜30克，糯米100克。

【制作】先将大蒜去皮，入沸水中煮过捞出，加入淘洗干净的糯米煮粥，待粥快成时再将大蒜重新放回粥内共煮，即成。

【功效】温补脾肺，杀菌止痢，适用于急性细菌性痢疾、虚寒痢疾等。

3.预防伤寒病

伤寒病为夏季六节气多发病，主要由伤寒杆菌引起，患者应及早治疗。下面是每年的几个饮食防治方案。

（1）加减三仁汤

【原料】北杏仁6～10克，紫蔻仁3～6克，米仁15～20克，川朴3～6克，淡竹叶10～12克，滑石15～30克，山栀子10～12克。

【制作】水煎服。

【功效】祛湿清热，主治各型伤寒。

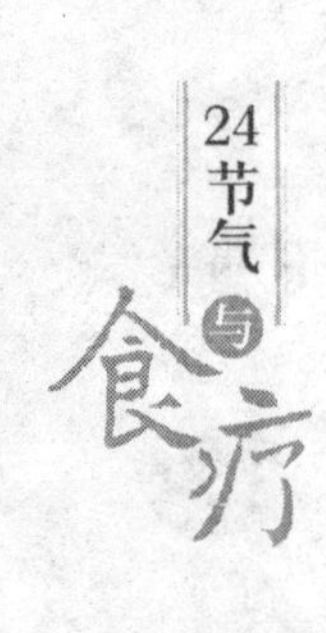

（2）新地榆汤

【原料】白花蛇舌草15克，地榆30克，穿心莲30克，如意花草15克，一枝黄花9克。

【制作】水煎，4岁以下儿童，每日1剂，分3～4次服用；4～14岁，每日2剂，分3～4次服用。

【功效】清热解毒，主治儿童肠伤寒。

（3）米仁冬瓜饮

【原料】米仁50克，冬瓜200～500克，蜂蜜适量。

【制作】上两味煎汤，后加蜂蜜代茶饮，连用4～5天。

【功效】用于伤寒早期辅助治疗。

(4) 凤尾草合剂

【原料】小凤尾草60克，鱼腥草60克，绵茵陈12克，藿香梗9克。

【制作】水煎服，小儿减量。

【功效】清热利湿，芳香解毒。主治肠伤寒。

4.预防疟疾

疟疾又叫冷热病，为夏秋之季最常见的传染病，病人感到无力、头晕、四肢酸困，重者可见昏迷，甚至危及生命。对疟疾进行饮食防治的主要方案如下：

(1) 阳桃速溶饮液

【原料】鲜阳桃1000克，绵白糖500克。

【制作】阳桃去核，放入纱布中绞汁，放锅中，先大火，后小火煎煮，汁浓缩到稠黏

时加入白糖，混匀出锅，然后晒干，压碎，以沸水冲化，饮用。

【功效】截疟，消痞，适用于疟疾及疟疾引起的脾脏肿大等症。

(2) 红饭豆煮鲤鱼

【原料】红饭豆100克，鲤鱼250克，红枣10枚，生姜30克。

【制作】同煮汤后调味食。

【功效】温中健脾，对疟疾有辅助治疗作用。

（3）猪脾馄饨

【原料】胡椒、吴茱萸、高良姜各6克，猪脾1具。

【制作】前三味烘干为末。猪脾洗净切碎，炒熟，一半滚药末，另一半作馅包馄饨。

【功效】温中散寒，适用于疟疾，亦能增强体质

5.预防腹泻

在炎热的夏季六节气，人们经常会腹泻。腹泻的原因很多，可由急慢性痢疾、慢性结肠炎（慢性非特异性溃疡性结肠炎）、急慢性肠炎、肠功能紊乱、结肠过敏以及一些原因不明的直肠和结肠慢性炎性疾病引起。顺应夏季六节气的饮食防治腹泻的方案如下：

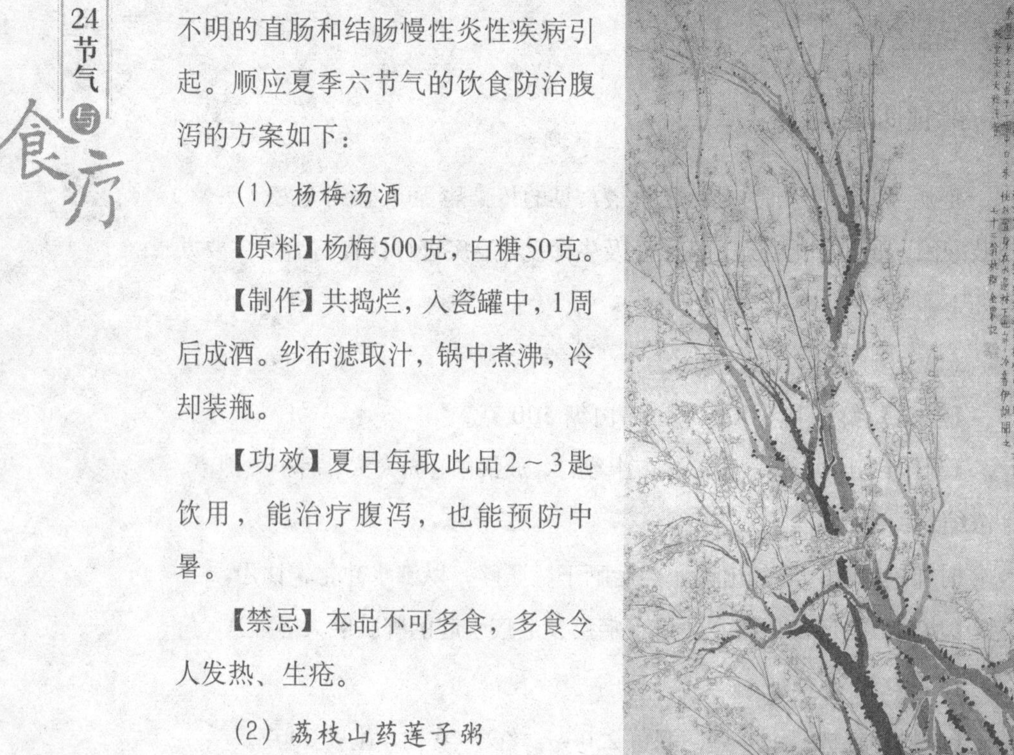

（1）杨梅汤酒

【原料】杨梅500克，白糖50克。

【制作】共捣烂，入瓷罐中，1周后成酒。纱布滤取汁，锅中煮沸，冷却装瓶。

【功效】夏日每取此品2～3匙饮用，能治疗腹泻，也能预防中暑。

【禁忌】本品不可多食，多食令人发热、生疮。

（2）荔枝山药莲子粥

【原料】干荔枝肉50克，山药，莲子各20克。

【制作】水煮干荔枝肉、山药、莲子肉烂熟，下淘净粳米60克煮粥，粥将熟时，入蜂蜜适量调味。

【功效】治疗慢性腹泻，更适宜于五更腹泻者。

(3) 白扁豆茶

【原料】白扁豆9克，茶叶2克，白糖适量。

【制作】白扁豆煮熟后加茶叶白糖，再煮沸，待汤湿热时饮汤。

【功效】适用于湿热泄泻者。

(4) 柿饼红糖茶

【原料】柿饼10克，红糖15克。

【制作】柿饼焙焦研成细粉，加红糖，沸水冲泡。

【功效】健脾，和胃润肠，止泻。适用于慢性腹泻者。

(5) 黑木耳红糖饮

【原料】黑木耳30克，红糖100克。

【制作】两者共煎。

【功效】对慢性腹泻有效。

(6) 姜茶乌梅饮

【原料】生姜10克（切丝），乌梅肉30克（剪碎），绿茶5克。

【制作】沸水冲泡，浸泡半小时，入适量红糖。

【功效】急性腹泻患者饮用非常有益。

6.预防湿疹

湿疹是夏季六节气的一种常见病，具有病因复杂的特点，湿疹的防治原则，应尽可能寻找发病原因，尤其是饮食嗜好、生活习惯等方面。因此，在用药物治疗湿疹的同时，应强调合理的营养调理，这对防治湿疹具有重要意义。

下面介绍一些顺应夏季六节气防治湿疹的饮食。

（1）白菜银花浮萍汤

【原料】白菜根4个，金银花、紫背浮萍各25克。

【制作】将白菜根洗净切片，与金银花、紫背浮萍一起加水煎。

【功效】清热祛湿。

（2）海带鱼腥草绿豆汤

【原料】绿豆30克，海带20克，鱼腥草15克，白糖适量。

【制作】将海带、鱼腥草洗净，同绿豆煮熟加糖，喝汤，吃海带和绿豆。

【功效】清热祛湿，用于急性湿疹。

（3）桑百枣果汤

【原料】桑椹30克，百合30克，大枣10枚，青果9克。

【制作】共同煎。【功效】清热祛湿，用于慢性湿疹。

(4) 绿豆海带粥

【原料】绿豆30克，海带15克，粳米50克。

【制作】将海带洗净切丝，和绿豆、粳米一起加水常法煮粥。

【功效】清热祛湿。

7.预防疖子

夏天是疖子的多发季节，有些人尤其是儿童头面部、脖子、腰背部爱起疖子。这是因细菌侵入了人体皮肤的毛囊及其所属的皮脂腺引起的急性化脓性感染。

对疖子不可轻视，对小儿来说，影响健康生长。疖子还可以并发急性肾炎，偶尔还有引起败血症而死亡的。对顺应夏季六节气防治疖子的饮食进行方案如下：

(1) 金银菜煲猪粉肠

【原料】新鲜白菜250克，白菜干50克，南杏15克，北杏12克，蜜枣4枚，猪粉肠1副，盐少许。

【制作】先将猪粉肠用去了衣的蒜头通过，用清水洗干净，备用。再把新鲜白菜、白菜干、南杏、北杏、蜜枣分别用清水洗干净，备用。南杏、北杏要去衣。将瓦煲内加入适量清水，先用猛火煲至水滚，然后放入以上全部材料，用中火继续煲3小时左右，加入盐少许调味，即可以饮用。

【功能】清热润肺，解毒利尿，适用于疮疖，但脾肺虚寒者不宜用。

(2) 海带绿豆糖水

【原料】绿豆150克，陈皮1角，冰糖、海带适量。

【制作】将海带用清水浸透，再用清水洗干净，去掉砂粒和碱味，备用。把绿豆、陈皮分别用清水洗干净，连同海带、冰糖放入煲内，加入适量清水，先用猛火煲滚，再用中火至绿豆烂。

【功能】清热解毒，凉血，可防治疖子。

十一、常见病的夏季六节气饮食疗法

“冬病夏治”夏季六节气是对常见病进行饮食疗法的好时机，夏令时节对一些常见的疾病，进行饮食调补、治疗有较好的作用。夏令饮食治疗调养得好，冬季就可以少发病或不发病，十分有益于人体健康。

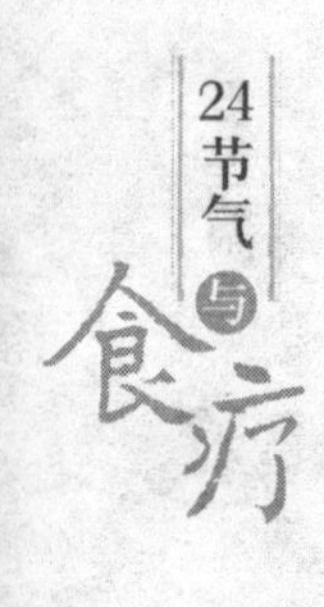

1.肺炎的饮食疗法

肺炎是由肺炎双球菌或病毒引起的呼吸系统急性病。肺炎是指肺实变的炎症，由于其感染的因素不同，可分为细菌性、病毒性、过敏性、霉菌性、肺炎支原体性、立克次体性等。属中医学“温病”、“咳嗽”范畴。发病原因为温病初期，肺卫首先受病，若正气不足，卫表不固，不能御邪于外，温邪阻滞于肺，肺气壅闭，失于宣达而发病。对肺炎进行饮食治疗的方法择优介绍如下：

（1）茉莉豆腐汤

【原料】鲜茉莉根120克，豆腐250克。

【制作】鲜茉莉根和豆腐入锅加水炖。

【功效】清热败火，化痰润肺。

（2）南瓜牛肉汤

【原料】瘦牛肉250克，生姜6克。

【制作】加水炖煮牛肉八成熟，加南瓜500克（去皮），同炖至熟，加盐、味精调味。

【功效】化痰，排脓，利肺。

（3）荠菜姜汤

【原料】取鲜荠菜80克，鲜姜10克，盐少许。

【制作】将荠菜洗净切碎，生姜切片，加清水4碗，煮至2碗，用食盐调味。

【功效】清火润肺。

（4）奶汤锅子鱼

【原料】取活鲤鱼1尾，火腿片、玉兰片、香菇片、葱、姜、料酒、盐、醋、“奶汤”（即鸡、鸭和骨头炖的汤）适量。

【制作】将鲤鱼去鳞开膛，除去内脏，洗净，切成瓦块形状，与葱、姜一起投入油锅，炒勺颠翻几下，加入料酒、盐等调料，然后加入“奶汤”，再加适量的火腿片、玉兰片、香菇片等，炖约3分钟，盛入火锅内食用。

【功效】宣肺通气，固本养卫，扶正御邪。

2.慢性胃炎的饮食疗法

慢性胃炎是由多种原因引起的胃粘膜慢性炎症性病变的疾病，根据形态变化可分为浅表性、萎缩性和肥厚性胃炎。以部位又可分为胃体胃炎和胃窦炎。本病的发生常由饮食伤胃、湿热内蕴、肝气犯胃和脾胃素虚引起。

顺应夏季六节气的饮食疗法如下：

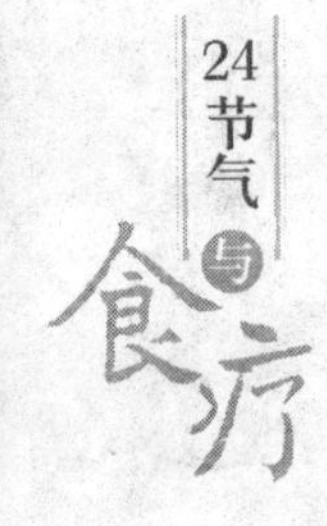

(1) 羊奶

【原料】羊奶适量。

【制作】煮沸。

【功效】适用于萎缩性胃炎患者。

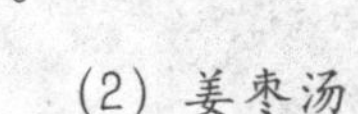

(2) 姜枣汤

【原料】红枣7枚，红糖100克，生姜50克。

【制作】红枣、红糖、生姜入锅煮汤。吃枣饮汤，每日1次。

【功效】慢性胃炎虚寒疼痛患者宜食用。

(3) 姜醋汁

【原料】生姜100克。

【制作】切成细丝，浸泡在250毫升醋中。

【功效】适宜于慢性萎缩性胃炎患者。

(4) 扁豆饮

【原料】炒扁豆30克，党参15克，玉竹15克，山楂15克，乌梅15克。

【制作】同煎煮至豆熟时，入适量白糖饮用。

【功效】萎缩性胃炎的胃酸缺乏者最宜饮用。

3.水肿的饮食疗法

水肿是指体内水液潴留，泛溢肌肤，引起眼睑、头面、四肢、腹背、全身浮肿，甚至出现胸水、腹水。相当于西医学的肾小球肾炎、肾病综合征、充血性心力衰竭、内分泌失调以及营养障碍引起的水肿。水肿发病有内外二因，外因有风邪外袭，肺失通调，或疮毒浸淫，内归脾肺，或因水湿浸渍，脾气受阻；内因有饥饱劳倦伤及脾胃，或久病房劳伤及肾元。其顺应夏季六节气的饮食疗法有如下几种：

(1) 黑鱼汤

【原料】黑鱼1条（250克），赤小豆30克，冬瓜500克，葱5根。

【制作】加水炖汤，豆熟即可。

【功效】消炎利肾，急性肾炎水肿者尤为适宜食用。

(2) 冬瓜赤豆丸

【原料】冬瓜1只，赤小豆适量。

【制作】冬瓜切盖去瓤，以赤小豆填满，盖合固定，以纸筋泥封固，晒干，入糠两大筐内，火煨至糠尽，取出将冬瓜切片，同豆焙干，研末，水糊为丸如梧桐子大。

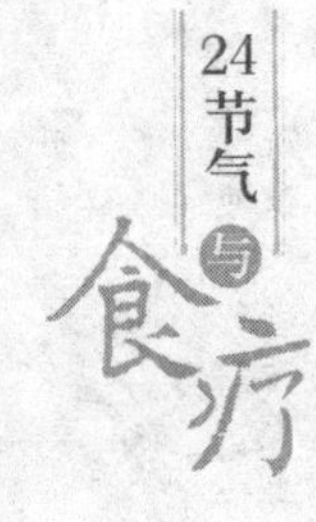

【功效】消炎，利水，养肾。

(3) 冬瓜车前汤

【原料】冬瓜15克，生姜皮6克，车前草（或子）15克。

【制作】加水煎。

【功效】消炎利肾。

(4) 冬瓜淡汤

【原料】冬瓜一个。

【制作】冬瓜（连皮）加水煮汤，不入盐，尽量代茶饮用。

【功效】利水退肿，消炎利肾。

(5) 葡萄粥

【原料】葡萄干20克，桑葚30克，生苡仁20克，粳米60克。

【制作】葡萄干桑葚、生苡仁、粳米洗净，入锅，加水煮成粥。

【功效】消炎，利水，补肾。

(6) 三皮饮

【原料】 西瓜皮，冬瓜皮，黄瓜皮各30克。

【制作】水煎。

【功效】消炎，利水，补肾。

（7）冬须小豆汤

【原料】冬瓜皮、玉米须、赤小豆等量。

【制作】水煎。

【功效】消炎去肿，利水健肾。

4.糖尿病的饮食疗法

糖尿病是一种全身慢性进行性疾病，属于常见的代谢内分泌障碍病。它是继癌症、心脏血管疾病之后，居第三位危及人们健康与生命的疾病。

糖尿病与其他疾病相比，其独特之处是患者的真正医生是自己。因为许多防治措施都要靠自己来掌握，尤其是要自己掌握好饮食原则，利用对治疗糖尿病有益的食物进行辅助治疗。以下是几种顺应夏季六节气的糖尿病饮食疗法。

（1）玉参焖鸭

【原料】玉竹30克，沙参30克，老鸭1只，葱、生姜、味精、食盐各适量。

【制作】将老鸭宰杀洗净，去内脏放沙锅内，放入玉竹、沙参，加水适量。将锅置炉上，先用武火烧沸，再用文火焖煮1小时以上，到鸭肉熟烂时，放入调料即成。

【功效】补肺，滋阴，清火益胃，补肾养精。

【禁忌】胃有痰湿气滞者不宜多食。

(2) 泥鳅炭末

【原料】泥鳅5条，干荷叶2张

【制作】将泥鳅宰杀，去内脏洗净，去尾，阴干后烧成炭，研末，加入等量的干荷叶细末，混匀即可。

【功效】生津止渴，补养肾气。

(3) 洋葱炒柿椒

【原料】洋葱150克，柿子椒（甜辣椒）150克。

【制作】将洋葱揭去老皮，洗净切片，柿子椒，洗净，切开去籽，切片。锅中放油，烧热，将洋葱与柿椒一起倒入煸炒，加入适量精盐、米醋、味精，以脆而不烂为准。

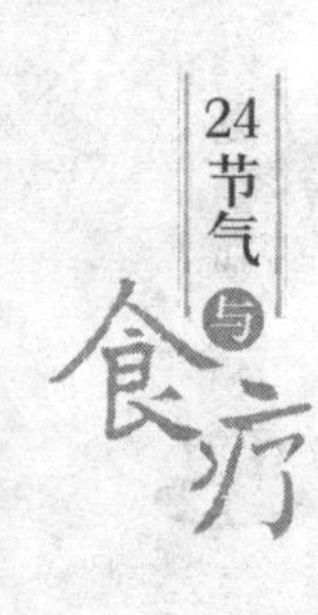

【功效】清热，降糖，利肾。

(4) 苦瓜炒肉丝

【原料】鲜苦瓜250克，瘦肉100克。

【制作】将苦瓜剖开去籽，洗净，切丝。锅中加入适量植物油，油热后，加入肉丝，生姜丝，料酒，煸炒一会，加入苦瓜，精盐，味精，大火炒熟即成。

【功效】清热，明目，降糖，利肾。

5.痔疮的饮食疗法

夏日暑热、暑湿、痔疮易发，出现疼痛、肿胀、出血等症状，除药物治疗外，注意日常饮食、禁忌辛辣、刺激性食物，保持肛门部位的清洁卫生十分重要；生活规律，劳逸适度，都有利于缓解痔疮发作时的症状。下面介绍一些对痔疮具有预防和治疗作用的饮食方法。

(1) 无花果炖瘦肉

【原料】无花果（干）100克，猪瘦肉200克。

【制作】将肉洗净切成小块入锅，加水适量煮沸，加进无花果同煮至肉烂果熟即成。

【食法】分2次食用。

【功效】消炎解毒。

(2) 煨河蚌

【原料】河蚌肉200克。

【制作】将河蚌肉洗净入锅，加水熬煮至汤白肉烂，不加油盐调料。

【食法】分2次，1日食完，吃肉喝汤。

【功效】能缓解痔疮发作症状。

(3) 丝瓜瘦肉汤

【原料】丝瓜250克，猪瘦肉200克，精盐少许

【制作】将肉洗净切块，加水适量煮至近熟时，加切段的丝瓜煮汤，酌加精盐即成。

【食法】分2次食肉喝汤。

【功效】凉血，泻湿热。适用于内痔便血初期。

(4) 炖鱼肚

【原料】鱼肚50克，白糖50克。

【制作】取鱼肚放进砂锅中，加水适量小火煨炖至烂熟，再加白糖溶解即可。

【食法】每日服食1次。

【功效】有止血消肿作用。

(5) 绿豆肠

【原料】绿豆100克，猪大肠1段。

【制作】将大肠处理洁净，装入洗净的绿豆（绿豆先浸泡1小时），肠的两端用棉线扎紧，入锅加水适量煮熟即可。

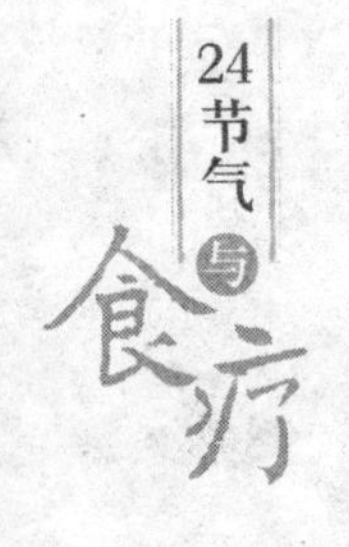

【食法】分3次吃。

【功效】培补气血，消肿止痛。

6.贫血症的饮食疗法

绝大多数贫血症是可以预防的,而饮食调补是一种行之有效的办法，其原则是首先要提供足够的造血原料，最重要的物质是铁质，以及少量的铜元素和蛋白质。所以其饮食疗法顺应夏季六节气应是以下几种：

(1) 皂矾炒大豆

【原料】黄豆250克，皂矾30克（溶于水）。

【制作】取黄豆洗净入锅炒，炒的过程中频频加进皂矾水，直到豆子炒熟。

【食法】每日3次，每次食豆15克。

【功效】养气生血。

（2）四物汤

【原料】鲜荸荠100克，春笋100克，葫芦干100克，柿饼100克。

【制作】荸荠洗净，去皮，切块，竹笋切片，柿饼用手掰成块，葫芦干洗净，共入锅内，加水1000毫升，煮30分钟即成。

【食法】每日1次，连汤一起食之。

【功效】利尿，消肿，养血，健脾。

（3）芹菜香菇炒墨鱼

【原料】芹菜250克，干香菇10克，鲜墨鱼肉100克，熟猪油25克，料酒、精盐、鸡精适量

【制作】芹菜去叶、根、洗净，净菜保持250克，切成段；干香菇用清水泡发，去蒂洗净，个大者撕成小片；墨鱼肉洗净，切成丝。锅内加水适量，烧开后，加入料酒，然后把切成丝的墨鱼肉放入锅中，煮1分半钟，捞出备用。锅内水倒去，将锅烧热，放入熟猪油，烧至七成热时，加入精盐，再放入芹菜翻炒3分钟，再放入香菇和墨鱼丝，继续翻炒2分钟，加入鸡精即可。

【食法】佐餐。

【功效】养血，降压，调气。

（4）五香黄豆花生米

【原料】黄豆250克，花生米250克，生姜、葱段、大茴、花椒、桂皮、精盐、芝麻油、味精适量

【制作】将黄豆用清水浸泡一昼夜，泡发后洗干净，把水沥净，花生米用清水淘洗干净，把水沥净，二物均倒入锅内，加水浸没，烧开后，撇去浮沫，加入姜片、葱段、大茴、花椒、桂皮。沸后，改用小火炖至熟烂，再加入精盐，继续烧3分钟，入味精拌匀即可食用。

【食法】佐餐，当小菜食或当零食吃。

【功效】健脑益智，开窍聪明，益气养血，悦脾和胃。

秋季篇

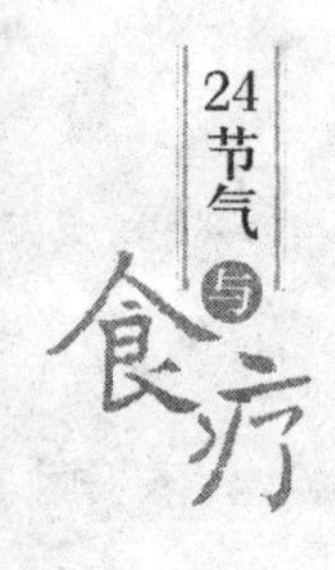

秋季六节气的饮食进补

秋季六节气燥气当令，易伤津液，故饮食应以滋阴润肺为宜。《饮膳正要》说：“秋气燥，宜食麻以润其燥，禁寒饮。”《素问·脏气法时论》说：“肺主秋……肺收敛，急食酸以收之，用酸补之，辛泻之。”可见酸味收敛肺气，辛味发散泻肺，秋天宜收不宜散，所以要尽量少吃葱、姜等辛味之品，适当多食酸味果蔬。秋时肺金当令，肺金太旺则克肝木，故《金匮要略》又有“秋不食肺”之说。饮食的滋养不但是人体赖以生存的基础，当食物中的营养素（中医称之为“水谷精微”）转化为人体的组织和能量时，更是满足生命运动的物质保证。所以，为了能够保健防病，我们应重视使日常的饮食和秋季的变化相适应。

一、秋季六节气饮食进补的基本原则

秋天，是从立秋之日起，到立冬之日止，其间经过处暑、白露、秋分、寒露、霜降几个节气，并以中秋（农历八月十五）作为气候转化的分界。

从秋季六节气的气候特点来看，由热转寒，即“阳消阴长”的过渡阶段，人体的生理活动，随“夏长”到“秋收”而相应改变。因此，秋季六节气养生皆不能离开“收养”这一原则，也就是说，秋天养生一定要把保养体内的阴气作为首要任务。正如《黄帝内经》里所说：“秋冬养阴”。所谓秋冬养阴，是指在秋冬养收气、养藏气，不应耗精而伤阴气。以适应自然界阴气渐生而旺的规律，从而为来年阳气生发打基础。其时节的饮食进补应遵循以下基本原则。

1.饮食要“少辛增酸”

所谓少辛，是指要少吃一些辛味的食物，这是因为肺属金，通气于秋，肺气盛于秋。少吃辛味，是要防肺气太盛。中医认为，金克木，即肺气太盛可损伤肝的功能，故在秋天要“增酸”，以增加肝脏的功能，抵御过盛肺气之侵入。根据中医营养学的这一原则，在秋天一定要少吃一些辛味的葱、姜、蒜、韭、椒等辛味之品，而要多吃一些酸味的水果和蔬菜。

2.滋阴润肺以防燥

根据中医观点，秋气燥，肺应秋，燥气易伤肺，导致肺阴亏损不足。秋季除多喝些开水、淡茶、菜汤和果汁饮料及豆浆、牛奶和其他豆制品、新鲜蔬菜瓜果以外，还可选择多进食些具有润肺生津、养阴清燥作用的食物，正如《饮膳正要》中说“秋气燥，宜食麻以润其燥”。也可根据辨证，选择补阴润燥的药物，如北沙参、女贞子、黄精、当归、熟地、枸杞子、桑椹、百合、玉竹、麦冬、石斛、天花粉、何首乌等及“仁”类的药物，如核桃、芝麻、花生、杏仁、火麻仁等进行调理或调制一些药膳，如《耀仙神隐》中就主张入秋宜食生地粥，以滋阴润燥。其他如大米百合粥、芝麻粥、核桃粥、花生汤等，既补充营养，又能达到养阴润燥、润肠通便的目的。

3.多吃新鲜蔬菜、水果

蔬菜、水果性属寒凉，有生津润燥、清热通便之功能。所含大量水分，可补人体津液，包含丰富的V_C、V_B及无机盐、纤维素，可改善和调节秋季六节气燥气对人体造成的不良影响。还可多吃些蜂蜜、百合、莲子等清补之品，以顺应肺脏的清肃之性。

秋天吃瓜果，要谨防秋瓜坏肚。譬如，在夏天，西瓜是消暑佳品，但是立秋之后，不论是西瓜还是香瓜、菜瓜都不能恣意多吃，否则会损伤脾胃的阳气。

4.食物多样、营养平衡、细嚼慢咽

营养学家指出，只有食物的多样化才能供给人体全面的营养。如谷类，主要供给热能和维生素B；豆及豆制品，主要供给植物蛋白质；蔬菜水果，主要供给维生素C、无机盐和食物纤维等。秋季六节气更应要注意饮食中食物的多样、营养的平衡，才能补充夏季因气候炎热、食欲下降而导致的营养不足，特别应多吃耐嚼富于纤维的食物。进食时，应细嚼慢咽，既利于食物的充分消化和营养物质的完全吸收，又能通过纤维食物保持肠道水分的作用和咀嚼以生津润燥，达到防治秋季咽喉干燥、肠燥便秘等不良反应的目的。

二、秋季六节气宜食食物

秋季六节气气候干燥，易伤津液，在这个季节吃的食物应遵循秋季六节气饮食进补的基本原则选择辛凉生津润燥的食物，以达到养身健体、祛病延年的目的。适宜秋季六节气的食物如下。

1.粮食类宜食食物

(1) 大豆

大豆营养价值较高，含有蛋白质、脂肪、铁、磷、钙以及维生素A、B、

C、D等。其中所含铁质不仅量多，而且易被人体吸收利用。500克毛豆中含铁13.4毫克，而正常成人每天有10毫克的铁，即可满足身体需要。黑豆有祛风除热、调中下气、活血、解毒、利尿、明目的功效；黄豆有宽中下气、利大便、消肿毒的功效。腹胀多虚空者及脾胃虚弱者忌食。

(2) 黑米

味甘、性平，补脾胃、滋肝肾。黑米中蛋白质比一般大米高6.8%，脂肪比一般大米高20%，蛋白质含15种氨基酸和人体必需的精氨酸，还含有多种维生素，故有“世界米中之王”的称誉。黑米营养丰富，味香质优，是秋季进补的佳粮。肝肾虚损，妇人产后体虚可用黑米适量与鸡蛋炖粥食用。

(3) 籼米

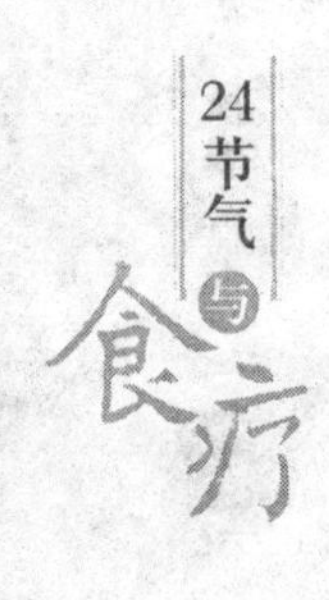

籼米为稻米之较长者，以上熟、中熟为佳，晚熟次之，其营养成分与粳米相似，可蒸食或煮食，能养人，宜于秋季食用。其味甘、性温，可益气温中、养胃和脾。对脾胃虚弱而时有泄泻，或时有小便不利者宜常食，还适用于脾胃虚弱而致反胃呃逆、虚烦口渴之症。

2.肉蛋水产宜食食物

(1) 兔肉

兔肉味辛性平、凉，能补中益气，止渴健脾，凉血解毒，利大肠，对脾胃虚弱、气血两亏者有效，兔肉的脂肪含量仅为0.4%，约为猪肉的1

/150，羊肉的1/86，牛肉的1/25，是心血管及肥胖病患者的理想动物性蛋白质食品，其营养价值和味道均可与鸡肉媲美。

（2）猪肺

味甘，性微寒，功能补肺，若是肺虚咳嗽，可用猪肺1具，竹刀切片，麻油炒熟，同米煮粥食。或猪肺洗净后，放入杏仁25克，炖熟食之。祖国医学认为肺与秋令相应，故猪肺在秋季多食之，“以脏补脏”。

（3）牛奶

味甘、性平。“功同人乳，而无饮食之毒、七情之火，善治血枯便燥、反胃噎膈，老年火盛者宜之”。牛奶为蛋白质食品，含8种人体必需氨基酸，尤以植物蛋白质所缺乏的蛋氨酸和赖氨酸更为丰富，胆固醇含量比肉、蛋类都低，并有降低机体内胆固醇含量的作用。能补虚损、益五脏，对病后体弱，虚劳羸瘦、食少、噎膈反胃均有滋补食疗作用。

（4）燕窝

属珍贵补品，为雨燕科动物金丝燕及多种同属燕

类用唾液或唾液与绒羽等混合凝结所筑成的巢窝，其蛋白质含量特别高。功能养阴润燥，益气补中，有延年益寿之功。适用于肺阴虚所致的潮热、盗汗、干咳少痰、咯血等。对胃阴虚所致的噎嗝反胃、气虚自汗亦有较好疗效。

（5）豆浆

豆浆性味甘平，功能补虚润燥，清肺化痰、通淋。常用于身体虚弱及产后气血不足、咳嗽、痰火哮喘以及淋证。

（6）羊肉

羊肉性温，能给人体带来热量。中医说它是助元阳、补精血、疗肺虚、益劳损之妙品，是一种良好的滋补强壮食物。由于羊肉含的钙质、铁质高于猪、牛肉，所以吃羊肉对肺病、气管炎、哮喘、贫血、产后气血两虚及一切虚寒症最为有益。据报道，羊不容易得肺病，常吃羊肉、喝羊奶，对肺病有治疗作用。至于气管炎咳嗽和伤风咳嗽，只需喝羊肉汤，就可减轻或痊愈。

3.蔬菜类宜食食物

（1）藕

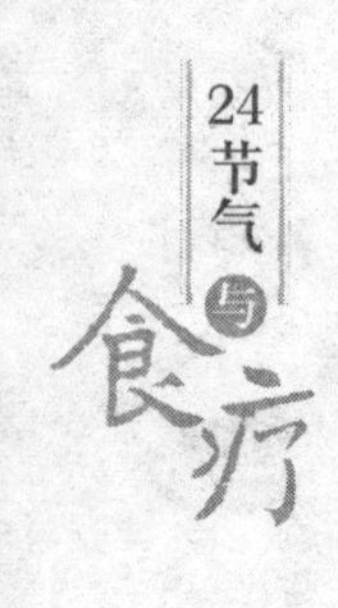

藕是我国的特产之一。藕不仅是佳蔬美果，也因其较高的食用和药用价值而名扬天下。其鲜品全身均可入药，是秋令食养的上品。《随息居饮食谱》中言：“藕以肥白纯甘为良，生食宜鲜嫩，煮食宜甘老，用砂锅桑柴火煨烂，入炼白密收干食之，最补心脾。”中医认为，鲜藕生寒熟温。生藕味甘凉入骨，可以消瘀凉血、清烦热、止呕渴；熟藕性味甘温，有益胃健脾、养血补虚、止泻之功；藕节味甘涩性平，含丰富的单宁酸，有收缩血管的作用。

（2）萝卜

萝卜俗有“秋冬萝卜小人参”之说。萝卜，古称“莱菔”。其味辛甘，性寒凉。不仅是生熟食用的大众菜，而且巧用也是治病疗效颇佳的良药。李时珍在《本草纲目》中对萝卜治病有独特的见解，说道：“泡煮服食，大下气，消谷和中，去痰癖，肥健人；生捣汁服，止消渴，

试有大验。利关节，理颜色，练五脏恶气，制面毒，行风气，去邪热气，利五脏，轻身。”秋季食用萝卜能清火生津、顺气化痰、清热止血、消积食、补虚等功效。现代研究证实，萝卜中富含调节血压和保护神经的钾。其所含的叶酸、维生素C和E比芹菜多一倍，尤其维生素C含量多于一般水果，维生素A和B及钙、磷、铁也较丰富。并含有一种有助于消化的淀粉酶以及多种功能成分和体内抵抗癌细胞的物质芥子油糖苷。因此，秋食萝卜既有营养，又可防止秋令常见的伤风感冒、胸闷咳嗽或内热鼻衄、便血以及消化不良、胃酸胀满等症。

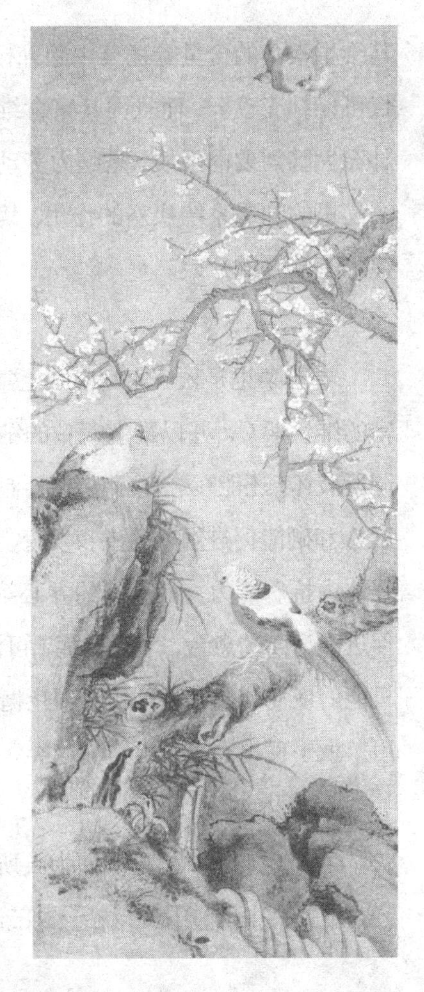

(3) 胡萝卜

胡萝卜是一种难得的“果、蔬、药”兼用之品。共性味甘平，具有“下气补中、利胸膈、润肠胃、安五脏”的功效。在西方，胡萝卜被称为菜中上品，荷兰人把它列为“国菜”之一。现代研究证实，胡萝卜含有极其丰富的维生素A（可增强视力）和胡萝卜素类（防癌物质）及其他维生素、微量元素。秋令经常食用一定量的胡萝卜具有增强体质，保护肺部，防治呼吸道感染，调节新陈代谢，提高人体的免疫力，润泽肌肤等作用。尤其对中老年人还能起到明目养神的作用。可作为夜盲症、营养不良、小儿软骨病和食欲不振、免疫功能低下患者的辅助治疗食品。

(4) 花菜

花菜是营养成分较丰富的秋令蔬菜之一。花菜内富含维生素C、A。

其维生素C的含量是蔬菜中除辣椒以外，最高的一种。因此，常吃花菜不仅可以补充营养，而且因其富含维生素C而成为秋季美容润肤之品。还能补充大脑需要的磷质，是脑力劳动者理想的蔬菜。并有增强体质，避免秋令易患的呼吸系统疾病的作用。其中丰富的维生素A又对心血管病、夜盲症等有较好的疗效。

(5) 卷心菜

卷心菜也是秋令家庭餐桌上常见的一种蔬菜。其营养价值高，内含丰富的维生素C，并以维生素C的结合物的形成存在。因此，不仅不易被烹调所破坏，还能在进食后转化成维生素C，是秋季美容食品。其所含的维生素A和硒能促进幼儿的生长发育、防止弱视、夜盲症、维持正常视力，增强体内抗病能力。而新鲜的卷心菜的液汁能提高胃肠上皮细胞的研磨力，促进溃疡面的愈合，消除炎症，可治疗胃和十二指肠溃疡；并有促进造血机能的恢复，抗血管硬化及阻止糖类转变成脂肪、防止胆固醇的沉积等作用。秋季食用卷心菜可作为这类疾病患者的养生强体之蔬菜。

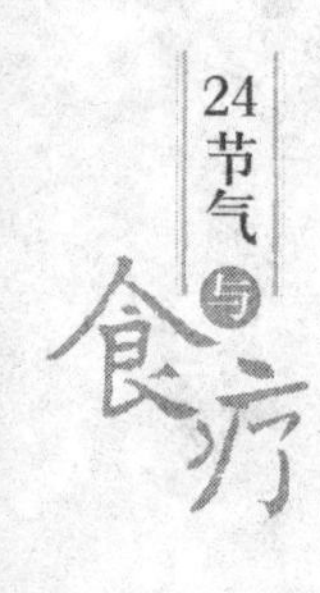

(6) 香菇

香菇也叫香蕈，是一种为人所喜爱的菌类食品。它味美可口，营养丰富，是餐桌上的“山珍”之一。它含有丰富的蛋白质和人体所必需的多种氨基酸、维生素和矿物质，以及多种酶和核酸类物质。是一般食品所不及的，已被公认为是理想的保健食品。

香菇对人体的保健作用，在于它含有核酸类物质，对胆固醇具有溶解作用，可以抑制人体血清胆固醇上升；并有降血脂、降血糖的作用。同时还含有干扰素

诱导剂，对多种细菌病毒有抑制作用，能增强机体自身免疫功能，有防治流感和抗癌作用。

（7）银耳

银耳又称白木耳，是一种有补益作用的名贵补品。其含有多种氨基酸、维生素，具有补肾、润肺生津、提神、养胃、益气、健脑等功效，常用来治疗虚劳咳嗽、痰中带血、妇女白带过多、老人身体虚弱、消瘦、食欲不振等症，与黑木耳相比，其性偏凉，养阴生津作用比黑木耳强。

4.水果类宜食食物

（1）梨

梨是秋日食用水果中的上上品。中医认为，梨子性味甘寒，肥嫩汁多，有清热养阴、生津润肺、止咳化痰的作用。现代研究证明，其内含丰富的人体必须的营养物质，如维生素、蛋白质、糖、微量元素等。因而，秋季食用梨子既有利于身体健康，又有利于秋季多种疾病的防治。尤其适宜于秋燥季节或热病患者，如肺热痰多、小儿风热、喉痛音哑、眼赤肿痛、大便秘结者或热毒内蕴、生疮长疖的人食用。也可在服药的同时吃些梨，以帮助病情的缓解。

（2）柿子

秋之际，正是吃柿子的季节。中医认为，柿子味甘性寒，是一种平和的滋养品。有润肺生津、润燥止咳、润肠通便等功能。现代研究表明，柿子含有丰富的维生素、蛋白质、糖、微量元素等多种营养物质，其中维生素C和糖分的含量比一般水果高1~2倍。柿子还有降压、缓和痔疮肿痛的作用。对于老年人秋季肺燥虚热口渴、高血压、咽炎、口疮、痔疮便秘者尤为适宜，可在每天饭后吃上1个柿子。对于秋季肺虚久咳不愈者，还可以生姜夹柿饼（柿饼1个，横切成两层，去皮生姜3~6克切碎夹在其中，以文火焙熟，去姜吃饼）进行食疗。

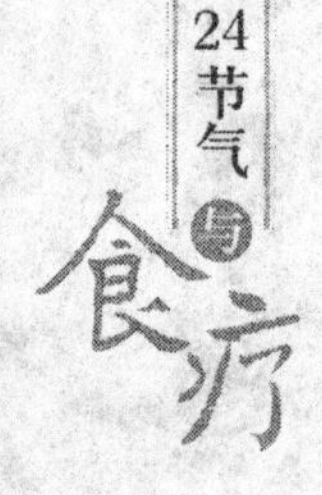

（3）橘子

橘子不仅是秋令常见的水果，也是很好的药材。据《本草纲目》记载，橘子有理气健脾、燥湿化痰的作用；加工后的橘皮，有“消痰降气、生津开郁、运脾调胃、解毒安神”的功能，是一味治疗多种疾病的良药；橘络能通络化痰、顺气活血，可治疗咳嗽、胸胁闷痛等疾病；橘核能理气、散结、止痛，可以治疗疝气；橘叶、青皮则有疏肝解郁、破气散结的功能。而从橘皮中提炼出来的橙皮苷，又是治疗高血压、血管硬化症的有效成分。柑橘则有止咳、润肺、健胃的作用。据现代研究，橘子内含有多种维生素，以维生素C和维生素A为最多，还有其他多种元素。秋季多吃橘子，不仅可防治秋季常见的呼吸系统疾病，还能提高肝脏的解毒能力，加速胆固醇转化，降低血胆固醇和血脂的含量，用于冠心病的预防及辅助治疗。

(4) 香蕉

香蕉是一种既营养丰富又清香可口，适合秋季食用的水果。中医学认为，香蕉性味甘寒，具有清热润肺润肠的作用。其内含有较高的蛋白质、脂肪、维生素、果胶质等，有止咳降压、加强新陈代谢等作用。因此，特别适合秋季患有燥邪伤肺的干咳、鼻燥、口渴、便秘等证候者食用。对于既有高血压又有习惯性便秘的中老年患者食之更宜。

(5) 石榴

石榴分甜、酸、苦三类。现代研究报道，石榴不仅内含丰富的营养成分，其皮、花、根皮等含的生物碱、鞣质、有机酸具有收敛、抑菌和驱虫作用，是很好的治病良药，可作为秋季腹泻、久泻、蛔虫腹痛的辅助治疗食品。目前，医学界还开始用石榴治疗高血压、动脉硬化、肝病，并已取得了一定的成效。

(6) 枇杷

枇杷也是秋令水果的上品。中医认为，枇杷性味甘酸凉，有润肺止咳、和胃生津的作用。秋季食用可防治秋天燥热干咳或痰少难咯，甚至咳血、口渴虚烦等症状。枇杷叶是治疗呼吸系统疾病的常用药。秋令除直接

剥食枇杷外，还可调制成枇杷粥（枇杷6枚，西米30克，白糖60克，加水煮粥）食用。

（7）甘蔗

性味甘寒，特别适合于秋令燥咳衄血、口渴虚烦、便秘或泻痢等的食疗，有生津润燥、清热解毒等功用。可直接食用，也可榨汁饮服。

（8）杏

性味甘酸温，有很好的生津止渴、润肺平喘的功效，也是特别适合于秋季食用的水果之一。对于秋天口干烦渴、咳嗽气逆等症有良好的食疗效果。其富含的油脂，有良好的润肺润肠润肤等滋润作用。

三、立秋进补食谱

立秋正值末伏前后，气湿开始下降，虽然还有“秋老虎”的威势，但毕竟阳气转衰，阴气日上，自然界由生长开始向收藏转变，故养生亦应顺应节气转向敛神、降气、润燥、抑肺扶肝、饮食要增酸减辛，以助肝气。立秋时节有利于养生保健的食谱介绍如下。

1.菜肴类进补食谱

（1）杞菊草鱼

【原料】草鱼1尾（约750克），鲜菊花瓣30克，宁夏枸杞15克，冬笋40克，火腿40克，生姜15克，葱白15克，精盐6克，胡椒粉3克，料酒30毫升，味精2克，猪网油1张。

【制作】生姜切成薄片，葱洗净切成长段，枸杞用温水洗净。鲜菊花瓣用盐水洗净，网油洗净，冬笋、火腿切片。草鱼去鳞片、鳃，剖腹去内脏，洗净，鱼体两边各切5刀。再用姜片、葱段、料酒、精盐腌30分钟。将网油铺在案板上，鱼摆在网油一端，火腿片、冬笋片、枸杞子、菊花用一半，摆在鱼两边，然后用网油将鱼体包好，放入蒸盘内，上笼蒸30分钟。揭去网油，将鱼装入盘内，撒上菊花即成。

【功效】暖胃和中，滋阴补阳，有效防止冠脉硬化，有抗衰老的作用。

(2) 菊花兔卷

【原料】兔肉300克，菊花瓣50克，生姜10克，葱10克，料酒15克，鸡蛋3枚，花椒2克，精盐3克，菜油500克，干面粉适量。

【制作】兔肉洗净后切成9厘米长、3厘米宽的薄片。生姜洗净切成片，葱洗净切成长段。鸡蛋去黄留清。菊花瓣洗净切成3厘米长段。用精盐、料酒、姜片、葱段将兔肉腌30分钟。鸡蛋打入碗中，放入适量面粉，兑水少许，调成糊状待用。将兔肉片摆在案板上，放上菊花段，把兔肉片连同菊花卷成小卷，再把肉卷放入鸡蛋糊中蘸匀待用。净锅置火上，加菜油烧至六成热时，下兔肉卷炸至微黄捞出，依次码放盘中即成。

【功效】益脾养胃，清热平肝，补中益气。

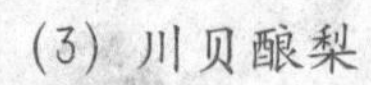

(3) 川贝酿梨

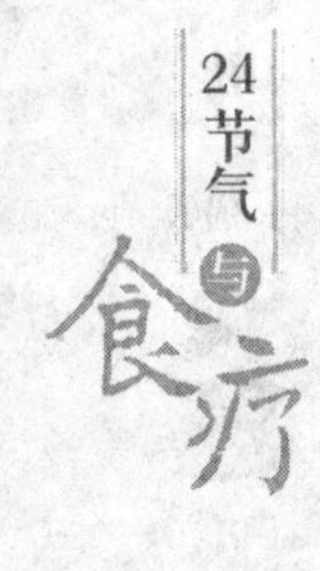

【原料】雪梨2个，川贝3克，糯米15克，薏苡仁10克，蜜饯冬瓜条10克，冰糖30克，白矾3克。

【制作】糯米、薏苡仁用清水泡胀，淘洗干净，捞出沥干水分。白矾用500毫升水融化待用。川贝洗净待用。将梨削去皮，从梨柄（约整梨的1／3处）切一段，用小勺挖出梨核，浸没在白矾水中。为防止变色，使用前入沸水中烫一下，用凉水冲凉，捞出沥干水分即可使用。冬瓜条切成小颗粒，同糯米、薏苡仁、冰糖一半拌和一起，装入梨肚内，川贝放在上面，盖上梨盖。放入蒸碗中用湿绵纸封严碗口，大火沸水上蒸1小时至梨熟烂，取出装入盘中。将梨原汁倒入锅内，加清水少许，下冰糖溶化后收成浓汁，浇在梨上即成。

【功效】清热化痰，润肺止咳，益气健脾。

【禁忌】平素脾胃虚寒者不宜食用。

2.汤羹类进补食谱

(1) 银耳猪肺羹

【原料】银耳20克，鲜猪肺1副，鸡汤2000毫升，生姜15克，葱10

克，精盐5克，料酒30毫升，味精2克，胡椒粉2克。

【制作】银耳用温水发透，捡去杂质，淘净，入净锅，注入适量水，将银耳煮熟捞出，用清水漂洗待用。生姜洗净拍破，葱洗净用整支。把猪肺管套在自来水龙头上，冲净肺叶的血液。入沸水锅中氽净血水。沙锅置于火上，注入清水，放下猪肺、葱、姜，大火烧开，移到小火煮烂。再将猪肺捞出，用冷水冲凉，剔下气管，撕去老皮不用，把猪肺切成2厘米见方小块。将猪肺、银耳装入大碗内，注入鸡汤、料酒，放入精盐、胡椒粉，用湿绵纸封严碗口，上蒸笼蒸30分钟，取出，放入味精调味即成。

【功效】癌症病人可作辅助治疗。嗓音工作者食用可保护咽喉。具益气和胃、补肺滋阴。经常食用能防病保健，抗衰延年。

（2）樱桃三豆羹

【原料】樱桃核30个，绿豆30克，黑豆30克，赤小豆30克

【制作】先将绿豆、赤小豆、黑豆洗净，樱桃核30个洗净，先煎1小时，去核留汁。樱桃核倒入锅，放入三豆，煮熟烂。

【功效】安神养体,滋阴补阳。

（3）菊花肉丝汤

【原料】猪瘦肉300克，菊花50克，生姜10克，葱30克，精盐3克，白糖2克，料酒20克，胡椒粉2克，鸡蛋2枚，鸡汤80毫升，湿豆粉30克，化猪油100克。

【制作】菊花瓣用清水洗净。猪肉洗净后去筋膜，切成10厘米长的丝。生姜、葱洗净，生姜切成丝，葱切成葱丝。鸡蛋去黄留清。肉丝用蛋清、湿豆粉(用一半)、食盐、料酒浆好。用鸡汤、湿豆粉、味精、胡椒粉、白糖，兑成滋汁待用。炒锅放置旺火上，加猪油，烧至六成热时投入肉丝，快速炒散，再下姜、葱丝炒几下，倒入滋汁中快速翻颠，待收汁亮油时，撒入菊花瓣颠匀，起锅即成。

【功效】疏风散热，平肝明目，清热解毒。

（4）银耳莲子羹

【原料】银耳20克，白莲子50克，鸡汤2000毫升，料酒50毫升，精盐6克，味精1克，生姜15克，葱10克。

【制作】银耳用温水发透，捡去杂质，用手反复揉碎。生姜洗净拍破，葱洗净用整支。白莲子用清水洗净待用。银耳装入大蒸碗内，注入鸡汤，用湿绵纸封严碗口，大火上笼蒸2小时。取出银耳蒸碗，揭开绵纸放入莲子、生姜、葱、精盐，再将绵纸封严。上笼蒸40分钟取出，放入味精调味即成。

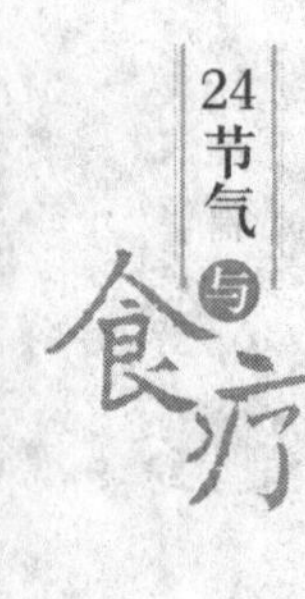

【功效】补脾益肺，养心益肾，固肠利水。

（5）田仁粥

【原料】白果仁、甜杏仁各1份、核桃肉、花生各2份、鸡蛋1枚。

【制作】将上4味药共研成末，每次取20克，加鸡蛋1枚煮1小碗。

【功效】止咳平喘，滋阴养肺。

（6）猪肺粥

【原料】猪肺500，大米100克，薏苡仁50克，料酒、葱、食盐各

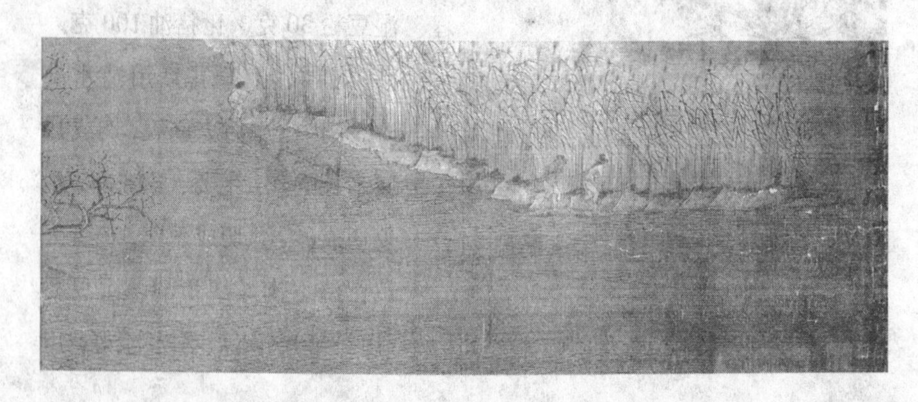

适量。

【制作】将猪肺洗净，加水适量，放入料酒，煮七成熟，捞出，切成肺丁，同淘净的大米，薏苡仁一起入锅内，并放入葱、姜、食盐、味精、料酒。先置武火上烧沸，然后文火煨炖，米熟烂即可。

【功效】补肺止咳。经常食用效果显著。

（7）核桃仁粥

【原料】核桃仁50克，大米60克。

【制作】将大米和核桃仁洗净，同放锅内煮熟即成。

【功效】补肾，健脑，通淋。

（8）芫荽表疹汤

【原料】芫荽（即香菜）10克，胡萝卜、荸荠、甘蔗（另榨汁）各60克。

【制作】共加水煎，后去滓，加少量冰糖。

【功效】清热，解表，生津。

3.饮料类进补食谱

（1）北杏雪梨汁

【原料】北杏10个，雪梨1个，白砂糖30～50克。

【制作】将北杏、雪梨、白砂糖同放炖盅内，加清水半碗，隔水炖1小时。

【功效】化痰止咳，清热生津，润肺平喘。

(2) 楂葵饮料

【原料】生山楂30克，葵花子15克，桃仁10克，红糖30克。

【制作】将原料一齐入锅，炒至葵花子香熟时，加水800毫升，煎煮1小时，去渣，取汁液约500毫升，加红糖熬化即成。

【功效】活血化瘀，通经止痛。

(3) 菊花酒

【原料】菊花50克，白酒500克。

【制作】将菊花洗净去蒂，放入瓶中，倒入白酒，密封浸泡10天至半月即可。

【功效】疏散风热，清肝明目，平肝潜阳。

【禁忌】素体寒凉者慎食用。

(4) 荸荠甘蔗饮

【原料】荸荠250克，甘蔗500克，红萝卜250克。

【制作】荸荠洗净切片，甘蔗劈开切段，红萝卜洗净切块，同入水煎煮1小时，待凉即可。

【功效】清热解表，去毒消肿。

附：立秋习俗：饮香薷饮

明清时期，立秋日防病已成为中原民俗的重要组成内容。《帝京岁时纪胜》上说：立秋前一天，要陈冰瓜，蒸茄脯，煎香薷饮，到立秋日合家饮之，“谓秋后无余暑疟痢之疾”。香薷饮是中医一个有名的方子，出自宋代的《太平惠民和剂局方》，由香薷、白扁豆和厚朴三味药组成。本方主要用于治疗乘凉饮冷，外感于寒，内伤于湿，以发热恶寒、头痛身重、四肢倦怠、心胸烦闷、腹痛吐泻等等。方中香薷能解表散寒，祛暑化湿，白扁豆能健脾化湿，和中消暑，降浊升清，厚朴可行气宽中，除湿散满。三药配伍煎服，对因于暑热或感受寒湿而引起的畏寒发热、头痛头重、吐泻腹痛等症，既有治疗作用，又有预防作用。所以人们在立秋前一天便纷纷到药铺买好这些药，煎好后露宿一夜，次日立秋之时凉饮。可以说，立秋时饮香薷饮，消除暑湿，预防感冒，是我国古代人民防病知识在民俗中的体现。

四、处暑进补食谱

处暑时节，气温逐渐下降，雨量减少，空气中的温度降低，燥气开始生成，人们会感到皮肤、口鼻相对干燥，所以应注意预防秋燥，饮食应以甘寒汁多为佳。“处暑寒”这个时节的进补食谱择优介绍如下。

1.菜肴类进补食谱

(1) 百合冰糖炖鲫鱼

【原料】鲜百合100克（干品减半），冰糖60克，活鲫鱼1条。

【制作】将鲫鱼活杀，洗净，入锅内加水适量，烧开后加黄酒1匙，倒入百合片、冰糖，改用文火炖熟，分两次服食。

【功效】益气安神，滋阴补阳，宣肺消炎。

（2）炸紫菜鱼片扎

【原料】鱼肉400克，1枚鸡蛋的蛋清，面粉1/4杯，紫菜数张，盐、酒少许，柠檬汁、白萝卜（磨碎成酱）各少许，酱油、辣椒粉适量。

【制作】将鱼网洗净，沥干水分、切成片，加入腌料腌约15分钟。将蛋清打入碗内，搅拌至泡沫，掺入面粉拌匀，然后放入腌好的鱼肉蘸一蘸，并用紫菜在中央包卷成带状；烧锅下油，将包卷好的鱼肉炸至呈金黄色捞出，沥干油，上盘，伴以蘸汁料进食。

【功效】滋阴补阳，和血健肾，光嫩皮肤。

（3）菊花鳝鱼

【原料】粗活鳝鱼1斤（两条），白糖2两，番茄酱1两，干淀粉1两，黄酒、白醋、食盐、葱、姜、湿淀粉、麻油、蒜泥各适量，花生油2斤。

【制作】鳝鱼宰杀、剖腹去内脏，去骨去皮，切成2寸5分长片块，用刀顶头斜批成两片（末端不批短），再直切成条状（一头不切断），加黄酒、盐、葱、姜浸渍起来，然后再逐个排上干淀粉；将番茄酱、白糖、白醋、湿淀粉一起放入碗内，加适量水调成芡汁。

烧锅置旺火上烧热，锅内倒油1斤，烧至八成热，将鳝鱼抖散入锅炸至金黄色，捞出装盘，锅内留少许油，投入蒜泥煸炒出香味，倒入调好的芡汁烧沸后淋入麻油，起锅浇在菊花鱼上即成。

【功效】补虚损，除风湿，强筋骨。

（4）百合汽锅鸭

【原料】新鲜百合300克；鸭1只，约3斤；黄酒、盐适量。

【制作】新鲜百合洗净、滤干。鸭活杀，去毛、剖腹，洗净切块，放入盛有清水的锅内，煮开后捞出，洗净。将鸭块和百合混匀后放入汽锅内，加黄酒二匙，撒入盐适量。将汽锅放在盛水的锅上，用旺火汽蒸四小时，至鸭肉酥烂。

【功效】滋阴补血，清降虚火，敛肺治咳。

（5）鲫鱼砂仁

【原料】鲜鲫鱼1条（250克左右），砂仁（研末）3克，油盐适宜。

【制作】将鱼去鳞、鳃，洗净，油、盐、砂仁末拌匀放入鱼腹，用豆粉封住鱼腹刀口，置于盘中，盖严，隔水蒸熟。

【功效】滋阴补阳，和胃止吐。

2.汤羹类进补食谱

（1）萝卜羊肉汤

【原料】羊腿肉1000克，白萝卜500克，胡萝卜100克，干桔皮适量，生姜、植物油、细盐、黄酒适量。

【制作】羊肉洗净，切成大块；白萝卜、胡萝卜洗净切成块；起油锅，放植物油适量。用旺火烧热油后，先放生姜片一爆，随即倒入羊肉，翻炒5分钟，加黄酒适量，至炒出香味，加入半碗冷水，烧沸10分钟，盛起；将羊肉、

胡萝卜、干桔皮倒入大砂锅内，加冷水浸没，用中火烧开后，加黄酒适量，细盐适量，改用小火炖半小时，倒入白萝卜，至羊肉、萝卜酥烂时，离火。

【功效】补脾胃，温肺气，化寒痰，补元阳，御风寒。

（2）燕窝枸杞汤

【原料】冰糖150克，燕窝30克，枸杞15克。

【制作】将燕窝用温热水加盖闷泡，水凉后择去绒毛及杂物，再用清水冲洗，盛入碗内加一小碗水，上笼蒸半小时，连枸杞同倒入盛燕窝的碗内即成。

【功效】滋阴补阳，益气通络，润肺和血。

（3）何首乌煲牛肉汤

【原料】何首乌20克，牛肉100克，乌豆100克，龙眼肉、红枣各少许，姜2片，盐少许。

【制作】将乌豆用锅炒至裂开，用清水浸洗干净，沥干水分；将牛肉洗干净，吸干水分，切块；龙眼肉、红枣（去核）分别洗干净；放适量清水入堡，加入牛肉煮开后，将水面泡沫及肥油捞出，加入乌豆、龙眼肉、红枣及姜片煲约2小时至各料熟，调入调味料即可。

【功效】益气补血，强身健体。

（4）蜜枣甘草汤

【原料】蜜枣8枚，生甘草6克。

【制作】将蜜枣、生甘草加清水2碗煎至1碗，去渣。

【功效】补中益气，解毒润肺，止咳化痰。

（5）玄参红枣汤

【原料】玄参10克，红枣20枚。

【制作】将红枣去核洗净，同玄参一起入锅，用清水4杯，以文火煮至2杯。熄火后搁置30分钟。

【功效】补脾和胃，益气生津，养心安神。

3.饮料类进补食谱

（1）苡仁防风饮

【原料】苡仁30克，防风9克，白糖30克。

【制作】将防风除去残茎，用水浸泡，捞出，润透切片。将苡仁除去杂质，淘洗干净，将苡仁、防风片，一同放入铝锅内，加水适量，用中火烧沸，煮熬30分钟，取出汁液；再加水熬煎30分钟，将两次煎液合并，过滤，放入白糖，烧沸即成。

【功效】发表，祛风，胜湿，止痛。（2）桑菊饮

【原料】菊花6克，桑叶6克，白糖30克。

【制作】将桑叶、菊花挑选干净，洗净，除去杂质。将桑叶、菊花放入大杯内，加入白糖，沸水，浸泡3~5分钟即成。

【功效】疏风清热，清肝明目。

(3) 菊花甘草饮

【原料】白菊花12克，甘草6克。

【制作】将白菊花除去杂质，去蒂，洗净；甘草切成薄片。将白菊花、甘草片放入大杯中，加入沸水，盖上盖，泡3~5分钟即成。

【功效】疏风，清热，解毒。

(4) 金针冰糖饮

【原料】金针菜30克，冰糖10克。

【制作】将金针菜（黄花菜）洗净，与冰糖加水同煮，菜熟糖化即成。

【功效】消炎止痢，和胃益气。

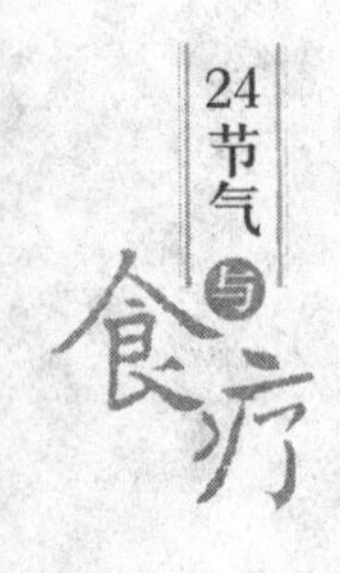

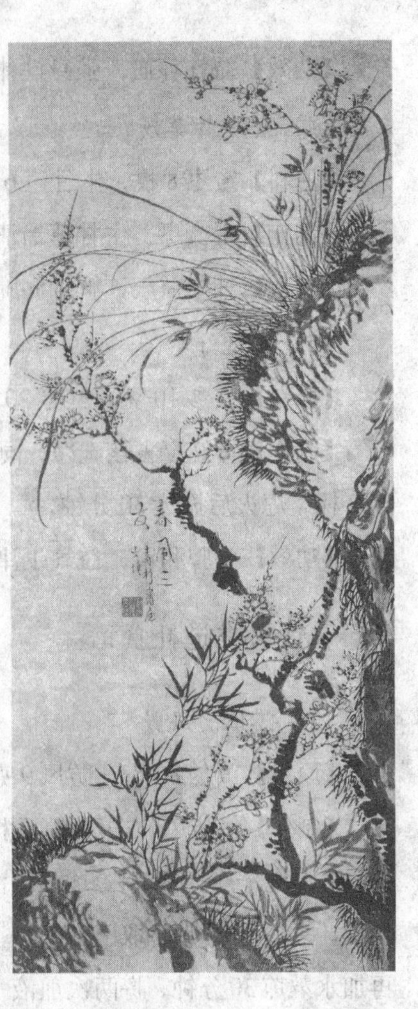

五、白露进补食谱

白露时节，阴气渐重，露凝为白，气候转凉偏于干燥，是真正的凉爽季节的开始。白露时节应进补一些富含维生素与宣肺化痰润燥、滋阴益气和血时饮食，以预防秋燥为主。白露时节进补的饮食如下。

1.菜肴类进补食谱

(1) 红杞蒸鸡

【原料】枸杞15克，仔母鸡1只，料酒、胡椒粉、生姜、葱、味精、食盐适量。

【制作】将仔母鸡宰杀后，去毛和内脏，洗净；将葱切段，姜切片，备用。

将仔母鸡放入锅内，用沸水焯透，捞出放入凉水内冲洗干净，沥尽水分，再把枸杞装入鸡腹内，然后放入盆里（腹部朝上），把葱、生姜放入盆内，加入清水、食盐、料酒、胡椒粉，将盆盖好，用湿棉纸封住盆口，沸水武火上蒸2小时取出。

将盆口棉纸揭去，拣去姜片、葱段不用，再放入味精即成。

【功效】滋补肝肾，益气和血，养心安神。

（2）枸杞肉丝

【原料】枸杞100克，猪瘦肉500克，青笋100克，猪油100克，食盐、白糖、料酒、芝麻油、水豆粉、酱油适量。

【制作】将猪瘦肉洗净，去筋膜，切成长丝；青笋切成同样长的细丝，枸杞洗净待用。

将炒锅加猪油烧热，再将肉丝、笋丝同时下锅划散，烹入料酒，加入白糖、酱油、食盐、味精搅匀，投入枸杞，翻炒几下，淋入芝麻油（香油），勾芡，炒熟即成。

【功效】滋阴补肾，养目壮阳。

（3）银杏鸡丁

【原料】银杏200克，嫩鸡肉500克，蛋清2个，食盐3克，绍酒3克，味精2克，豆粉10克，芝麻油3克，葱段15克，猪油500克（耗油50克），汤50毫升。

【制作】将鸡肉切成约1.2厘米见方的丁，放在碗内，加入蛋清、食盐、豆粉拌匀上浆；白果剥去硬壳，下热油锅内爆至六成熟时，捞出剥去薄衣，洗净待用。

将炒锅烧热，放入猪油，待油烧至六成热时，将鸡丁下锅用勺划散，放入白果炒匀，至熟后连油倒入漏勺内，沥去油。

将原锅加入猪油25克，投入葱段煸炒，随即烹入绍酒，加入汤、食盐、味精，倒入鸡丁和白果，颠翻几下，用豆粉勾芡，推匀后，淋入芝麻油，再颠翻几下，起锅装盘即成。

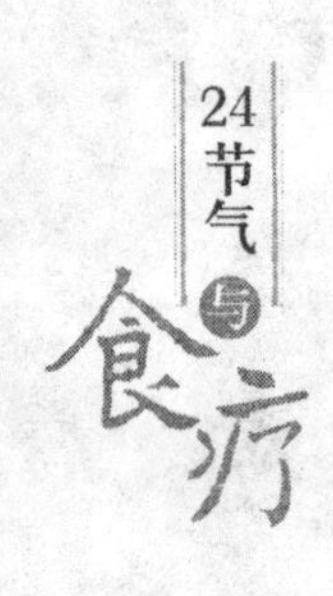

【功效】定咳喘，止带浊。

2.汤羹类进补食谱

(1) 香油核桃蜜膏

【原料】香油100克，蜂蜜200克，核桃仁50克。

【制作】将核桃仁炒香，剁碎；蜂蜜、香油分别熬熟。将核桃仁、蜂蜜、香油放在碗内，混合调均即成。

【功效】补肾养血，润肺纳气，润肠止带。

(2) 冰糖鸭蛋羹

【原料】鸭蛋2枚，冰糖50克。

【制作】将冰糖捶碎成屑，放入大碗内，加热水适量，使冰糖溶化，冷却后，再将鸭蛋打入调匀。将盛有鸭蛋羹的碗上笼，用武火蒸15～20分钟即成。

【功效】润肺止咳。

【禁忌】脾阳不足，寒湿下痢，食后气滞痞闷者不宜食用。

（3）银耳羹

【原料】银耳15克，冰糖30克，鸡蛋1枚。

【制作】干银耳放盆内用温水（50～60℃）浸泡约20分钟，待发透后摘去蒂头，择尽杂质，泥沙，用手将银耳撕成瓣状，放入铝锅内，加水适量，置武火上烧沸，转用文火炖熬3～4小时，至银耳粑烂即可，冰糖捶成屑，放入火勺内，加水适量，置武火上溶化成汁，鸡蛋打破去黄留清，加入清水少许搅匀后，冲入锅内搅拌，待泡沫浮面后用勺打净，再将糖汁用纱布过滤去，冲入银耳锅中即成。

【功效】养阴润肺，养胃生津。

3.饮料类进补食谱

（1）核桃酒

【原料】核桃仁50～100克，白酒500克。

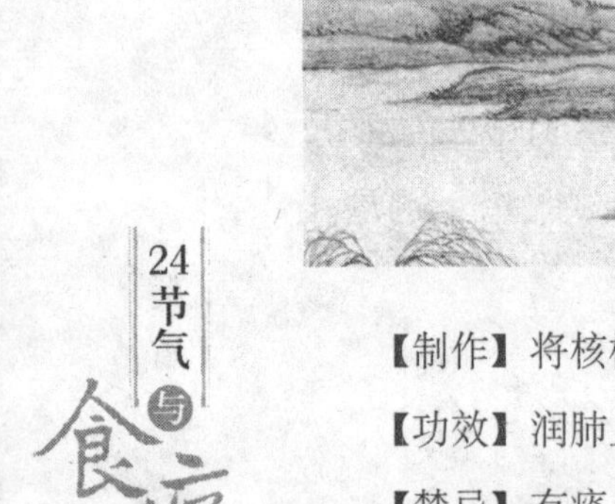

【制作】将核桃仁洗净，放入瓶中，倒入白酒，密封浸泡半月即可。

【功效】润肺止咳，补肾固精，润肠通便。

【禁忌】有痰火积热或大便溏泄或阴虚火旺者忌食用。

（2）黑芝麻核桃酒

【原料】黑芝麻25克，核桃仁25克，白酒500克。

【制作】将黑芝麻、核桃仁洗净，同放入瓶中，倒入白酒，密封浸泡半月即可。

【功效】润肺止咳，补肾固精，润肠通便，强壮身体，延续衰老。

（3）莲子酒

【原料】莲子50克，白酒500克。

【制作】将莲子去皮、心（也可不去心），放入瓶中，倒入白酒，密封浸泡半月即可。

【功效】养心安神，健脾止泻，益肾止遗。

【禁忌】莲子味涩，有收敛作用，大便干结、疳积、疟疾及外感初起有表证者忌食用。

（4）人参枸杞酒

【原料】人参10克，枸杞子20克，白酒500克。

【制作】将人参切片，枸杞子洗净，放入盛有白酒的瓶中，浸泡半月即可。

【功效】大补元气，养肝明目。

【禁忌】人参不宜与萝卜、茶同食。

六、秋分进补食谱

秋分时节，金风送爽，已经真正进入到秋季，作为昼夜时间相等的时节，人们在饮食养生中也应遵循阴阳平衡的规律，使饮食有利于“阴平阳秘”为宜，反之为忌。饮食进补要因人而宜，防止实者更实、虚者更虚而导致阴阳失衡。秋分时节进补食谱如下。

1.菜肴类进补食谱

（1）天麻鱼肉

【原料】天麻25克，川芎10克，茯苓10克，鲜鲤鱼1250克（每尾重500克以上），酱油25克，绍酒45克，食盐25克，白糖5克，味精1克，芝麻油25克，胡椒粉3克，水豆粉50克，生姜10克，葱10克，清汤适量。

【制作】将鲜鲤鱼除去鳞，剖腹除去内脏后，冲洗干净，从鱼背宰开，每一半砍成3节，每节切成花刀，分别盛放在8个蒸碗内，鲤鱼头也分切成8份，分别放入蒸碗内。

将川芎、茯苓切成大片，用淘米水泡上；将天麻放入淘米水中，浸泡4～6小时，捞出天麻，放在米饭上蒸透，趁热切成薄片待用。

将天麻薄片分成8等份，每份约3克，分别夹入各份鱼块中，然后放入绍酒、姜块、葱，兑上适量的清汤，上笼蒸30分钟。

将鲤鱼蒸好后，拣去葱、姜块，把鱼肉和天麻一起扣入碗中；原汤倒入勺里，调入白糖、食盐、味精、胡椒粉、芝麻油、水豆粉、清汤、酱油，烧沸打去浮沫，浇在各份鱼肉的面上即成。

【功效】平肝熄风，定惊止痛，行气活血。

（2）当归炖子鸡

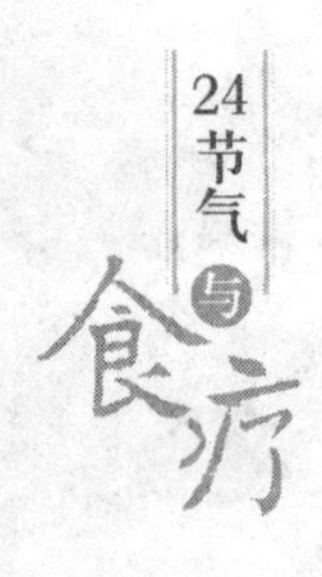

【原料】当归30克，子母鸡1只。

【制作】将子母鸡宰杀去毛、去肚肠。将当归填入鸡腹，放入砂锅中，加水适量，先大火煮沸，打去浮沫，再小火煨至烂熟。

【功效】补血益气，和胃止痛。

（3）芝麻黑豆泥鳅

【原料】泥鳅500克，黑豆50克，黑芝麻50克，陈皮1/4个，盐适量。

【制作】将黑豆、黑芝麻洗干净，沥干水分；将泥鳅剥净，用精盐将泥鳅腌一腌，漂洗干净，再用开水拖过，捞起，冲洗干净，沥干水分；陈皮浸软去瓤，洗干净；烧锅下油，将泥鳅煎至两面微黄，盛起；将清水加入汤煲内烧开，再加入全部材料，煲开后，改用小火煲约3小时，加入调味料调味即可。

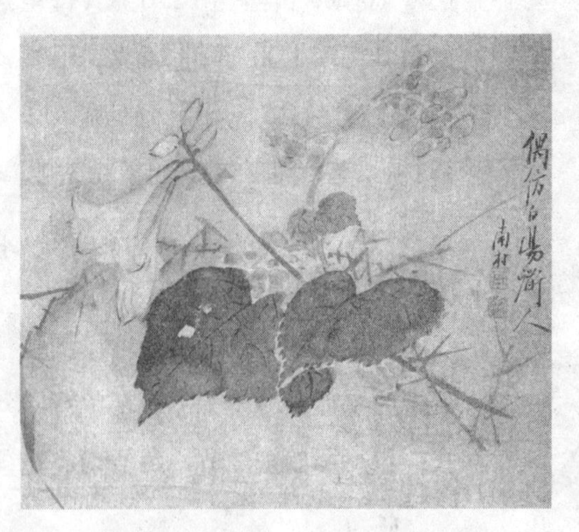

【功效】补血益气，养发美颜。

（4）猪肉炖墨鱼

【原料】小墨鱼（乌贼）2个，鲜瘦猪肉250克，食盐3克。

【制作】将墨鱼、猪肉洗净后同炖，烂熟后加食盐。

【功效】滋阴补阳，强筋健骨。

（5）蜜饯双仁

【原料】炒甜杏仁250克，炒核桃仁250克，蜂蜜500克。

【制作】将炒甜杏仁放入锅中，加水适量，煎煮1小时，再加核桃仁，收汁，将干时加蜂蜜，拌匀至沸即可。

【功效】补肾益肺，止咳平喘，润燥。

（6）萝卜杏仁煮牛肺

【原料】萝卜500克，苦杏仁15克，牛肺250克。

【制作】萝卜切块，杏仁去皮尖。牛肺用开水烫过，再以姜汁、料酒旺火炒透。瓦锅内加水适量，放入牛肺、萝卜，杏仁，煮烹即成。

【功效】补肺，清肺，降气，除痰。

【服法】吃肺饮汤。每周2～3次。

2.汤羹类进补食谱

（1）天门冬粥

【原料】天门冬15～20克，粳米30～60克，冰糖少许。

【制作】天门冬先煎取浓汁，去渣，入粳米煮粥，沸后加入冰糖，再

煮至粥稠即可食。每日1剂。

【功效】润肺生津，养肾补亏。

【禁忌】脾胃虚寒，食少便溏，神疲乏力者，不可食用。

（2）黄精粥

【原料】黄精15～30克（或鲜黄精30～60克），粳米60克，白糖适量。

【制作】黄精切片，煎取浓汁，去渣，同粳米煮粥，粥成后加白糖适量即可食。每日1剂。

【功效】滋阴润肺，平咳去痰。

【禁忌】脾虚有湿，咳嗽痰多而稀白者，不可食用。

（3）当归生姜羊肉汤

【原料】当归15克，生姜15克，羊肉500克。

【制作】将原料同入砂锅，加水2000毫升，先大火煮沸，下黄酒，加盐，小火煮至羊肉烂熟，去当归、生姜，加葱花、胡椒粉，也可加香菜、花椒粉。

【功效】温经，散寒，止痛。

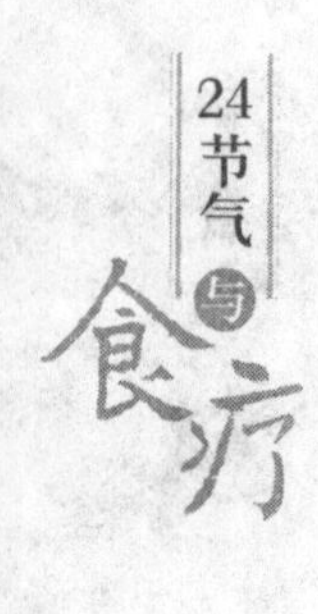

3.饮料类进补食谱

（1）苹果柿子汁

【原料】苹果500克，柿子500克，白糖50克。

【制作】将苹果、柿子去皮，去核。柿子、苹果切成片，剁成泥，用凉开水适量，浸泡3~5分钟。用白布绞取苹果、柿子汁液，将汁液放入杯中，加入白糖，拌匀即成。

【功效】清热，润肺，止渴。适用于热渴、咳嗽、吐血、口疮等症。

（2）二柑汁

【原料】广柑500克，橘柑500克，白糖50克。

【制作】将广柑、橘柑去皮，去核，用白布绞取汁液，装入杯中。将杯中加入白糖，拌匀即成。

【功效】生津止渴，清心安神。

【禁忌】脾胃虚寒者忌食用。

七、寒露进补食谱

寒露时节，天气逐渐转冷，但阴天少，光照充足，是全年日照百分率最大的节气，其时可谓秋高气爽。然而这一时节又是各种疾病的多发期，所以要因时制宜，安排好日常的饮食起居，增强机体的免疫力。寒露时节饮食进补食谱如下。

1.菜肴类进补食谱

(1) 冬虫夏草炖龟

【原料】冬虫夏草20条，乌龟1只，姜、盐等调味品适量。

【制作】先将乌龟杀好、洗净，切成小块，与冬虫夏草同放入炖盅内，加水、姜、盐、料酒等，隔水炖1～2小时即可。

【功效】补肾滋肺，止咳平喘，滋阴补血，强壮身体。

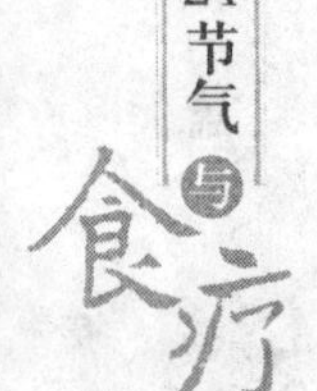

(2) 油酱毛蟹

【原料】河蟹500克（海蟹亦可），姜、葱、醋、酱油、白糖、干面粉、味精、黄酒、淀粉、食油各适量。

【制作】将蟹清洗干净，斩去尖爪，蟹肚朝上齐正中斩成两半，挖去蟹鳃，蟹肚被斩剖处摸上干面粉。将锅烧热，放油滑锅烧至五成熟，将蟹（摸面粉的一面朝下）入锅煎炸，待蟹呈黄色后，翻身再炸，使蟹四面受热均匀，至蟹壳发红时，加入葱姜末、黄酒、醋、酱油、白糖、清水，烧八分钟左右至蟹肉全部熟透后，收浓汤汁，入味精，再用水淀粉勾芡，淋上少量明油出锅即可。

【功效】益阴补髓，清热散瘀。

(3) 海米炝竹笋

【原料】竹笋400克，海米25克，料酒、盐、味精、高汤、植物油各适量。

【制作】竹笋洗净，用刀背拍松，切成4厘米长段，再切成一字条，放入沸水锅中焯去涩味，捞出过凉水。将油入锅烧至四成热，投入竹笋稍炸，捞出淋干油。锅内留少量底油，把竹笋、高汤、盐略烧，入味后出锅；再将炒锅放油，烧至五成热，下海米烹入料酒，高汤少许，加味精，将竹笋倒入锅中翻炒均匀装盘即可。

【功效】清热消痰，祛风托毒。

（4）西红柿炒鸡蛋

【原料】西红柿300克，鸡蛋3枚，精盐、味精、白糖各适量。

【制作】西红柿洗净切片，鸡蛋打入碗内搅匀。

油锅烧热，先将鸡蛋炒熟，盛入碗内；炒锅洗净，烧热放油，白糖入锅融化，把西红柿倒入锅内翻炒2分钟后，将鸡蛋、盐入锅同炒3分钟，放少许味精出锅即可。

【功效】生津止渴，养心安神。

（5）香菇冬瓜球

【原料】香菇、鸡汤、淀粉各适量，冬瓜300克，植物油、精盐、姜、味精、麻油各适量。

【制作】香菇水发、洗净，冬瓜去皮洗净，用钢球勺挖成圆球待用，姜洗净切丝。

锅内放入适量植物油烧热，下姜丝煸炒出香味，入香菇继续煸炒数分钟后，倒入适量鸡汤煮开后，将冬瓜球下锅烧至熟时，用水淀粉勾芡，翻炒几下放入味精，淋上香油，即可出锅。

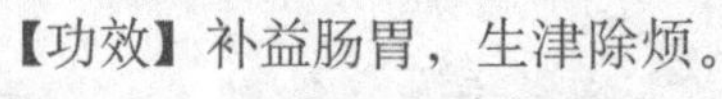

【功效】补益肠胃，生津除烦。

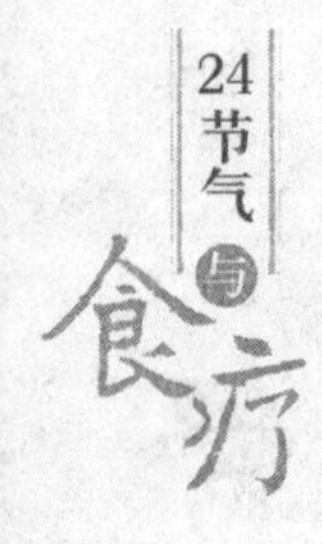

（6）地黄焖鸡

【原料】母鸡1只（约1500克），生地50克，桂圆肉30克，大枣5枚，生姜15克，葱15克，料酒100毫升，酱油20毫升，猪油100克，菜油150克，鸡汤2500毫升，水豆粉40克，饴糖30克。

【制作】鸡杀去毛，剖腹去内脏，剁去脚爪。生姜、葱洗净，生姜切片，葱切成长段。生地、桂圆肉、大枣洗净装入鸡腹内。鸡用姜片、葱段、料酒、精盐抹匀，腌30分钟待用。锅置火上，加入菜油，待油七成热时，把鸡下油锅内炸成浅黄色，倒在漏勺内。鸡体用纱布包好，锅内再加入猪油，下入葱段、姜片，翻炒几下，加料酒、汤、盐、饴糖、鸡。鸡汤用大火烧开，撇净泡沫，倒入沙锅内盖上盖，用小火煨至鸡烂，拣出葱、姜不用，加入味精调味，勾芡即成。

【功效】滋阴补养，益气和血，强身健体。

【禁忌】脾虚有湿，腹满便溏者慎服食用。

（7）苡仁炖猪蹄

【原料】薏苡仁200克，猪蹄2对，料酒、姜、葱、盐等调味品适量。

【制作】将猪蹄洗净开边，与苡仁同放入锅内，加入少量水、料酒、姜、盐等调味品，先用大火煮开后，改用文火慢煮2小时左右，猪蹄烂熟即可。

【功效】补益气血，去湿消肿。

【禁忌】脾虚便溏者少食或不食。

2.汤羹类进补食谱

（1）猪油蜜膏

【原料】猪油100克，蜂蜜100克。

【制作】将猪油、蜂蜜共放锅内文火上熬沸，停火待冷，共拌匀即成猪油蜜膏。每日1剂。

【功效】清肺润燥，止咳化痰。

【禁忌】脾胃虚寒，大便溏泻，食后腹胀者，不可食用。

（2）雪羹

【原料】海蜇30克，鲜荸荠15克。

【制作】将海蜇用温水泡发，洗净，切碎，备用。将鲜荸荠洗净，去皮，把切碎的海蜇和荸荠一起放入砂锅内，加适量水，用小火煮1小时，即可食。每日1~2剂。

【功效】补阴虚，生津液，润肺脏。

【禁忌】感冒发热，口苦口干，尿黄，便秘者，不可服食。

（3）菠菜根粥

【原料】鲜菠菜根250克，淮山药50克，鸡内金10克，粳米50克。

【制作】菠菜根洗净，切碎，同淮山药，鸡内金共煎30分钟~40分钟。然后加粳米煮粥食。每天早、晚各1剂。

【功效】增神，提力，生津和胃。

(4) 红枣花生粥

【原料】花生米15克，红枣7枚，糯米60克。

【制作】花生、红枣、糯米入砂锅，加水煮粥。

【功效】健肾益气，补中止血。

【禁忌】大便溏薄者勿食用。

(5) 山药猪肚粥

【原料】猪肚1只，山药60克，粳米60克，生姜、盐适量。

【制作】以水煮猪肚至半熟，入山药、生姜、粳米共煮，将熟，入盐适量调味。

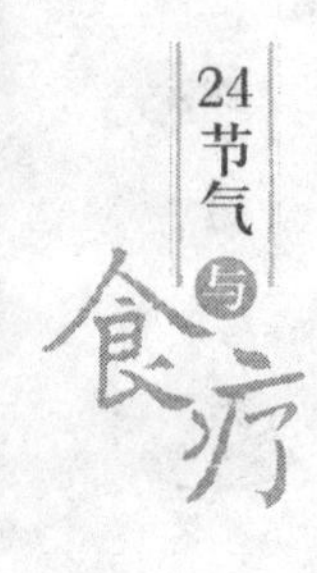

【功效】补益脾胃。

(6) 三子养亲汤

【原料】苏子6克，白芥子6克，萝卜子6克。

【制作】先将上三药用小火药炒3~5分钟，后用干净的白纱布包好，用白线扎牢再打碎。然后将药倒入瓦罐中，加冷水一小碗，小火煎10分钟，约剩下半小碗药汁时，滤出头汁。再加水大半碗，约煎至半碗药液时，滤出二汁，弃渣。每日2次，每次半小碗，饭后饮服。

【功效】降气化痰，畅膈宽胸。

（7）玉竹瘦肉汤

【原料】玉竹30克，猪瘦肉100克，精盐、味精各适量。

【制作】将玉竹、猪瘦肉洗净后，共入锅中，加清水4碗煎至2碗，用食盐、味精调好味，饮汤食猪瘦肉。每日1～2剂。

【功效】滋阴润肺，益气和胃。

3.饮料类进补食谱

（1）姜枣茶

【原料】生姜3片，大枣5枚。

【制作】大枣去核研碎，以沸水冲泡。

【功效】滋阴补阳，散寒止痛。

（2）黑芝麻酒

【原料】黑芝麻50克，白酒500克。

【制作】将芝麻洗净，放入瓶中，倒入白酒，密封浸泡半月即可。

【功效】强壮身体，延缓衰老，滋补肝肾，润养脾肺。

【禁忌】腹泻者忌饮用。

（3）大黄山楂茶

【原料】大黄10克，山楂肉15克。

【制作】水煎取汁。

【功效】活血化瘀，舒肝和胃。

（4）首乌酒

【原料】何首乌150克，白酒500克。

【制作】将何首乌洗净，放入盛有白酒的瓶中，浸泡15~20天即可。

【功效】补益肾精，抗衰老，滋阴养血。

【禁忌】泄泻者忌食用。本品滋腻，腹胀满、湿痰重者忌用。本品也不可与萝卜、葱、蒜、猪肉、羊肉及含铁丰富的食物同食。

附：重阳节饮食习俗

九九重阳节，人们有登高、佩茱萸及饮酒于高处的风俗。这一风俗原是为了“避邪”，源于东汉。梁人吴均在《续齐谐记》里说：当时有名费长房者，颇擅仙术，能知人间祸福。一日，他对其徒汝南桓景说，九月九日，你全家有难，但如能给每人做一红布袋，装上茱萸系在手臂上，然后去登高，并在山间饮菊花酒，即可幸免于难。桓景照办，果真九日晚间，全家从山上回来后，见家中鸡、犬、牛、羊俱已暴死。事后，费长房告知，此乃家畜代为受祸。这种神奇故事经过传播，便形成了重阳节登高的习俗。

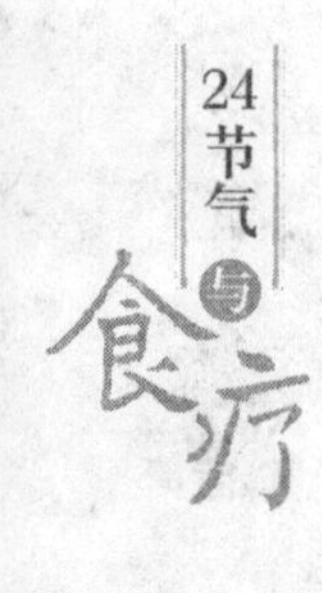

旧时，北京人登高饮酒的风俗很盛。南城可到天宁寺、陶然亭、龙爪槐，北城可到蓟门烟树，远一点可到西山八刹。

由于天气渐冷，树木花草凋零在即，故人们谓此为“辞青”。九九登高，还要吃花糕，因“高”与“糕”谐音，故应节糕点谓之“重阳花糕”，寓意“步步高升”。花糕主要有“糙花糕”、“细花糕”和“金钱花糕”。糙花糕粘些香菜叶以为标志，中间夹上青果、小枣、核桃仁之类的干果；细花糕有3层、2层不等，每层中间都夹有较细的蜜饯干果，如苹果脯、桃脯、杏脯、乌枣之类；金钱花糕与细花糕基本同样，但个儿较小，如同“金钱”一般，多是上层府第贵族的食品。

八、霜降进补食谱

霜降是秋季的最后一个节气，也是秋季到冬季的过渡时节，此时阴气更甚于前，植物开始凋零。由于此节气属土，所以饮食进补应以淡补为原则，并且注意补气血以养胃。霜降时节的进补食谱择优介绍如下。

1.菜肴类进补食谱

(1) 玉米须炖龟

【原料】玉米须100克，乌龟1只，盐、姜、葱、料酒等调味品适量。

【制作】将乌龟杀好后，切成小块，入锅内加水，加姜、盐、料酒等，玉米须用纱布袋包好也放入锅内同煮，先用大火煮开后，改用文火炖至龟肉烂熟即成。

【功效】清热，利水，滋阴，养血。

【禁忌】龟肉不宜与苋菜、猪肉同食。

(2) 柏子仁炖猪心

【原料】柏子仁15克，猪心200克，生姜、盐等调味品适量。

【制作】将柏子仁与猪心同放入炖盅内，加入调味品，隔水炖1小时左右即可。

【功效】养心安神，润肠通便。

【禁忌】腹泻者忌食用。

（3）生炒子鸡

【原料】光嫩子鸡1只（3000克），笋肉100克，葱花2克，黄酒15克，酱油20克，白糖5克，味精1克，盐2克，鸡蛋清1只，干淀粉5克，芝麻油少许，生油300克，湿淀粉15克。

【制作】将光嫩子鸡洗净，斩去头、爪、屁股不用，用刀在鸡背上从尾至颈部顺长切成2片，鸡皮朝下，平放在砧墩上，先用刀的平面拍一下，再用刀跟在鸡的肉面上均匀地斩出刀纹，然后带骨斩成长条，再斩成2厘米长的小块，加入黄酒5克、盐少许，再加鸡蛋清、淀粉上浆待用。将笋肉滚刀切成菱形小块。

炒锅在大火上烧热，用油滑锅后，放生油，烧至六成热时，推入鸡块用铁勺划散，至外皮受热凝固，再放入笋块同时炒热，见鸡块内部已断生，即端锅倒入漏勺中沥油。锅里留少量余油，放入葱花爆出香味，再加黄酒、酱油、白糖、味精、白汤75克左右，烧开后用湿淀粉勾芡搅开，随即倒入鸡块、笋块，将炒锅颠翻数次，再加热油泛出光泽，淋上芝麻油出锅装盘即可。

【功效】益气温中，补虚安神。

【禁忌】肝阳上亢，内热咽痛，湿热内蕴，苔黄腻者不宜食用；表证及外邪热毒未清者忌食。鸡头、翅膀、鸡爪能动风、生痰、助火，食宜斩去不食；鸡尾法氏囊不能食用，烹调时应斩去。

(4) 白果鸡蛋

【原料】鸡蛋1枚，白果2枚。

【制作】将蛋的一端开一小孔，将白果2枚放入蛋白，以纸封口，隔水蒸熟食之。

【功效】增加营养，补阴消炎。

2.汤羹类进补食谱

(1) 花生粥

【原料】花生仁30克、粳米100克。

【制作】将花生洗干净，粳米淘干净，将两者合在一起下锅，加适量的水煮熟成粥。

【功效】润肺止咳。

(2) 葱白粥

【原料】肥大葱白适量，粳米60克，生姜5片，米醋5毫升。

【制作】入锅熬煮。

【功效】发表散寒，温中通阳。

(3) 北杏猪肺汤

【原料】猪肺250克、北杏10克、姜汁、食盐适量。

【制作】将猪肺切块洗干净，与北杏加清水适量煲汤，汤将好时冲入姜汁1~2汤匙，用食盐调味即成。

【功效】止咳化痰，补肺。

（4）无花果粥

【原料】无花果10枚，粳米60克，冰糖60克。

【制作】无花果、粳米加水煮粥，煮沸后，入冰糖再煮2～3沸。每日分2次服食。连服5～7天后，隔3～5天再服。

【功效】有健脾理气，止咳祛痰，防癌抗癌。

【禁忌】大便溏薄者不宜食用。

（5）玉竹粥

【原料】玉竹15～20克，粳米60克，冰糖适量。

【制作】玉竹加水煎取浓汁，去滓，入粳米煮粥，少入白糖适量调味。早晚服食。5～7天为一疗程。

【功效】滋阴润肺，生津止渴。

【禁忌】痰湿气滞，胃部饱满，口腻多痰，消化不良，舌苔厚腻的人不宜食用。

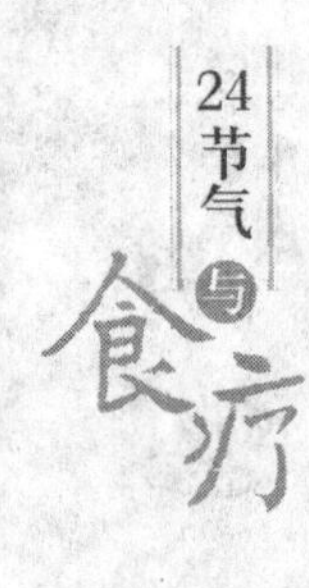

（6）玉梨绿豆粥

【原料】生梨2只，青萝卜250克（分别洗净切片），绿豆200克，粳米250克。

【制作】以上四味加水适量，共煮成粥。或者先煮绿豆粳米粥，将熟时入生梨、萝卜汁，稍煮粥熟即可。可根据病人限制的饭量而分服。

【功效】清热生津。

（7）党参粥

【原料】党参25克，冰糖50克，粳米100克。

【制作】将党参切成薄片，放锅内水煎，去渣取汁，同冰糖、粳米煮粥，可供秋冬季节早餐空腹食用。

【功效】益脾气，补五脏，抗衰老。

3.饮料类进补食谱

（1）五神饮

【原料】荆芥6克，苏叶6克，茶叶6克，姜2克，冰糖25克。

【制作】将姜洗净，切成薄片。姜、荆芥、苏叶、茶叶一起放入锅内，加清水适量，用中火烧沸，约5分钟，即可滗出汁液，再加清水复煎一次，两次取汁液共约500克，用纱布滤净药液装入盆内。将锅内放清水（约50克），炖沸后放冰糖入锅，待溶化成汁时，趁热滤净，再把糖汁倒入药液内。

【功效】解表，散寒，理气，和胃。

（2）木耳芝麻饮

【原料】黑木耳5克，黑芝麻10克，白糖30克。

【制作】将黑木耳用湿水泡发2小时，去蒂，撕瓣。黑芝麻炒香。将

黑木耳、黑芝麻放入铝锅内，加水适量，置中火煎熬1小时，滗出汁液；再加水煎熬，将两次煎液合并，放入白糖拌匀即成。

【功效】凉血，止血，乌须，补肾。

(3) 韭姜糖汁

【原料】鲜韭菜榨取汁液10毫升，生姜榨取汁液5毫升。

【制作】将两种汁液混合，加白糖少许调匀。

【功效】化痰降浊，和胃止呕。

(4) 月季花茶

【原料】月季花10克，红花3克，红糖20克。

【制作】用沸水冲泡，代茶饮。

【功效】活血，化瘀，止痛。

九、秋季六节气因人而异的饮食进补

秋季饮食进补重在“少辛增酸”，但对不同的人不能一概而论，而要针对不同人的体质及生理特点辩证用食。下面，根据不同人群的各自生理特点，择优列举一些饮食进补方案。

1.老年人的饮食进补

顺应秋季六节气适宜老人的饮食进补方案择优介绍如下：

（1）薏苡仁芡实酒

【原料】薏苡仁25克，芡实25克，白酒500克。

【制作】将薏苡仁、芡实洗净，放入瓶中，倒入白酒，密封浸泡半月即可。

【功效】固肾涩精，补脾止泻，利水渗湿，祛湿除痹，清热排脓。

（2）糯米饭

【原料】糯米100克，冰糖少许。

【制作】洗净糯米焖饭，或上笼蒸熟。另将冰糖熬汁，浇在饭上。

【功效】益肺固表，止咳化痰。

（3）酸辣木耳豆腐羹

【原料】黑木耳15克，猪腿肉50克，豆腐两块，植物油、细盐、黄酒、酱油、米醋、蒜泥、豆瓣辣酱、花椒、辣油、味精适量。

【制作】先将黑木耳用温水浸泡1小时。发胀后，除去杂质，洗净，再入冷水中浸泡，备用。猪肉洗净，切成碎肉，加细盐、黄酒、酱油拌匀，备用。豆腐切成小方丁块。起油锅，放植物油2匙，中火烧热油后，倒入碎肉、蒜泥，炒香，再下木耳、豆瓣辣酱。翻炒3分钟后加淡肉汤或清汤1碗，倒入豆腐，然后加细盐少许，再焖烧10分钟，加淀粉芡、米醋、花椒粉、辣油、味精，拌和成羹。小沸后装

碗，佐膳食。

【功效】调中益气，滋肾益胃，活血散血，祛除寒湿。

（4）寒食粥

【原料】杏仁10克，旋复花10克，款冬花10克，粳米50克。

【制作】前三味水煎去渣，入米煮粥，空腹食。

【功效】止咳平喘。

（5）罗汉果柿饼汤

【原料】罗汉果半个，柿饼2～3个，冰糖少许。

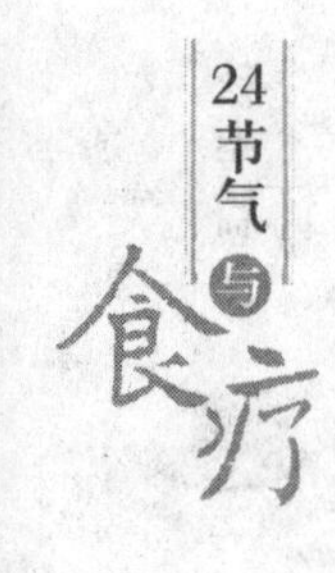

【制作】将罗汉果洗净，与柿饼一并加清水二碗半煎至一碗半，加冰糖少许调味，去渣。1日分3次饮用。

【功效】清热，去痰火，止咳平喘。

（6）冬瓜苡仁粥

【原料】冬瓜仁20～30克，薏苡仁15～20克，粳米100克。

【制作】先将冬瓜仁用清水淘洗净，煎取汁，去渣。再与粳米、薏苡仁（淘洗净）同煮为稀粥，日服2～3次。

【功效】健脾利湿化痰。

（7）薄荷紫苏橘皮汤

【原料】薄荷15克，橘皮、紫苏各10克。

【制作】煎汤饮用。

【功效】去痰止咳，平喘散寒。

2.中年人的饮食进补

顺应秋季六节气适宜中年人的饮食进补方案有以下几种。

(1) 白果萝卜粥

【原料】白果6粒，白萝卜100克，糯米100克，白糖50克。

【制作】萝卜洗净切丝，放入热水焯熟备用。先将白果洗净与糯米同煮，待米开花时倒入白糖文火再煮10分钟，拌入萝卜丝即可出锅食之。

【功效】固肾补肺，止咳平喘。

(2) 海带丝拌芝麻酱

【原料】发海带250克，芝麻酱100克。

【制作】将海带洗净，切丝。用开水烫后凉拌芝麻酱。或下锅炒，放入芝麻酱。

【功效】防脱发。

(3) 木耳花生猪肺汤

【原料】黑木耳30克，花生米100克，猪肺一只，盐、黄酒适量。

【制作】黑木耳用温水泡胀、洗净。花生米洗净；猪肺粗洗一遍，从气管中灌水，使肺翼扩张，用力揉洗后，倒出血水，再灌再洗，如此反复冲洗五六次，见肺翼发白时，离水，滤干，切成块；将猪肺、花生米先倒入大砂锅内，加冷水浸没，用旺火烧开后，除去浮在汤上的一层泡沫，加黄酒二匙。再改用小火慢炖一小时，倒入黑木耳，加细盐适量，继续炖一小时后，离火。

【功效】滋肾补肺，去瘀止血，润燥化痰。

（4）板栗烧猪肉

【原料】板栗，瘦猪肉各250克，盐、姜、豆豉各少许。

【制作】将板栗去皮，猪肉切块，加盐等调料，加水适量煮熟烂即可。

【功效】润肺益气。

（5）清蒸鳗鱼

【原料】活鳗鱼一条500克，盐、黄酒、生姜适量。

【制作】鳗鱼活杀，剖腹，洗净，切成大块，淋上黄酒2匙，撒上盐适量，放生姜3片，用旺火隔火蒸一小时。

【功效】滋阴润肺，强身健体。

【禁忌】因为鳗鱼营养价值高，所以每次不宜多食，过量不易消化，影响食欲。

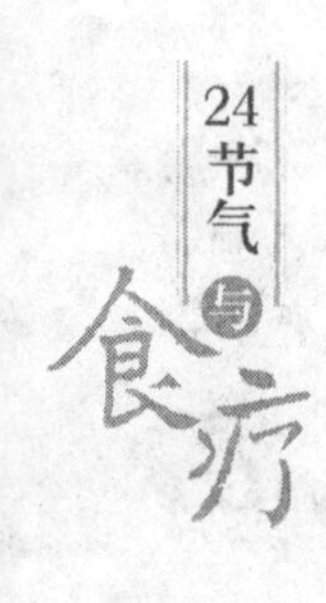

3.青年人的饮食进补

秋季六节气适宜青年人的饮食进补方案择优如下：

（1）桃仁决明蜜茶

【原料】桃仁10克,决明子12克,白蜜适量。

【制作】桃仁去皮夹，研细，决明子捣碎。两者煮水取汁，调入白蜜，代茶饮。

【功效】清肝热，化气淤。

（2）糖熘白果

【原料】水发白果150克，白糖100克，淀粉25克。

【制作】白果砸去外壳，放锅内加清水、碱适量，烧热后，用竹带刷去皮，挖出白果心，再放入碗内，加清水，上笼蒸

熟，取出。锅内放白糖、白果，清水250克，武火烧沸，去浮沫，用淀粉勾芡，倒入盘中。

【功效】补肺气，定喘咳。

（3）酒酿煮鸡蛋

【原料】酒酿100～150克，鸡蛋1～2枚，红糖适量。

【制作】酒酿加水煮沸，打入鸡蛋成蛋花，加入红糖适量即成。

【功效】可使精力充沛，血压提升。

（4）核桃芝麻糖

【原料】核桃仁250克，黑芝麻250克，赤砂糖500克。

【制作】将红糖放入铝锅内，加水适量，用武火烧开，移文火上煎熬至稠厚时，加入炒香的黑芝麻和炒熟的核桃仁，搅拌均匀停火。将锅内的核桃仁、芝麻糖倒入涂有熟菜油的搪瓷盘中摊平晾凉，然后用刀划成块，取出放糖盒内备用。

【功效】健脑补肾，强身健体。

4.儿童的饮食进补

秋季六节气适宜儿童的饮食进补方案，择优介绍如下：

（1）加味竹叶粥

【原料】竹叶鲜品30～45克，生石

膏45～60克，扁豆15克，荷蒂1个，粳米100克，砂糖少许。

【制作】先将竹叶、扁豆、荷蒂洗净，同石膏加水煎汁，去渣，与粳米同煮成稀粥，每日分2～3顿服。

【功效】清热利湿。

（2）辛夷煲鸡蛋

【原料】辛夷花9克，鸡蛋2枚。

【制作】先将鸡蛋打入沸水中（不打散）略煮片刻，然后再加入辛夷花同煮2～3分钟。

【功效】增强免疫力，增强体质。

（3）补气双面菇

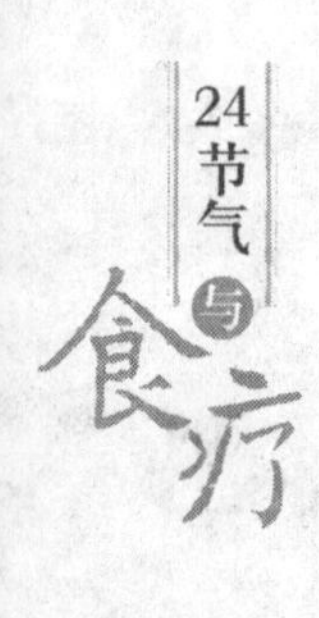

【原料】黄芪10克，鲜蘑菇25克，水发香菇25克，卷子面150克。

【制作】先用黄芪10克煎汁约50毫升备用。将两种菇切碎，在油锅略炸一下，加入黄芪汁煮熟，将卷子面在沸水中煮熟捞起，放在香菇、蘑菇、黄芪汤中，再加些鲜汤调料煨至熟烂即成。

【功效】常吃可提高免疫力，增强抗病毒、抗感冒能力。

（4）艾叶焦米汤

【原料】嫩鲜艾叶10克，大米15克。

【制作】将艾叶与大米共置于铁锅内，用小火炒至大米呈金黄色，加水半碗，煮沸10分钟即成。

【功效】健脾，止泻，和胃。

(5) 银香羹

【原料】银耳10克，干香菇6克。

【制作】先将干香菇煎汁滤去渣，再将汁以文火熬银耳至酥黏稠，加冰糖少许。

【功效】增强抵抗力，提高免疫功能。

5.女性的饮食进补

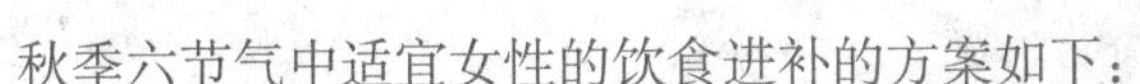

秋季六节气中适宜女性的饮食进补的方案如下：

(1) 萝卜健运膏

【原料】萝卜1000克，半夏、茯苓、陈皮、白术各10克，白糖适量。

【制作】萝卜洗净，刮细丝，与四药同入锅中，加水煎煮半小时,滤出汤汁，另置小火煎熬至较稠时入白糖，待成膏状停火置冷。每次1～2匙，每日3次，沸水冲服。

【功效】理气化痰，健脾宽中。

(2) 薏米杏仁粥

【原料】薏苡仁30克，杏仁10克，冰糖少许。

【制作】薏苡仁煮粥，待半熟时，加入杏仁，文火煮至熟，加冰糖屑，早晚食用。

【功效】健脾利湿,去痰止咳。

(3) 参芪鸡

【原料】红参10克,黄芪50克，乌骨鸡1只（重1000克左右）

【制作】将红参、黄芪切片，再将乌骨鸡剖腹去内脏与人参、黄芪同入砂锅煨炖，或用汽锅蒸至鸡肉烂熟即成。

【功效】补气，补血，升压。

（4）姜汁牛乳

【原料】牛乳250毫升，姜汁10毫升，丁香1粒。

【制作】将上述各原料置锅中煮2~3分钟即成。

【功效】可预防感冒。

（5）萝卜姜汁

【原料】鲜白萝卜1000克，生姜50克。

【制作】将萝卜洗净，捣碎绞取汁液；生姜50克捣碎取汁。将两汁混合当饮料。

【功效】解油腻，化脂肪，润肠道。

十、通过饮食进补预防秋季多发病

在秋季六节气中，不但要体现饮食的全面调理和有针对性地加强某些营养食物用来预防疾病，还应发挥某些食物的特异性作用，使之直接用于某些疾病的预防。如用葱白、生姜、豆蔻、香菜可预防治疗感冒；用甜菜汁、樱桃汁可预防麻疹；白萝卜、鲜橄榄煎汁可预防白口俟；荔枝可预防口腔炎、胃炎引起的口臭症；红萝卜煮粥可预防头晕等。

下面介绍几种秋季六节气多发病的饮食预防治法。

1.预防支气管哮喘

支气管哮喘是由于气道对某些理化因素,药物过敏原刺激的反应性增高，支气管呈可逆性气道阻塞状态。症状表现为发作性呼吸困难、咳嗽和哮喘。其饮食防治方法如下：

（1）双味酪

【原料】核桃仁90克，杏仁15克，火粉15克，姜汁适量，蜂蜜适量。

【制作】将核桃仁、杏仁掺在一起捣烂，放入锅内，加姜汁、蜂蜜、米粉，清水搅匀后烧开，煮3分钟即可。

【功效】适用于久患哮喘、身体虚弱。

（2）北瓜膏

【原料】北瓜1只（500克左右），饴糖500克。

【制作】洗净北瓜，切碎，加饴糖，略加水，放入砂锅内，煮至极烂，用干净纱布绞取汁，去渣再煮，浓缩后，再加1/10生姜汁。

【食法】每次服10毫升，温开水冲服，每日服2～3次。

【功效】止咳平喘，适用于儿童哮喘缓解期。

（3）北瓜五味子

【原料】北瓜1个（约1500克），五味子3克，冰糖60克。

【制作】北瓜洗净，挖芯去籽，填入五味子和冰糖蒸熟，取出五味子渣。

【食法】每日吃两碗。

【功效】温中止咳，平喘化痰。

（4）核桃杏仁汤

【原料】核桃仁25克，杏仁、生姜各10克蜂蜜适量。

【制作】将生姜洗净，与核桃仁、杏仁分别捣碎，同入锅，

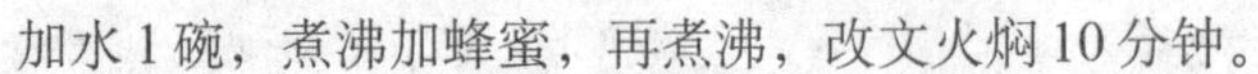

加水1碗，煮沸加蜂蜜，再煮沸，改文火焖10分钟。

【食法】分2次服完，每日1剂。连服数月。

【功效】补肾润肺，止咳定喘，适用于久患哮喘、体质虚弱、气短喘促者。

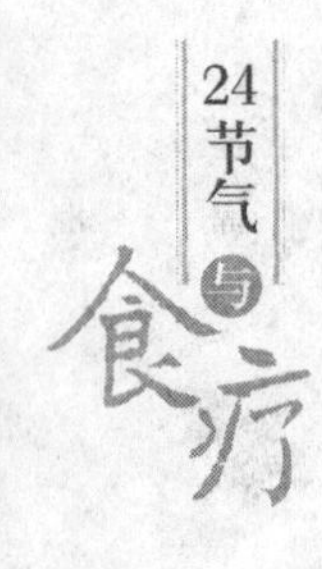

2.预防便秘

便秘是指大便秘结不通，排便时间延长或粪质坚燥、欲便不得、艰涩不畅的病证。它并非大病，若治疗得当或生活调摄适宜，一般容易痊愈。但若治疗不当，滥用泻药，虽可取效于一时，久则反加重病情。便秘重者，可引起腹痛纳呆，恶心呕吐，烦躁失眠，并易引起痔疮、肛裂、便血等病。由于排便困难而过度努挣，尚可诱发疝气，特别是患有高血压及冠心病的患者，甚至有诱发脑溢血、心肌梗塞的危险。因此，一定不要忽略了便秘的治疗和预防。常用的饮食防治方法如下。

（1）二仙通幽茶

【原料】桃仁9粒，郁李仁6克，当归尾5克，小茴香1克，藏红花1.5克。

【制作】水煎数沸。

【食法】代茶徐饮。

【功效】活血祛淤，润下通便。

（2）人乳粥

【原料】健康哺乳期妇女乳汁若干，粳米50克，香油3克。

【制作】先煮粳米粥，临熟去汤下乳，再煮片刻，加香油调匀。

【食法】佐餐，任意食。

【功效】补虚养血，润肺通肠。

（3）苁蓉羊肉粥

【原料】肉苁蓉10～15克，精羊肉100克，粳米100克，细盐少许，葱白2茎，生姜3片。

【制作】分别将肉苁蓉、精羊肉洗净后切细，先用砂锅煎肉苁蓉取汁，去渣，入羊肉、粳米同煮，待煮沸后，再入细盐、生姜、葱白煮为稀粥。

【食法】佐餐。

【功效】温阳通便。

（4）杏汤

【原料】杏仁10克，板栗15克，麻仁10克，芝麻15克。

【制作】将杏仁去皮尖，砸碎。将板栗炒熟去外壳，芝麻炒香，麻仁

打碎。将上药共入砂锅内，加适量的水，煮取药汁，去渣，饮汤汁。

【食法】空腹，每晨起食用1次。

【功效】宣气通便润肠。

3.预防肺病

在这里肺病泛指肺部疾患，如肺炎、肺脓肿、肺结核等。

秋季六节气饮食防治肺病的方法主要有以下几种：

（1）杏仁炖雪梨

【原料】杏仁10克，雪梨1个，冰糖20克。

【制作】杏仁去皮打碎，雪梨去皮切片，同放碗内，加冰糖、水，置锅内，加盖炖煮1小时。

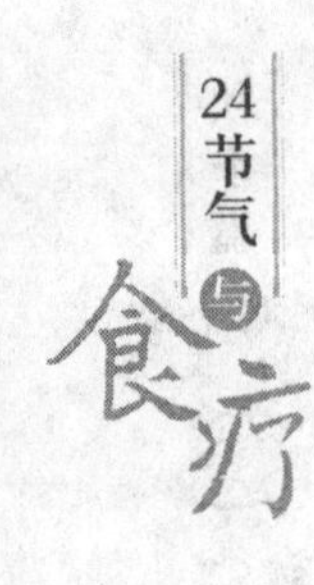

【食法】早晚各1次。

【功效】化痰止咳，清热生津，润肺平喘。

（2）川贝炖雪梨

【原料】雪梨1只，川贝末10克，冰糖20克。

【制作】将梨一切两半，去核后纳入川贝末，然后将两块切开的梨合并拢，用竹签固定住，放入碗中，加冰糖、水，隔水炖1小时。

【食法】吃梨喝汤。

【功效】润肺，化痰，止咳。

（3）银耳炖冰糖

【原料】银耳5克，冰糖30克。

【制作】用冷水泡发银耳1小时，把银耳撕碎，加入冰糖，煎煮至熟烂。

【食法】每晚睡前食用。

【功效】滋阴润肺，去脂和血，补肾益气。

（4）蜂蜜萝卜汁

【原料】白萝卜2个，蜂蜜200毫升。

【制作】萝卜洗净、削皮、切碎，用消毒纱布绞榨取汁，每50毫升汁液加蜂蜜20毫升，调匀烧开。

【食法】一日2～3次，连食3～5天。

【功效】顺气，消食，生津，护肝，消脂，止咳。

（5）百合杏仁粥

【原料】百合50克（干品30克），杏仁10克，粳米50克，蜂蜜适量。

【制作】杏仁去皮打烂，与粳米加水同煮成稀粥，加蜂蜜适量即可。

【食法】1日1次，连食数日。

【功效】润肺止咳，宁心安神。

4.预防胃病

在这里胃病泛指胃部疾患，如胃炎、胃溃疡、胃下垂等。秋季六节气饮食防治胃病的方法择优介绍如下：

（1）乌梅山楂饮

【原料】乌梅10克，生山楂15克。

【制作】乌梅与山楂用水煮沸滤汁。

【食法】可长期饮用，直到病愈。

【功效】适用于慢性萎缩性胃炎治疗。

（2）五香藤炖鸡

【原料】五香藤（鸡屎藤）根100克，母鸡1只。

【制作】五香藤、母鸡同炖。

【食法】吃肉喝汤。每周吃1只鸡，连吃5周以上。

【功效】治胃胀胃痛反复发作，体质较弱者。

（3）蒲公英粥

【原料】鲜蒲公英（连根）50克（或干品15克），粳米50克。

【制作】鲜蒲公英与粳米煮粥。

【食法】空腹服1小碗，每日2次，连吃2个月以上。

【功效】对胃热痛，饮凉稍舒，舌红苔黄者有疗效。

（4）大枣猪肚

【原料】大枣1200克，鲜猪肚1个。

【制作】将大枣200克灌入猪肚中，稍蒸即成。

【食法】吃猪肚和枣，早、晚空腹食之，分两天吃完。每周吃两剂。坚持数周。

【功效】此方对久病的慢性胃炎者出现的气短乏力、食少倦怠等症有效。

（5）青核桃泡酒

【原料】青核桃（秋季带青皮的生核桃）1500克，白酒2500克。

【制作】将青核桃打碎，泡入白酒中，半个月后即可饮用。

【食法】每天早、晚各1次，每次只饮1小盅（约15毫升），切忌多饮。

【功效】凡慢性胃炎久治不愈者，均可食用。

（6）姜汁饮

【原料】鲜生姜3～4片。

【制作】开水冲泡。

【食法】即冲即饮。

【功效】可治恶心、呕吐。对胃炎也有一定疗效。

（7）醋蒜汁

【原料】大蒜3～4瓣，醋适量。

【制作】大蒜去皮捣成泥，加醋适量。

【食法】1日2次，连食3～4天。

【功效】除治胃肠病外，还可治急性痢疾。

5.预防肾病

肾病在这里泛指由肾功能而引起的疾患。秋季六节气饮食进补防治肾病的方法择优介绍以下几种：

（1）冬瓜汤

【原料】冬瓜500克

【制作】将冬瓜洗净，连皮切块，加水适量，煮熟后连汤将冬瓜吃下。

【食法】吃瓜喝汤，每日可吃冬瓜500克或更多，连吃1周。

【功效】适用于尿急而痛者。

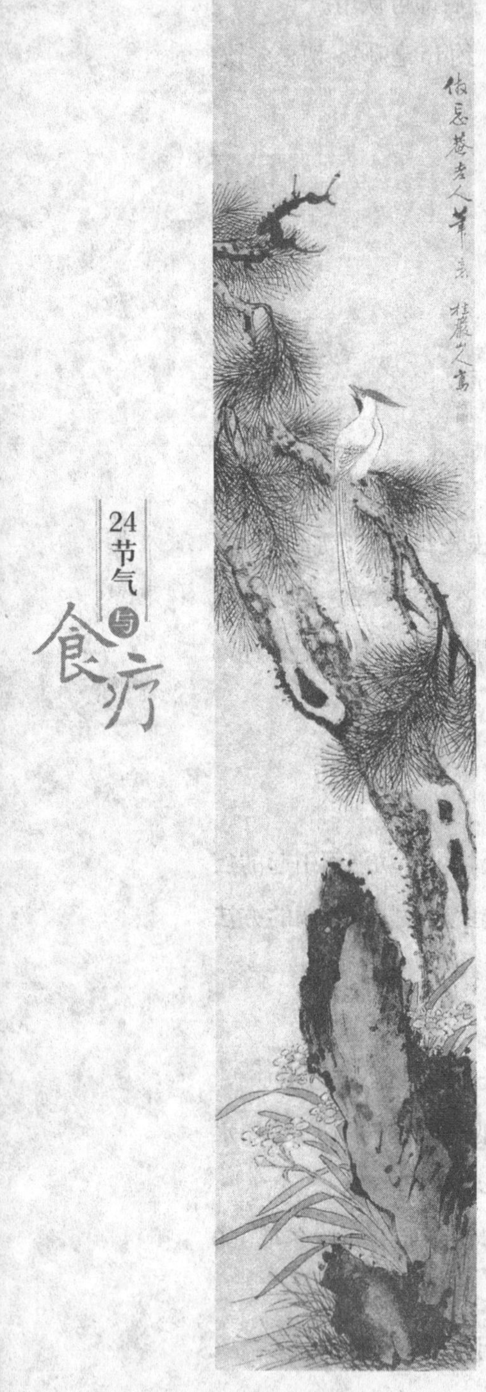

(2) 韭汁牛奶饮

【原料】生姜25克，韭菜250克，牛奶240毫升。

【制作】将生姜洗净切片，韭菜洗净切成2.5厘米长，然后一同捣烂，用洁净纱布包好绞汁。将汁放入锅中，再倒入牛奶，用文火加热煮沸2分钟即成。

【食法】早晚分食之。

【功效】温补肾阳。

(3) 韭菜炒虾仁鸡蛋

【原料】韭菜200克，大蒜10克，枸杞10克，鸡蛋2枚，鲜虾仁150克。

【制作】韭菜、大蒜洗净切粒，虾仁盐渍备用。韭菜、大蒜、枸杞、虾仁与鸡蛋拌匀，上油锅炒熟加盐即可。

【食法】佐餐顿食。

【功效】补肾壮阳。

(4) 芹菜汁

【原料】鲜芹菜2500克。

【制作】切碎捣烂，绞取汁水，煮沸。

【食法】每次60毫升，每日3次。常食。

【功效】治疗肾盂肾炎。

(5) 小米粥

【原料】小米50克。

【制作】加水按常法煮成粥。

【食法】每日早晚各吃1次，连吃月余。

【功效】可治肾炎。

(6) 陈蚕豆红糖饮

【原料】陈蚕豆(数年者最好)120克,红糖90克。

【制作】将带壳蚕豆和红糖放入砂锅中,加清水5杯,以文火熬煮至1茶杯服用。

【食法】喝此汤汁,1日1剂,连饮3个月。

【功效】补肾消炎。

十一、常见病的秋季六节气饮食疗法

"春生、夏长、秋收、冬藏"这是一年四季生物活动的规律,人体也不例外。在秋季六节气食补,供给身体需要的营养,能为"冬藏"做好充分准备。对于常见病,顺应秋季六节气特点,辨证地施以饮食治疗,能收到较好的效果,有利于防治。

1.心血管病的饮疗方法

心血管病为常见病主要包括高血压病、冠心病、脑血管意外、动脉粥样硬化等,严重危害人们的生命健康,秋季六节气饮食治疗心血管病的方法择优介绍以下几种:

(1) 丹参蜂蜜饮

【原料】丹参30克,蜂蜜40克。

【制作】将丹参洗净,晒干,切片,放水1000毫升,文火煎至500毫升,去渣留汁,兑入蜂蜜,调匀即成。

【食法】1日2次，分上、下午食用。

【功效】活血化瘀，扩张冠状动脉。

（2）刺五加酒

【原料】刺五加200克，低度白酒1000毫升。

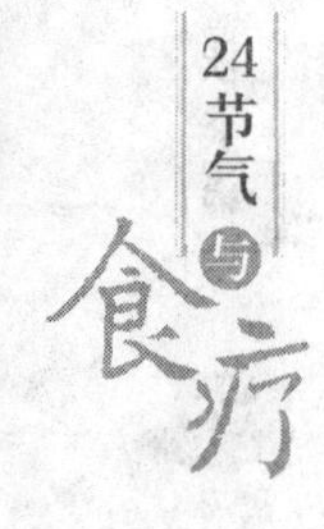

【制作】将刺五加洗净，晒干，研成粗粉末，浸泡于酒中，密封浸泡半个月即可。

【食法】每日1~2次，每次1小盅（约15毫升）。

【功效】补气养心，增加冠状动脉血流量。

（3）肉桂猪肾粥

【原料】肉桂粉1克，猪肾（腰）1对，粳米100克。

【制作】将猪肾洗净，剖开，去筋膜，切成小薄片。粳米按常法煮粥，至七八成熟时，加入猪肾，待粥将成时兑入肉桂粉，拌匀即可。

【食法】每日早晚空腹热食。

【功效】温补心肾。

（4）桃仁枣仁糊

【原料】桃仁300克，枣仁150克，蜂蜜150克。

【制作】将桃仁晒干、炒熟，捣烂研细。酸枣仁晒干，除壳，研成细末，与桃仁粉混合，兑入蜂蜜，搅匀即成。

【食法】每日2次，每次10克。

【功效】活血化瘀，养心安神，对心绞痛有治疗作用。

(5) 车前子粥

【原料】车前子15克，粳米50克。

【制作】用车前子与粳米煮粥，也可用冬瓜与粳米煮粥。

【食法】每天吃1次。

【功效】对心衰水肿者，有利尿消肿的功效。

2.阳痿的食疗方法

阳痿是男性生殖器痿弱不用，不能勃起，或勃起不坚，不能完成正常房事的一种病症。男性阳痿病的发病率在秋天常常高于其他季节。有人统计，1102例阳痿病人，有明显的季节变化者共有772人，其分布是：秋季386人，占50%；夏季116人，占15%；春季39人，占5%；冬季231人，占30%。这说明秋季阳痿病的发病率较高。

祖国医学认为此病与肝、肾、阳明三经有关，秋季六节气饮食治疗阳痿的方法择其要介绍如下：

(1) 枸杞豉汁粥

【原料】枸杞50克，豉汁50毫升，粳米100克。

【制作】先煮枸杞去渣取汁，再入粳米煮粥，待熟，下豉汁，搅拌，煮沸。随意食用。

【功效】益肝肾，和胃气。

(2) 莲子茯苓散

【原料】茯苓、莲子各90克。

【制作】二味共研粉，每服15克，每日2次，在每2餐之间空腹时用温开水送服。

【功效】补益脾肾，固精安神。

（3）二仙烧羊肉

【原料】仙茅15克，仙灵脾15克，生姜15克，羊肉250克，调料适量。

【制作】前三味装在布袋中，将袋口扎紧。羊肉切片，同药袋共煮至羊肉熟烂，去药袋，加盐、味精调味。食肉饮汤，每日2次。

【功效】补肾阳。

（4）牛奶玉液

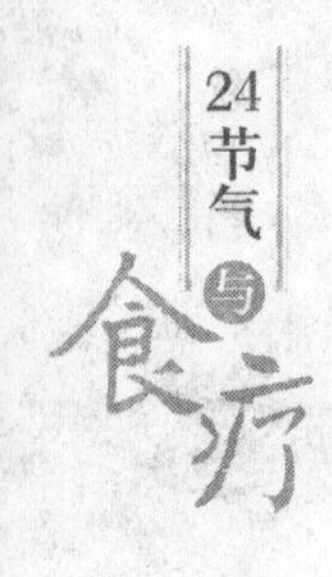

【原料】粳米60克，炸胡桃仁80克，生胡桃仁45克，牛奶200克，白糖12克。

【制作】先将粳米洗净，用水浸泡1小时捞起，滤干水分，和生胡桃仁、炸胡桃仁、牛奶、清水拌匀磨细，再用箩斗过滤取液待用。锅内注入清水烧沸，入白糖溶化后，将前滤液慢慢倒入，搅匀烧沸即成。随意饮用。

【功效】补肾壮阳,滋养润燥。适用于性功能低下。

（5）对虾酒（验方）

【原料】新鲜大虾1对，白酒（60度）250毫升。

【制作】虾洗净，置瓷罐中，加酒浸泡10天后用。每日随量饮用，酒尽后，虾烹食。

【功效】补肾壮阳。

（6）合欢酒

【原料】合欢皮600克，米酒或高粱酒3000毫升。

【制作】药切碎，和酒装入大口瓶中，密封存贮3个月，每晚饭前及睡前饮1～2杯。

【功效】强身，补精。

3.糖尿病的食疗方法

糖尿病是由于体内胰岛素分泌的绝对或相对不足而引起以糖代谢紊乱为主的全身性疾病。在饮食上要控制糖的摄入，宜清淡，忌肥厚，要多吃新鲜蔬菜水果。秋季六节气饮食治疗糖尿病的方法择优介绍如下：

（1）南瓜粉

【原料】南瓜1000克。

【制作】去蒂、瓤及籽，连皮切成薄片，晒干或烘干，研成细粉，装瓶备用。

【食法】每日2次，每次20克，温开水送服。

【功效】益气润肺。

（2）猪胰粉

【原料】猪胰1具。

【制作】洗净，用文火焙干，或切片烘干，研成细末，装瓶备用。

【食法】每日3次，每次餐前半小时食用5克，温水送服。

【功效】滋阴润燥，益气补肾。

（3）山药饼

【原料】淮山药50克，面粉100克，鸡蛋1枚，葱、盐、麻油少许。

【制作】将山药研成细粉，与面粉拌匀，

兑入去壳的鸡蛋搅拌均匀，加入葱末、精盐、芝麻油少许，和成面团，在加油的平锅上煎成薄饼。

【食法】上、下午分食。

【功效】益气养阴，降低血糖。

（4）山药烧兔肉

【原料】淮山药30克,兔肉100克,黄酒10克,生姜6克，葱3克，酱油适量，味精少许。

【制作】山药洗净、切块。将去骨兔肉洗净、切块。锅烧热后加菜油适量，下兔肉块反复翻炒。再下姜、葱等调料，烹以酱油、黄酒，放入山药块炒匀，加适量清水，用小火煨煮至熟即成。

【食法】佐餐顿食。

【功效】降血糖益肾气。

（5）苦瓜炒肉丝

【原料】苦瓜250克,瘦猪肉50克。

【制作】苦瓜洗净，切片。猪肉洗净，切丝，与苦瓜片同入油锅炒，加葱、姜、精盐、味精等调料，急火熘炒至肉丝熟即成。

【食法】佐餐当菜，随意食用。

【功效】养阴清热，尤适用于Ⅱ型糖尿病人食用。

4.更年期综合症的食疗方法

更年期是女性卵巢功能逐渐衰退到最后消失的过渡时期,这个时期出现的一系列以植物神经功能失调为主的

症候群,称为更年期综合症。秋季六节气饮食治疗更年期综合症的方法择优介绍如下：

（1）芡实核莲粥

【原料】芡实、核桃仁各20克（研碎），莲肉15克，粳米30克。

【制作】加水煮粥,少入白糖调味。

【食法】日服2次。

【功效】补肾益气，安神养心。

（2）清蒸甲鱼枸杞

【原料】甲鱼1只,枸杞45克。

【制作】甲鱼去内脏，枸杞放入甲鱼腹内，加葱、姜、盐、料酒等清蒸。

【食法】作菜肴食用。

【功效】清热去湿，滋阴补血，强筋健骨。

（3）阿胶糯米粥

【原料】阿胶30克,紫糯米100克,红糖30克。

【制作】将糯米淘洗干净。锅中加水800毫升，沸后，将糯米倒入，再沸几滚后，改小火煮粥，直至米烂；再将阿胶和红糖入粥中，继续煮至溶化拌匀即可。

【食法】佐餐，每日1次，连服1月。

【功效】补血，滋阴，益气，养肝，止血，润燥，调经。

(4) 酸枣仁粥

【原料】酸枣仁30克，粳米60克。

【制作】先煎枣仁取汁，加入粳米煮粥。

【食法】连服10天。

【功效】养肝、宁心、安神、敛汗。

【禁忌】腹泻便溏者忌食用。

(5) 百合拌蜂蜜

【原料】生百合50克，蜂蜜适量。

【制作】将百合与蜂蜜拌合蒸熟。

【食法】睡前适量食之。

【功效】安益心神。

(6) 豆浆白果饮

【原料】豆浆2碗，白果5个（砸碎）。

【制作】豆浆、白果文火煎煮即可。

【食法】代茶饮。

【功效】健脾止带。

冬季篇

冬季六节气的饮食进补

冬季六节气是指立冬、小雪、大雪、冬至、小寒、大寒，其时节草木凋零，冰冻虫伏，自然界万物闭藏。顺应其时节，人体的阳气也要潜藏于内，也就是说人们在冬季要保持精神安静，控制自己的精神活动，把神藏于内，而不要暴露在外。因此，冬季养生，要着眼于“藏”。“神藏于内”，可以有效地增强抗病能力，有益身心健康。一般来说，在冬季六节气欲达到“藏”之养生目的，饮食上要多吃富含维生素C的新鲜蔬菜水果，以及富含维生素B_1、B_2的豆类、乳类、花生、动物内脏等，饮食宜减咸而增苦，以养心气。

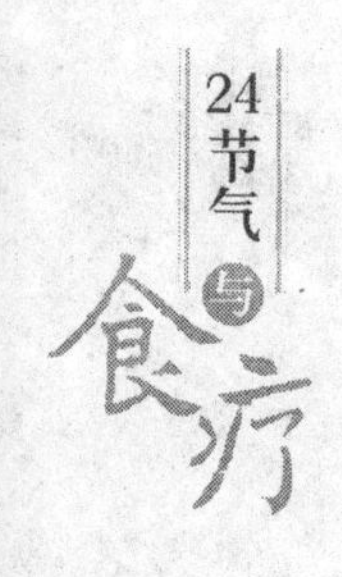

一、冬季六节气饮食进补的基本原则

冬季六节气饮食进补的基本原则是要顺应体内阳气的潜藏，以敛阳护阴为根本，以保证生命活动适应自然界的变化。具体讲饮食进补应遵循以下4项基本原则。

1.增加热量

冬令时节，寒气逼人，人体的生理活动需要更多的热能来维持。中医学认为，冬季应是人体阳气潜藏的时候，也就是说，人体的生理活动因冬季气候特点的影响而有所收敛，并将一定能量贮存于体内，以为来年的"春生夏长"做好准备。与此同时，又要有足够的能量来维持冬季热能的更多支出，提高机体的抗病能力。

现代营养学研究证实，在低温条件下，人体热能消耗有明显增加，主要是由于基础代谢增高、出现寒战及其他不随意运动、防寒服装负担及其

限制活动所引起的能量代谢率上升所致，这些都已得到生化代谢方面的证明，如甲状腺功能增强、去甲肾上腺素与肾上腺素分泌增加而提高氧的摄取量等。热能消耗增高的幅度则常因实际曝寒情况而有较大出入。有国外报告说，同一劳动强度的人每日热能需要量在33℃时为12958千卡焦，而在−35℃时则增加到20482千焦。有人对我国50年代南方、中部和北方居民的热能需要量的调查分析表明，除体格因素外，由于环境温度的影响，北方比中部和南方居民热能需要量分别高出5%和7%～8%。

2.少食咸，多食苦

冬季六节气在饮食调养方面，中医认为应少食咸，多吃点苦味的食物，道理是冬季为肾经旺盛之时，而肾主咸，心主苦，从祖国医学五行理论来说，咸胜苦、肾水克心火。若咸味吃多了，就会使本来就偏亢的肾水更亢，从而使心阳的力量减弱，所以应多食些苦味的食物，以助心阳，这样就能抗御过亢的肾水。正如《四时调摄笺》里所说：“冬月肾水味咸，恐水克火，故宜养心。”

3.适当“吃冷”有益健康

在严寒的冬季里，若能适当地吃些冷饭、凉菜和喝些凉开水，不但对

身体无害反而会有益。主要方式有：

(1) 去“火”

人体肺腑火盛无论冬夏均可产生，而冬天“上火”的现象似乎还更多。冬天外界气候虽冷，但人们穿的厚，住的暖，活动少，反而会造成体内积热不能适时散发，再加上冬令饮食所含热量较高，所以很容易导致胃肺火盛。但冷饮只能起到带走体内一部分热量的作用，治表不治根，所以不妨再吃些性冷的食物，如萝卜、莲子、松花蛋等。

(2) 吃点凉菜

冬天人们喜吃油脂多、高热量的食品，而又活动少，易发胖，吃些凉菜，它迫使身体自我取暖，这会消耗一些脂肪，从而达到减肥目的，确保健康。

(3) 喝凉开水

俄罗斯学者研究证实，喝凉开水对人体好处极大，若能经常饮用凉开水，有预防感冒、咽喉炎和某些皮肤病之效。科学研究表明，一天中定时喝杯凉开水是一种简单有效的养生保健法。尤其是早晨起床喝杯凉开水，能使肝肌解毒力和肾脏排洗能力增强，促进新陈代谢，加强免疫功能，有助于降低血压预防心肌梗死。

4.因人而异，辩证施食

人的体质各异，其阴阳盛衰、寒热虚实偏差相当大，因此，冬季六节气饮食亦应因人而异，辩证施食。阴虚之人应多食补阴食品，如芝麻、糯米、蜂蜜、乳品、蔬菜、水果、鱼类等清淡食物；阳虚之人应多食温阳食品，如韭菜、狗肉等；气虚者应食人参、莲肉、山药、大枣等补气之物；血虚者应食荔枝、黑木耳、甲鱼、羊肝等；阳盛者宜食水果、蔬菜、苦瓜，忌牛羊狗肉、酒等辛热之物；血瘀者宜多食桃仁、油菜、黑大豆等；痰湿者多食白萝卜、紫菜、海蜇、洋葱、扁豆、白果等；气郁者少饮酒，多食佛手、橙子、柑皮、荞麦、茴香菜等。

冬季六节气饮食还应随职业不同而进行调整。脑力劳动者平常应适当吃些健脑补脑的食品，如核桃、芝麻、金针菜、蜂蜜、豆制品、松子、栗子等。不宜多吃糖和脂肪，否则易造成体脂过多、身体肥胖。

二、冬季六节气宜食食物

严冬时节万物闭藏，人体也处于阳气潜藏的时期，故要养肾防寒，在饮食方面要少食咸味食物，多食苦味食物。在饮食上要力加强营养，增加热量。如能经常食用御寒的食物，对增加强人体的抗寒防病能力，将大有裨益。

1.粮食类宜食食物

(1) 芝麻

芝麻性平，味甘。富有脂肪、蛋白质、糖类、芝麻素、维生素、卵磷脂、叶酸、烟酸、醇、钙、铜等营养成分，有滋补肝肾、强身壮体的功效，是传统冬季滋养强壮品。用于眩晕、健忘、须发早白、腰膝酸软的治疗和补养。芝麻还有润养脾肺，益气之功，对干咳、皮肤干燥、便秘、产后乳少等均有疗效。因此，传统中医认为，芝麻能除痼疾、返老还童、长生不老。

(2) 玉米

玉米营养丰富，含有人体所需的各种营养成分，所含蛋白质、脂肪都比精米、精面高，特别是所含脂肪——玉米油中50%以上为亚油酸，还含有卵磷脂和维生素A、E等，亚油酸能使血液中的胆固醇保持正常，防止胆固醇向血管壁沉淀，对防止高血压、冠心病有积极作用。有人做过实验，我们日常食用的大米，蛋白质利用率仅有58%，如果以2／3大米，加入1／3玉米，其利用率可增加至71%，这种现象被称为“蛋白质互补作用”。同时在玉米的胚芽中，含有大量的维生素E和不饱和脂肪酸，具有增强机体新陈代谢，调整神经系统功能作用，但值得注意的是，成熟的玉米所含淀粉较多，蛋白质较少，营养价值不如六七成熟的嫩玉米，因此有专家把嫩玉米称“玉米黄金”、“玉米胎盘”。冬季食用玉米有利于预防心血管疾病。

(3) 红薯

红薯，在世界上不少国家称它为“长寿食品”。

红薯中除了含有糖、蛋白质、脂肪、维生素等多种人体必需的营养物质外，还含有糖蛋白的混合物，属于胶原和粘液糖类物质。这种物质能增进健康，防止疲劳，使人精力充沛。还可以防止动脉血管壁的弹性减弱，

减少皮下脂肪堆积，预防肥胖症，可防止肝、肾中结缔组织萎缩；可与无机盐结合成骨质，使软骨保持一定弹性，对预防胶原性疾病有一定的功效。为冬季减肥常用食品。

(4) 高粱

高粱味甘、涩，性温。为禾本科植物蜀黍的种仁，含蛋白质、磷、碳水化合物等。具有温中，利气，止泻，祛风顽痹的功能。是冬季食物。

2.肉蛋奶水产类宜食食物

(1) 酸牛奶

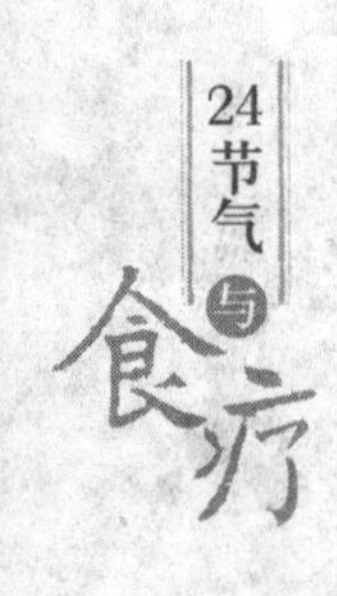

与新鲜牛奶相比，突出差别在于含有大量乳酸。其优点是：使乳蛋白形成微细的凝乳，变得更易消化；能刺激胃壁蠕动，促进胃液分泌，增强消化机能；可提高钙、磷、铁的利用率。此外，还可维持肠道细菌群的平衡。研究表明，常食酸奶可延缓衰老、预防癌症，是不可多得的冬季保健食品。

(2) 带鱼

味甘、咸、性微温。含丰富的蛋白质及其他矿物质。具有补益气血、滋养肝脏的作用，用于产后乳少、气血虚的补养以及肝炎的调养。此外，带鱼还有止血的功能。对于过敏体质和患有过敏性疾病者应慎食。冬季食用有利于滋补肝肾。

(3) 甲鱼

俗称王八。味甘，性平。含丰富的蛋白质，钙、磷、铁及维生素A。自古为滋补佳品。能补益阴液，可治疗肝肾阴虚的

潮热、腰痛、崩漏等病症；还能治疗气虚所致的脱肛；此外，甲鱼可提高机体免疫能力，抑制肿瘤细胞的生长。冬季食用吸收较好。

(4) 鲫鱼

味甘，性温。有补虚损强身体、滋补脾胃、去湿利尿之功效。可用于劳倦引起的身体瘦弱、倦怠无力、抵抗力低下的补养；还可用于食欲不振、消化不良、呕吐、乳少、子宫脱垂、四肢无力等病症的调养。此外，对慢性肾小球肾炎水肿和营养不良性水肿的疗效很好。为冬季滋补佳品。

(5) 狗肉

味甘，咸，性温。具有温补脾肾，补肾助阳之功效。为冬季滋补佳品。可用于脾胃虚寒，胀满食少；肾气不足，腰膝软弱，肢体欠温，夜尿多，脾虚水肿等症。本品加红辣椒、生姜、橘皮、花椒、食盐炖食，可治疗脾肾阳虚，体倦少食，胃脘有冷感，四肢欠温，夜尿多等。

(6) 鸭蛋

味甘、咸，性凉。滋阴润肺养胃，用于肺胃阴虚的咳嗽痰少、咽干、便秘等的补养和治疗。但本品性凉，脾胃虚寒的腹冷痛、泄泻忌用。

(7) 牛肉

味甘，性平。食牛肉比猪肉好，营养丰富，蛋白质含量比猪肉高一倍，对血管硬化、冠心病、糖尿病的人，有补脾胃、益气血、强筋骨和消水肿的作用。用于虚损羸瘦、脾虚食少、水肿、筋骨不健、腰膝酸软等。与山药、莲子、茯苓、小茴香、大枣等同用，可治脾胃虚弱、气血不足、虚损羸瘦、体倦乏力等。

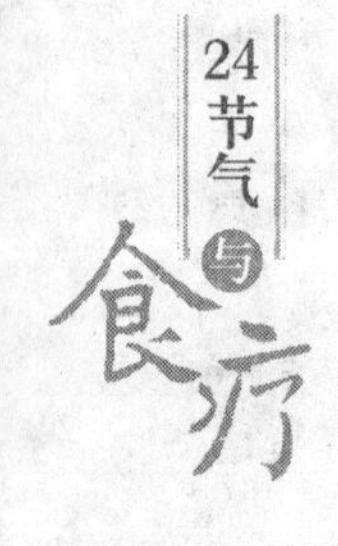

3.蔬菜类宜食食物

(1) 油菜

为十字科植物油菜的嫩茎叶和豆花梗，内含碳水化合物、钙、磷、铁及维生素类。

中医认为，油菜性温、味辛，功能清热解毒，散血消肿。适用于劳伤吐血、产后淤血、便秘、乳痈、体虚力弱等症。

(2) 茴香菜

茴香一般多做馅食用，含有挥发油、纤维素等。

中医认为，其性温，味甘、辛，为温里健胃养生食品，适用于寒性体质、胃弱食少者食用。

(3) 刀豆

每100克刀豆中含蛋白质30.7克，脂肪1.2克，淀粉53.1克，钙164毫克，磷209毫克，铁10.5毫克。

中医认为，刀豆性温，味甘，功能温中下气、益肾补元，适用于虚寒呃逆、肾虚腰痛、小儿疝气等症。

(4) 大白菜

大白菜是大江南北的主要蔬菜。过去在北方，由于新鲜蔬菜少，大白菜则是过冬的当家蔬菜。不过大白菜吃法有很多，不仅可炒、炖、凉拌、作馅，还可盐制成酸菜、泡菜、辣白菜等。

虽然白菜营养价值不算高，它的维生素、矿物质含量也属一般，但它含有丰富的纤维素。纤维素被现代营养学家称之为“第七营养素”，能刺激肠蠕动，促进大便排泄，帮助消化，对预防结肠癌有良好的作用。

(5) 海带

海带的营养丰富，含蛋白质、碳水化合物、铁、钙。还含有胡萝卜素、维生素B、维生素C、D和盐酸等。海带尤以含碘丰富而闻名，是补碘的最佳食品。食物中的碘在肠道内转化成无机碘后大部分进入血液，血液中的碘则绝大部分作为原料在甲状腺内合成甲状腺素。甲状腺素的生理功能广泛，它直接影响机体的发育、组织分化、物质代谢和多种器官、系统的功能。在缺碘地区，由于合成甲状腺素的原料不足，甲状腺失去代偿功能，可引起地方性甲状腺肿。

海带富含多种雄生素，如维生素C、维生素A、维生素B、维生素B_2、维生素B_6、维生素B_{12}等,因为海带常做凉菜,在加工过程中维生素的损失很少，是补充维生素的良好途径。

4.水果类宜食食物

(1) 栗子

又名板栗、毛栗等，主要分板栗、锥栗、茅栗三种，素有“干果之王”的美称。是一种物美价廉、富有营养的滋补品。每百克含蛋白质4克，碳水化合物39.9克,钙15毫克,磷77毫克,铁1.5毫克，维生素C60毫克，热量727.8千焦耳。栗子是一种补养治病的良药。栗子性味甘温，入脾、胃、肾三经，有养胃、健脾、补肾、壮腰、强筋、活血、止血、消肿等功效，适用于肾虚所致的腰膝酸软、腰脚不遂、小便多和脾胃虚寒引起的慢性腹泻及外伤骨折、瘀血肿疼、皮肤生疮、筋骨痛等症。中医认为：“肾主骨，腰为肾之府。”所以，腰腿酸软无力，主要是肾虚所造成，栗为肾之果，能益肾，食之自然有效。由于栗子生食难消化，熟食又易滞气，故一次不宜吃得太多，凡遇脾虚消化不好、温热甚者不宜食用。

(2) 大枣

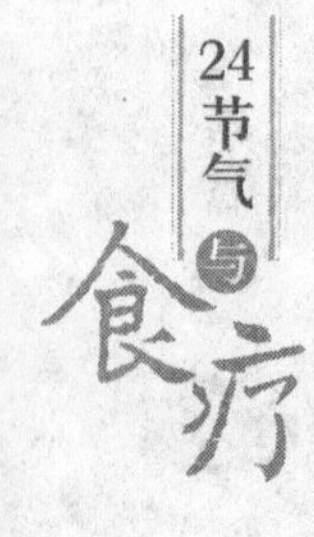

大枣的营养非常丰富。大枣内含较多的糖（鲜枣含糖量达20%~36%，干枣高达80%以上，比甘蔗、甜菜还要高)、蛋白质、脂肪、淀粉、维生素A、B_2、C、P（维生素C含量在水果中名列前茅,有人称大枣为“天然维生素丸”，就是因其所含维生素C居百果之首。比苹果、桃高100倍，比梨高140倍。维生素P含量为百果之冠）及胡萝卜素、单宁、硝酸盐、有机酸和磷、钙、铁等物质。有提高体内单核吞噬细胞系统的吞噬功能、保护肝脏、增强肌力和增加体重等作用。大枣不但口感好,并且滋补入药,对人体有着很好的养颜益寿、祛病延年的保健价值。中医认为,大枣味甘性平无毒,向来把它当作清润补品。道家也把枣作为养生佳品。

(3) 核桃

在我国有“长寿果”之称，其义有二：

一是说核桃树本身寿命长，可连续存活和结果数百年之久；二是讲其果肉营养丰富，于人有强肾补脑之功，可使人长寿。古代俄罗斯人称它为“大力士吃的食品”。《食疗本草》记载：“核桃通经脉，润血脉，黑须发，常服骨肉细腻光润。”我国历代医家都认为核桃是一种很好的滋补食品，凡病后虚弱、营养不良，神经衰弱、便秘、动脉硬化者，每天吃几个核桃有助于恢复健康。核桃除可供生食或制作糕点、糖果之外，亦可用于烹调做菜，如“核桃鸡丁”、“核桃肉丁”，是值得一吃的滋补饮食。

(4) 龙眼

龙眼又叫桂圆，性味甘、温，能益心脾，补气血，安心神。其肉味甘美，为大众所喜食，李时珍说：“食品以荔枝为贵，而补益则龙眼为良”，经试验，龙眼肉还有一定的抗衰老作用，因为它能抑制使人衰老的一种酶的活性。梁代陶弘景在《名医别录》中指出：“久服轻身不老”，说明龙眼是不可多得的抗老补品。中医认为，龙眼肉为补血益心之佳果，是益脾长智之要药。因其味甘类大枣，入脾经，治脾病功胜大枣，且又无大枣壅气之弊；龙眼在补气润气之中，又有补血作用。

三、立冬进补食谱

冬季是饮食进补的最好季节，民间有“冬季进补，春天打虎”的谚语。冬季六节气饮食进补，应该遵循前面所讲的冬季六节气饮食进补的四项基本原则，以食用滋阴潜阳，热量较高的饮食为主，注意营养素的全面搭配与平衡吸收。立冬是进入冬季的第一个节气，顺应其时节进补的食谱如下。

1.菜肴类进补食谱

（1）炒双菇

【原料】水发香菇、鲜蘑菇等量，植物油、酱油、白糖、水淀粉、味精、盐、黄酒、姜末、鲜汤、麻油适量。

【制作】香菇、鲜蘑洗净切片，炒锅烧热入油，下双菇煸炒后，放姜、酱油、糖、黄酒继续煸炒，使之入味，加入鲜汤烧滚后，放味精、盐，用水淀粉勾芡淋上麻油，装盘即可。

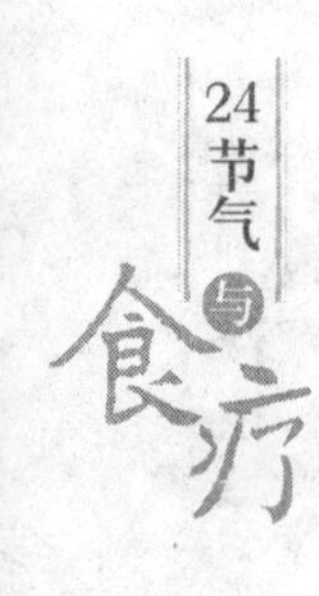

【功效】补益肠胃，化痰散寒，增强机体免疫功能。

（2）麻油拌菠菜

【原料】菠菜1斤，食盐、麻油适量。

【制作】菠菜洗净，开水焯熟，捞出入盘，加入适量食盐，淋上麻油即可。

【功效】通脉开胸，下气调中，止渴润燥。

（3）二麻炖猪大肠

【原料】升麻15克，黑芝麻100克，猪大肠1段（约200克），姜、葱、

盐、绍酒各适量。

【制作】将猪大肠洗净，把升麻、熏芝麻装入大肠内，

放入锅中，加姜、葱、绍洒、水适量；将锅置武火上烧沸，再用文火炖3小时即成。

【功效】活血通脉，固肾益精。

【禁忌】脾胃湿滞、大便稀烂、舌苔腻者，不宜食用。

（4）归参炖母鸡

【原料】当归15克，党参30克，淮山药30克，母鸡1只（约1000克），葱、生姜、料酒，食盐各适量。

【制作】将母鸡宰后去毛及内脏，洗净；将当归、党参、淮山药放入鸡腹内，置砂锅中，加入葱、生姜、料酒、食盐、清水适量。武火煮沸，改用文火煨炖，至鸡肉熟软即可。每天1剂，分早、晚食，连用3～5剂。

【功效】补气益肾，养血安神，和肝养胃。

2.汤羹类进补食谱

（1）人参粥

【原料】人参粉3克，粳米100克，冰糖适量。

【制作】将粳米淘净，放砂锅内，人参粉（或片）放入锅中，加水适量。将锅置武火上烧开，移文火上煎熬至熟。将冰糖放入锅中，加水适量，熬汁。待粥熟后，徐徐加入冰糖汁，搅拌均匀即成。

【禁忌】制作中，忌用铁器。

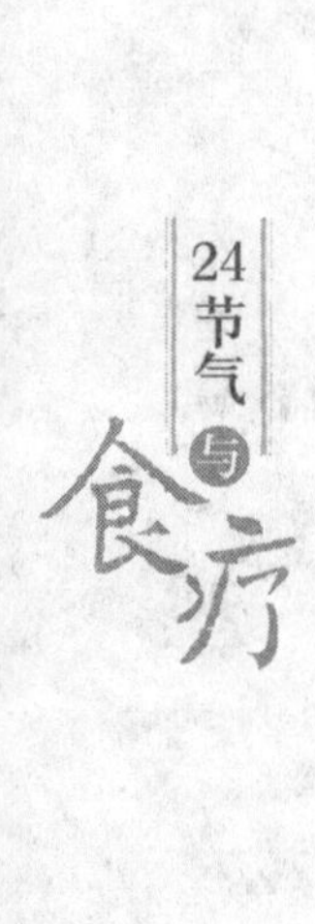

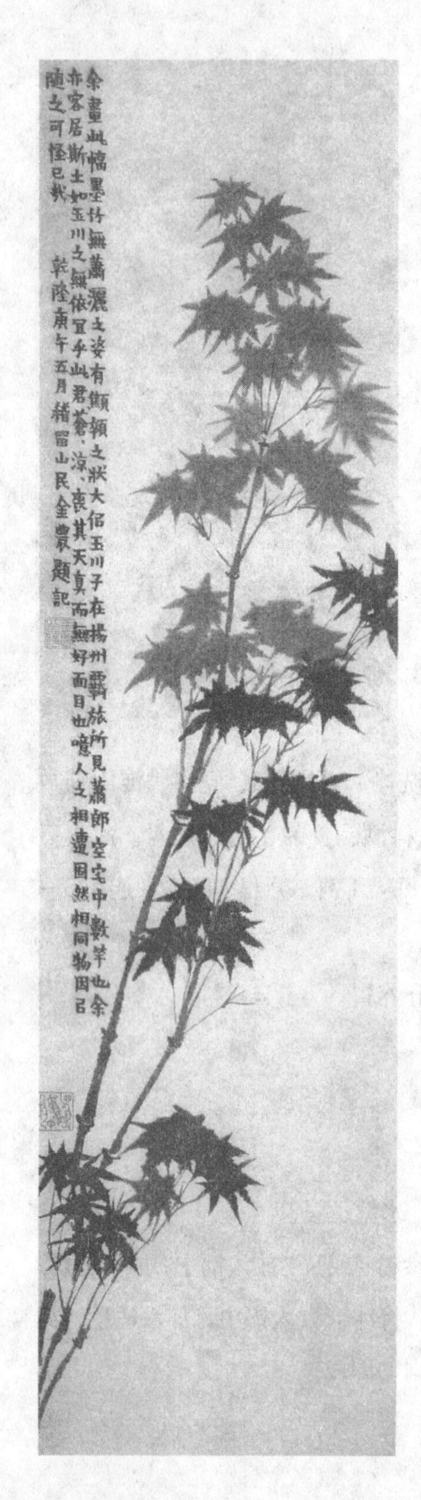

（2）红枣糯米粥

【原料】山药40克，薏苡仁50克，荸荠粉10克，红枣5克，糯米250克，白糖25克。

【制作】将山药、薏苡仁、红枣等除去杂质。将薏似仁淘洗后，下入锅内，加清水适量，置火上煮至薏苡仁开花时，再将糯米、红枣淘洗干净下入锅内，煮至米烂汤稠即成。待米煮烂时，将山药打成粉，边撒边搅放入锅内，约隔2分钟后，再将荸荠粉撒入锅内，搅匀后，停火。

【功效】补中益气，健脾除湿。

（3）高粱粥

【原料】桑螵蛸20克，高粱米100克。

【制作】持桑螵蛸用清水煎熬3次，过滤后，收集滤液500毫升。将高粱米淘洗干净，放入锅内，掺入桑螵蛸的汁，置火上煮粥，与高粱米煮至熟烂即成。

【功效】健脾补肾，止遗尿。适用于肾不足营养失调、尿频等症。

（4）红枣粥

【原料】红枣10个，粳米100克，冰糖20克。

【制作】粳米淘洗干净，红枣洗净，放入锅中，将锅置武火上煮沸后，再用文火煎熬至熟即成。

【功效】健脾益气，补血益胃。

（5）二乳粥

【原料】鲜羊奶150克，鲜牛奶100克，粳米100克，白糖50克。

【制作】将粳米淘洗干净，放入锅内，加水适量，置武火上烧沸，再用文火煮至熟烂。在粥锅内加入白糖、牛奶、羊奶，烧沸即成。

【功效】补虚损，润五脏。

（7）姜羊肉汤

【原料】当归30克，生姜30克，羊肉500克。

【制作】当归、生姜清水洗净顺切大片备用，羊肉剔去筋膜，洗净切块，入沸水锅内焯去血水，捞出晾凉备用。砂锅内放入适量清水，将羊肉下入锅内，再下当归和姜片，在武火（大火）上烧沸后，打去浮沫，改用文火（小火）炖1.5小时至羊肉熟烂为止。

【功效】温中，补血，散寒。

3.饮料类进补食谱

（1）甘蔗马蹄饮

【原料】红皮甘蔗500克，马蹄（荸荠）250克。

【制作】将甘蔗去皮，压榨取汁1杯。马蹄洗净，压榨取汁。将马蹄汁倒入甘蔗汁中，混合即成。

【功效】清热利尿，生津止渴，止咳化痰。

【禁忌】血虚、胃寒呕吐、中满滑泄者忌饮用。

(2) 善蔗饮

【原料】甘蔗500克，生姜10克。

【制作】将甘蔗、生姜洗净后去皮，切成小块，分别将甘蔗，生姜榨汁。将生姜汁滴入甘蔗汁内，搅和后即可饮用。

【功效】和胃止呕，清热解毒，发汗解表。

【禁忌】脾胃虚寒者忌饮用。

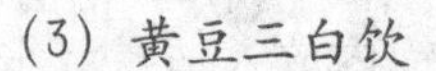

(3) 黄豆三白饮

【原料】黄豆30克，葱白3根，白菜头1个，白萝卜5片。

【制作】以上4味分别洗净，放入锅中，加水适量，先用大火煮沸，再用小火慢煎，去渣取汁，即成。

【功效】祛风散热，活血解毒。

【禁忌】外感严重、内热盛者不宜饮用。

(4) 首乌酒

【原料】制首乌15克，生地黄15克，白酒1000毫升。

【制作】将首乌洗净闷软，切成约1厘米见方的块；生地黄洗净切成薄片，待晾干水气。将两物下入酒坛中，再入白酒搅匀，封严坛口侵泡，每隔2～3天，开坛搅拌1次，漫泡10～15天后，开坛滤去药渣即成。每次服15～30毫升，每日2次，常服。

【功效】滋阴补阳，益气活血，固本扶元。

【禁忌】脾胃湿盛、腹满便溏者，不宜饮用。

(5) 西洋参酒

【原料】西洋参50克，白酒500克。

【制作】将西洋参切片，放入盛有白酒的瓶中，浸泡半月即可。

【功效】益气，滋阴，清热。

【禁忌】体质虚寒者忌饮用。

四、小雪进补食谱

小雪时节，天虽已积阴,却寒未深、雪未大。人体的生理机能也与之相应,新陈代谢处于相对缓慢的状态。顺应这个节气的进补食谱主要有以下几类。

1.菜肴类进补食谱

(1) 芝麻兔

【原料】整只兔子，黑芝麻、姜、葱、花椒、盐、味精、香油适量。

【制作】兔子洗净开水煮沸5分钟捞出，黑芝麻炒香待用，锅内放入清水烧开后，把姜、葱、花椒、盐投入，再将兔子放入同煮至六成熟捞出，汁不用，锅内重新倒入卤汁烧沸，下入兔子卤熟捞出切块放入盘中，加上

味精、香油，撒上黑芝麻即可食用。

【功效】安神养气，固本扶元，补益气血。

(2) 灵芝炖猪蹄

【原料】灵芝15克，猪蹄1只。料酒、精盐、味精、葱段、姜片、猪油。

【制作】将猪蹄去净毛后洗净，灵芝洗净切片。锅放猪油，烧热加葱姜煸香，放入猪蹄、水、料酒、味精、精盐、灵芝，武火烧沸，改用文火炖至猪蹄熟烂。即可食之。

【功效】滋阴壮阳,活血通络。

(3) 柠檬汁煨鸡

【原料】童子鸡1只，柠檬2只，白糖、麻油、盐、味精适量。

【制作】童子鸡宰杀去毛及内脏，洗净切块，锅放油，烧滚后煎鸡块至金黄色，加入清水半碗；再将柠檬取汁同白糖，麻油、盐各适量放入锅内，盖好盖用文火煨半小时

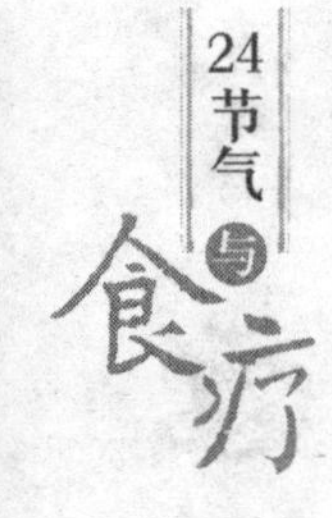

【功效】滋阴壮阳,补益肾气。

(4) 刀豆炒腰花

【原料】刀豆250克，猪腰子1副，黄酒、精盐、味精、白糖、葱、姜、湿淀粉各适量。

【制作】将刀豆撕去筋，洗净后切成片；猪肾撕去衣膜，居中对剖去腰臊，用沸水淋冲后剞花切成薄片，加黄酒、精盐腌15分钟，拌上湿淀粉。

炒锅上火，放油烧热，先爆葱姜，再下腰片滑熟盛起；刀豆下油锅煸炒至透，加水少许煮沸，调味再焖煮3分钟，下腰片拌和，用湿淀粉勾薄芡，出锅即成。

【功效】温中下气，益肾补元,壮阳固精。

【禁忌】内热湿浊内阻者不宜。

（5）三套鸭

【原料】光鸭1只（约2000克），光野鸭1只（约750克），光鸽1只（约350克），笋片125克，火腿片350克，冬菇30克，料酒60克，盐6克，葱结30克，姜块20克。

【制作】用刀将鸭子从宰口处剁断颈骨，再在鸭颈与翅膀处划一刀，拉出颈骨，然后用力翻出鸭皮，割开鸭肉与鸭骨连接处，使骨肉脱节，一直割到大腿末端，留下小腿关节骨，其余骨头都剔尽，挖出内脏，入沸水烫去污血，洗净，再把鸭翻成原状。野鸭、菜鸽以同样方法剔除骨头，入开水中焯后洗净；再将野鸭、鸽子入沸水烫洗一下，取出后把鸽子由野鸭出骨口处套入野鸭腹中，再在鸽腹中放入冬菇10克、火腿片60克、笋片20克；然后，将“腹中怀鸽”的野鸭套入肥鸭腹中，再放入冬菇10克、火腿片90克、笋片50克，把腹部切口合拢闭紧，再将套好的鸭子入沸水锅煮烫一次。

在砂锅内垫上竹垫，把鸭胸脯朝下放在竹垫上，再放入葱、姜、料酒，加满水，盖上盖子，用大火煮开，再改小火炖3小时，把鸭子翻身，去竹垫，投入余下的冬菇、火腿、笋片，再焖半小时，加盐，去葱、姜即可。

【功效】滋肾养胃，补中益气，利水消肿。

【禁忌】受凉而引起胃口差、腹部冷痛、腹泻清稀、痛经者等暂时不宜食用；野鸭不可与黑木耳、胡桃、豆豉同食。

（6）三鲜素海参

【原料】水发黑木耳100克，水发冬菇50克，熟竹笋50克，熟菜花50克，甜椒50克，素鸡50克，生油、酱油、味精、白糖、料酒、姜末、湿淀粉、盐适量，玉米粉少许。

【制作】将水发黑木耳洗净沥干，同玉米粉、盐、味精、水拌成烂面团。将冬菇洗净去蒂，切成片状，熟笋、素鸡切成滚刀块，熟菜花切成栗子大小的块，甜椒洗净后去籽，切成片待用。

用刀把面糊刮成手指形，逐条下到油锅中，氽成海参形，备用。炒锅置大火上，放油烧到七成热，将全部配料放入锅内，煸炒后，即加姜末、酒、酱油、白糖。烧沸后，加素海参、味精，用湿淀粉勾芡，起锅装盘即成。

【功效】益气补虚，和中化湿。

（7）干烧四宝

【原料】净冬笋、四季豆、蘑菇、咸菜各50克，生油80克，酱油15克，绵白糖30克，绍酒25克，味精2克，干淀粉24克，麻油8克，清汤少许。

【制作】将冬笋洗净切成4厘米长，1.5厘米宽的小条块。四季豆洗摘成5～6厘米长段。蘑菇切成2～4

块洗净。把咸菜放入清水中浸泡15分钟，洗净沥干切碎，然后撒上干淀粉拌匀。冬笋、蘑菇、四季豆一起放入盛器，下绍酒、酱油、味精拌匀，腌4分钟。

将炒锅置火上，下生油烧至八成热，将冬笋、蘑菇和四季豆入锅炸至分别呈黄、绿色，捞出沥油。油锅续烧至八成热，再下咸菜炸至水分去净捞出。最后锅内留余油，将冬笋、蘑菇、四季豆和咸菜一起入锅，加清汤少许，加绵白糖、味精炒匀，颠翻几下，淋上麻油，出锅装盘即可。

【功效】健脾益肾，补气养胃，降气止呃，清热化痰。

【禁忌】胃热内盛、消化不良、大便溏薄者不宜多食。

2.汤羹类进补食谱

（1）颜容粥

【原料】香蕉2个，蛋黄1个，胡萝卜150克，牛奶10克，苹果150克，蜂蜜适量，粳米100克。

【制作】粳米煮粥，香蕉、胡萝卜去皮，苹果去皮核，均剁成细泥，将牛奶、蛋黄、蜂蜜在一起搅匀，同入煮熟的粥内，再稍煮，即可。

【功效】补肾通络，活血养颜。

（2）银杞明目粥

【原料】银耳15克，枸杞10克，鸡肝100克，茉莉花10克，调料适量，粳米50～100克。

【制作】银耳水发后撕成小片，鸡肝切薄片，粳米煮粥，待粥六分熟放入银耳、鸡肝、枸杞，继续煮至将熟，再下调料，如姜、盐、味精和茉莉花。每日1次服食。

【功效】安心养神，益气明目。

（3）生菜萝卜豆腐汤

【原料】生菜500克，白萝卜500克，豆腐200克，猪瘦肉300克，精盐适量。

【制作】将生菜、白萝卜、豆腐、猪瘦肉分别用清水洗净。生菜去头；白萝卜切成块，猪瘦肉切成片，备用。

取汤锅上火，加清水适量，用大火煮沸，下入生菜、白萝卜、豆腐和猪瘦肉，改用中火继续沸滚至猪瘦肉熟透，加入精盐适量，即成。

【功效】清热解毒，消积滞，化热痰。

【禁忌】脾胃虚寒、身体虚弱之人不宜服用。

（4）百合枣龟汤

【原料】龟肉60克，百合30克，红枣10枚，调味品适量。

【制作】将龟按常法处理，洗净，切块；红枣去核，洗净。百合水中，浸泡，洗净。

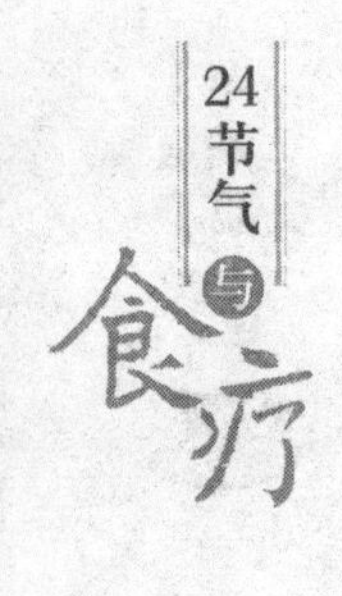

将龟肉、百合、红枣加水共煮，肉熟后加调味品，即成。

【功效】益阴补血，安心除烦。

【禁忌】实热食积者不宜。不可与猪肉、瓜、苋菜同食。

(5) 羊肝菠菜汤

【原料】羊肝50～100克，菠菜250克，盐适量。

【制作】将羊肝切成片，菠菜洗净切段。将锅内水烧开，放少许盐，然后放入羊肝和菠菜，肝熟后饮汤食肝及菜。

【功效】益血，补肝，明目。

3.饮料类进补食谱

(1) 阿胶黄酒饮

【原料】阿胶30克，黄酒、赤砂糖各适量。

【制作】把阿胶、黄酒放入锅中，加水适量，隔水炖化后，调入赤砂糖。

【功效】养血补虚，安神益肾，固本扶元。

(2) 桂圆红枣饮

【原料】桂圆肉12克，红枣12克，芡实15克，白糖适量。

【制作】把芡实入锅，加水500毫升，置火上煮30分钟后，加入桂圆、红枣，再煮30分钟，去渣，加入白糖，搅匀即可。当茶饮，宜常服。

【功效】和血养胃，补益中气。

(3) 红参饮

【原料】红参10克。

【制作】用刀片将红参切成薄片，入杯用开水冲泡20分钟，取水当茶喝；红参可反复冲泡3次。每日或隔1～2日1剂，可常服。

【功效】清心养神，健肾补亏，舒肝和胃。

(4) 冰糖黄精饮

【原料】黄精30克，冰糖50克。

【制作】将黄精用清水浸泡，再加冰糖，用小火煎1小时即成。

【功效】养胃，生津，通便。

(5) 菊花钩藤饮

【原料】白菊花10克，霜桑叶10克，钩藤10克。

【制作】将白菊花、霜桑叶同入砂煲先煮，煮沸15分钟后再入钩藤，煮沸5～7分钟即可。当茶饮用，每日1次，可分2～3次饮用。

【功效】和肝益气，安神除烦。

【禁忌】如头痛属阴虚阳亢，证见头晕痛、耳鸣、腰膝酸软、失眠健忘、舌红苔薄、脉弦细者，不宜饮用。

(6) 灵芝三七丹参酒

【原料】灵芝20克，三七5克，丹参5克，白酒500克。

【制作】将灵芝、三七、丹参洗净切片，放入盛有白酒的瓶中，浸泡半月即可。

【功效】活血化瘀。

【禁忌】孕妇忌饮。

(7) 仙茅酒

【原料】仙茅50克，白酒500克。

【制作】将仙茅洗净，装入纱袋内，扎紧口，放入盛有白酒的瓶中，浸泡1星期即可。

【功效】温肾壮阳。

【禁忌】仙茅为壮阳祛寒之峻品，故易伤阴，阴虚火旺者忌饮。

附：小雪民俗：熏腊肉

小雪过后也是加工腊肉的最佳时期。陕南秦巴山区人，加工制作腊肉的传统习惯不仅久远，而且普遍。每逢冬腊月，即“小雪”至“立春”前，家家户户杀猪

宰羊，除留下足够过年用的鲜肉外，其余的肉趁鲜用食盐配一定比例的花椒、大茴、八角、桂皮、丁香等香料，腌入缸中。十五天后，用棕叶绳索串挂起来，滴干水，进行加工制作。选用柏树枝、甘蔗皮、椿树皮或柴草火慢慢熏烤，然后挂起来用烟火慢慢熏干而成。或挂于烧柴火的灶头顶上，或吊于烧柴火的烤火炉上空，利用烟火慢慢熏干。秦巴山区林茂草丰，几乎家家都烧柴草做饭或取暖，是熏制腊肉的有利条件。即使城里人，虽不杀猪宰羊，但每到冬腊月，也要在市场上挑选上好的白条肉，或肥或瘦，买上一些，回家如法腌制，熏上几块腊肉，品品腊味。如自家不烧柴火，便托乡下亲友熏上几块。

熏好的腊肉，表里一致，煮熟切成片，透明发亮，色泽鲜艳，黄里透红，吃起来味道醇香，肥不腻口，瘦不塞牙，不仅风味独特，营养丰富，而且具有开胃、去寒、消食等功能。腊肉从鲜肉加工、制作到存放，肉质

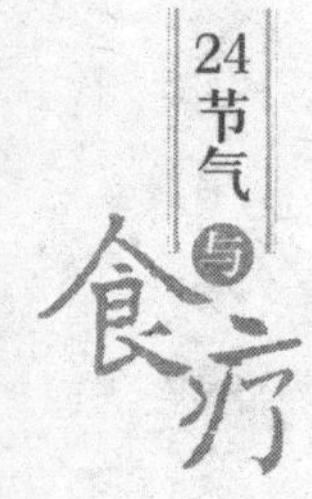

不变，长期保持香味，还有久放不坏的特点。此肉因柏枝熏制，故夏季蚊蝇不爬，经三伏而不变质，成为别具一格的地方风味食品。

五、大雪进补食谱

大雪时节，降雪转甚，正是："地冷天寒，阴风刮刮；岁岁冬深，严霜遍撒"，此时人们的饮食起居，注意防寒保暖更为重要。顺应大雪时节的进补食谱如下。

1.菜肴类进补食谱

（1）白萝卜炖猪肉

【原料】白萝卜500克，带皮五花猪肉250克,酱油50克，白糖50克，葱、姜、油、盐、酒、味精适量。

【制作】肉洗净，切成50毫米的方块。萝卜去皮切成50毫米的方块，用开水烫一下，沥干。

铁锅内放油，油烧热后，放入白糖、肉，不断翻炒。待肉均匀上色后，放酱油、盐、酒、葱、姜和温水，加盖烧开后，改用小火炖煮，至肉熟，放味精出锅装碗。

【功效】和胃消积，清热化痰。

【禁忌】不宜多食猪肉，以免胆固醇升高。

（2）芪蒸鹌鹑

【原料】黄芪20克，鹌鹑2只，生姜、葱、胡椒粉、食盐、清汤各适量。

【制作】将鹌鹑杀后，沥净血，除去毛桩、内脏、爪，冲净，再入沸水中焯约1分钟，捞出待用。

将黄芪用湿布擦净，切成薄片，再把黄芪片分别装入鹌鹑腹内，将其放在蒸碗内，加入姜、葱，注入清汤盖上盖，上笼蒸约30分钟。

取出鹌鹑，滗去汁，加食盐、胡椒粉调好味，再将鹌鹑扣入汤碗内，灌入原汁即成。

【功效】益气补脾，固本扶元。

（3）红杞田七鸡

【原料】枸杞子15克，三七10克，母鸡1只，姜20克，葱30克，绍酒30克，胡椒、味精适量。

【制作】活鸡宰杀后处理干净，枸杞子洗净，三七4克研末，6克润软切片，生姜切大片，葱切段备用。鸡入沸水锅内焯去血水，捞出淋干水分，然后把枸杞子、三七片、姜片、葱段塞入鸡腹内，把鸡放入气锅内，注入少量清汤，下胡椒粉、绍酒；再把三七粉撒在鸡脯上，盖好锅盖，沸水旺火上笼蒸2小时左右，出锅时加味精调味即可。

【功效】补虚益血。

(4) 花生米大枣烧猪蹄

【原料】猪蹄1000克，花生米(带皮)100克，大枣40枚，料酒25克，酱油60克，白糖30克，葱段20克，生姜10克，味精、花椒、八角、小茴香各少许，盐适量。

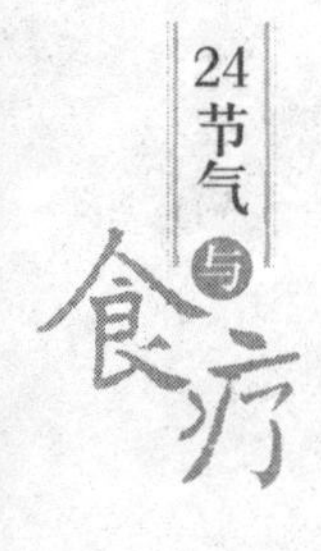

【制作】花生米、大枣置碗内用清水洗净、浸润；将猪蹄出毛洗净，煮四成熟捞出，用酱油拌匀；锅内放油，上火烧七成热，将猪蹄炸至金黄色捞出，放在炒锅内，注入清水，同时放入备好的花生米、大枣及调料，烧开后用小火炖烂即可。

【功效】滋补肾阴，补血益气。

(5) 糖醋胡萝卜丝

【原料】胡萝卜半斤，姜、糖、醋、盐、味精、植物油适量。

【制作】胡萝卜洗净切丝，生姜切丝备用。炒锅烧热放油(热锅凉油)随即下姜丝，煸炒出香味倒入胡罗卜丝,煸炒2分钟后放醋、糖、继续煸炒至八成熟，加入盐至菜熟后入味精调味，盛盘即可。

【功效】下气补中，利胸膈，调肠胃，安五脏。

2.汤羹类进补食谱

(1) 鲫鱼羹

【原料】荜茇10克，缩砂仁10克，陈皮10克，大鲫鱼1000克，大蒜2头，胡椒10克，泡辣椒10克，葱、食盐、酱油各适量。

【制作】将鲫鱼去鳞、鳃和内脏，洗净；在鲫鱼腹内，装入陈皮、缩砂仁、荜茇、大蒜、胡椒、泡辣椒、葱、食盐、酱油，备用。

在锅内放入油烧热，将鲫鱼放入锅内煎黄，再加入水适量，炖煮成羹即成。

【功效】醒脾暖胃。

【禁忌】阴虚火旺者不宜多服。

（2）玉米粉粥

【原料】玉米粉50克，粳米100克。

【制作】将粳米淘洗干净，放入锅内；玉米粉放入大碗中，加冷水调稀，倒入粳米锅内，再加水适量。

将盛有粳米和玉米粉的锅置武火上熬煮，边煮边搅动，防止生锅，至熟即成。

【功效】益肺宁心，调中和胃。

（3）雪莲牛筋汤

【原料】雪莲花3克，蘑菇片50克，干牛筋200克，鸡脚200克，火腿25克，绍酒、生姜、葱白、食盐、骨头汤各适量。

【制作】将牛筋用冷水洗净，加入沸水浸泡，水冷再换，反复多次，待牛筋发涨后（约2天，急用可采用蒸的方法），才能使用。将发好的牛筋修好净筋，切成指条块，下锅，加入生姜、葱白、绍酒，清水适量，用火

煨透后取出，除去生姜、葱白，将牛筋放入大瓷碗内。

鸡脚用沸水烫透，脱去黄衣，斩去爪尖，拆去大骨，洗净后，也放入大瓷碗内。

将雪莲花淘净后，用纱布袋装好，放入大瓷碗内，面上再放上火腿片、蘑菇片，加入骨头汤，上笼蒸至牛筋熟软（约2小时），加入食盐，搅匀后即可。

【功效】祛寒壮阳，活血通络，强健筋骨。

（4）羊肉温中粥

【原料】草果1个，肉桂3克，羊肉500克，胡豆200克，粳米100克，食盐、香菜各适量。

【制作】将羊肉洗净，同草果、肉桂、胡豆（捣碎，去皮）放入锅内，加水适量，先武火煮沸，后用文火熬成汤，滤净羊肉与中药，保留汤，下粳米、食盐调匀，继续置文火熬熟。

在粳米粥内，放入香菜叶，将羊肉切块，盛入碗中，分碗盛装。

【禁忌】阴虚火旺者不宜久食。

【功效】补脾，温中，顺气。

3.饮料类进补食谱

(1) 红枣茶

【原料】红枣适量。

【制作】将红枣水煎代茶。

【功效】强筋健骨，活血益气，滋补阴阳。

(2) 杏菊饮

【原料】杏仁6克，菊花6克。

【制作】杏仁（去皮尖、研泥）煎汤，取汁沏泡菊花。或用开水泡菊花，分次入杏仁煎汁，代茶饮。

【功效】平咳化痰，滋阴润肺，养心安神。

【禁忌】大便溏泄者慎饮用。

(3) 牛奶柿子汁

【原料】柿子250克，牛奶一杯。

【制作】柿子榨汁，用牛奶调服，每次半杯。

【功效】和血，降压，通络。

【禁忌】缺铁性贫血者不易饮用。

六、冬至进补食谱

冬至是二十四节气中最重要的节气，对人的影响极大，是人体阴阳气交的关键时期。冬令进补多选择冬至开始，此时进补可发挥最大效应，促进人体阳气的萌生，消耗相对减少。冬至时节的进补食谱择优介绍如下。

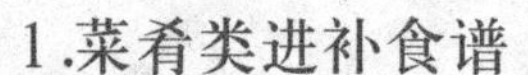

1.菜肴类进补食谱

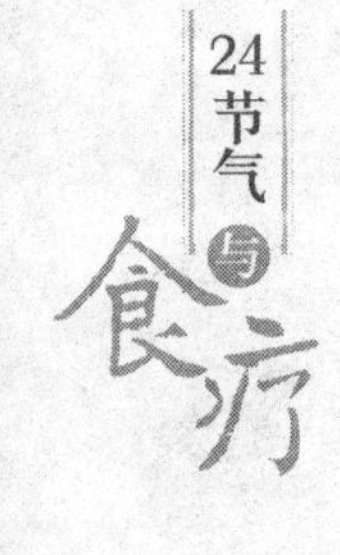

(1) 五香牛肉

【原料】牛肉2500克，

食盐90克，白糖24克，红酱油60克，姜块2块，葱结3只，料酒、茴香、桂皮、红米汁各适量。

【制作】选用牛肘子部位的全瘦肉，先按肌肉纤维用刀直切开后，切成500克左右的块，然后用刀根戳出一排排刀洞，四面戳到。板上先撒上少许食盐，将肉块放在上面反复推擦，擦至盐粒溶化（俗称出汗），然后放在缸内腌3~4天（夏季腌一天），经过多次翻动，腌至肉红、硬、香；将锅内加水适量，用大火烧滚（水要多），投入肉块，上下翻动几次，捞出刷洗干净；在锅底先放锅垫，垫上放牛肉块，加入茴香，桂皮、葱结、姜块、料酒、白糖、酱油和红米汁，在大火上烧滚，至牛肉变红色时，再加入白汤淹没牛肉，放入适量食盐，试味后，加盖烧至沸滚，再移小火上焖煮2小时左右，等用筷子能戳进牛肉时，捞出，冷透后，按其肌肉纤维横向切片即成。

【功效】滋补肾阴，补血益气。

(2) 芪杞炖乳鸽

【原料】黄芪30克，枸杞子30克，乳鸽1只。

【制作】将乳鸽浸入水中淹死，去毛和内脏，洗净，放入炖盅内，加水适量，再加入黄芪和枸杞子。将盛鸽和药的盅放入锅内，隔水炖熟即成。

(3) 牛膝蹄筋

【原料】牛膝10克，猪蹄筋100克，鸡肉500克，火腿50克，蘑菇25克，胡椒5克，味精5克，绍酒30克，生姜10克，葱10克，食盐5克，清汤适量。

【制作】将牛膝洗净浸润后，切成斜口片；蹄筋放在蒸盆中，加入清水适量，上笼蒸约4小时，待蹄筋酥软时取出，再用冷水浸漂2小时，剥去外层筋膜，洗净；火腿洗净后，切成丝；蘑菇水发后，切成丝；生姜、葱洗净后，切成姜片、葱段。

将发胀后的蹄筋切成节，鸡肉剁成2厘米的方块。将蹄筋、鸡肉放入蒸碗内，把牛膝片摆在鸡肉的面上，火腿丝和蘑菇丝调合匀后，撒在周围；姜片、葱段放入蒸碗中，再加胡椒粉、味精、绍酒、食盐、清汤，调好汤味，灌入蒸碗中，上笼蒸约3小时，待蹄筋熟烂后，立即出笼，拣去姜片、葱节，再调味后即成。

【功效】祛风湿，补肝肾，强筋骨。

(4) 玫瑰烤羊心

【原料】羊心1个，藏红花6克，鲜玫瑰花50克或无糖玫瑰酱15克，食盐适量。

【制作】羊心切片备用。鲜玫瑰花捣烂取汁，放入小沙锅内，加清水适量、藏红花同煮，煮沸后，改文火继续煮15分钟浓缩取汁备用。羊心串成串，醮上玫瑰、红花汁，在火上反复翻烤至羊心熟透即可食用。

【功效】补心解郁。

2.汤羹类进补食谱

（1）粟米龙眼粥

【原料】粟米100克，龙眼肉15克，粳米50克。

【制作】将粟米淘洗干净，粳米淘洗干净，龙眼肉去杂质。

将粟米、梗米、龙眼肉同放锅内，加水800毫升,置武火烧沸，再用文火煮35分钟即成。

【功效】补心肾，益腰膝。

（2）大麦汤（温）

【原料】草火1个，羊肉200克，大麦仁500克，食盐适量。

【制作】将羊肉洗净；大麦仁用开水淘洗净，备用。将大麦仁放入锅内，加水适量，先用武火烧沸，再用文火煮熟。

将羊肉、草果放入锅内，加水适量熬煮2小时，然后将羊肉、草果捞起，将汤与大麦仁粥合并，再用文火炖熬熟透。

将羊肉切成小块，放入大麦汤内，加盐少许，调匀，即可食用。

【功效】温中下气，暖脾胃，破冷气，去腹胀。

（3）鸡汁粥

【原料】母鸡一只，粳米50克。

【制作】将母鸡宰杀后，除去毛桩、内肌，洗净，放入锅内，加水适量，置武火上烧沸，再用文火炖45分钟，将鸡捞起，留鸡汤，打去油，即成鸡汁。

将粳米淘洗干净，放入锅内，加入鸡汁，置武火上烧沸，再用文火煮35分钟即成。

【功效】滋补气血，安养五脏。

(4) 羊肉粥

【原料】羊肉100克,黄芪25克，红参5克（或用党参50克）茯苓5克，大枣7枚，粳米50克。

【制作】先将羊肉去脂皮细切，留出一半。另取羊肉一半，与黄芪、红参、茯苓、大枣，加适量水煮，去渣，取汁，入粳米煮粥。临熟时将留取羊肉加入，肉熟，再入盐少许，即可服食。

【功效】补气益血，健脾温肾。

(5) 麻雀葱花粥

【原料】麻雀3~4只。

【制作】麻雀炒熟，加大米150克，水适量，共煮成粥，最后放入葱花20克，米酒少许，加油盐调味，1日内分2次食用。

【功效】温补肾阳。

3.饮料类进补食谱

(1) 鲜奶玉液

【原料】牛奶200克，生核桃仁45克，炸核桃仁80克，粳米60克，白糖12克。

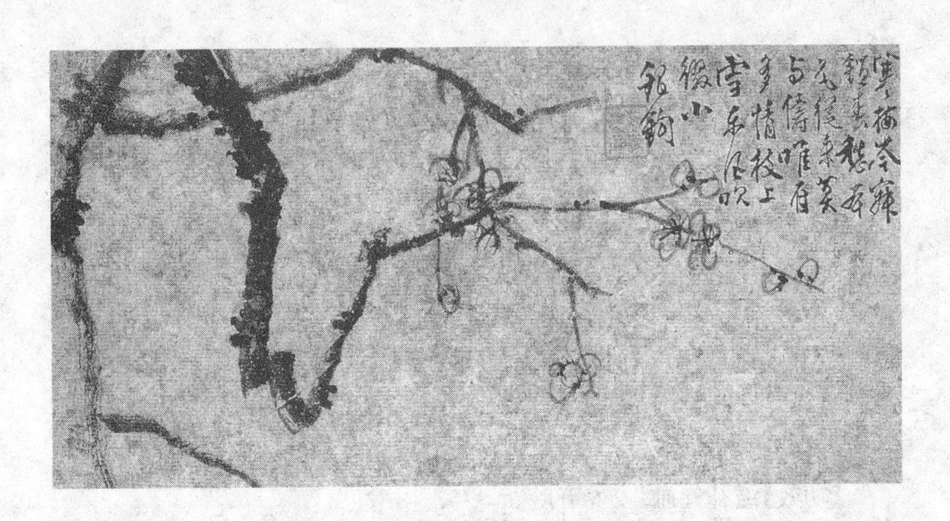

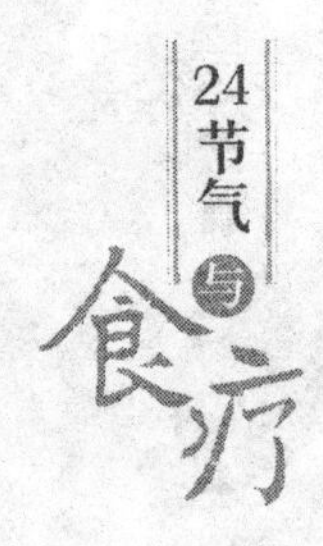

【制作】将粳米洗净后用水浸泡1小时捞起，滤干水分，和生核桃仁、炸核桃仁、牛奶、清水拌匀磨细，再过滤。锅内注入清水烧沸，加入白糖，待全溶化后，过滤去渣再烧沸，将滤液慢慢倒入锅内，搅匀烧沸即成。

【功效】补肾助阳，润肠通便。

(2) 腽肭脐酒

【原料】腽肭脐30~50克，白酒500克。

【制作】将腽肭脐洗净，切成小块，用纱布袋装，扎紧口，放入盛酒的瓶中，浸泡1星期即可。

【功效】温肾壮阳。

【禁忌】阴虚火旺者忌饮。

附：冬至的饮食习俗：吃饺子、馄饨和汤圆

俗话说“冬至饺子夏至面”，在冬至这天，我国最普遍的食俗便是吃饺子。吃水饺的历史要追溯到汉末。当时河南南阳出了个“医神”张仲景。他原来在长沙居官，告老还乡时，正逢腊月。张仲景见到整天为生活奔波而衣不遮体的穷人，面对寒风刺骨的冰天雪地，好多人的耳朵都冻烂了，心里十分难受。冬至那天，他在南阳东关搭起医棚，盘起火灶，专门熬一种“去寒娇耳汤”，舍给穷人们喝，治疗耳朵的冻伤。这种药汤是用羊肉、辣椒和一些祛寒温热的药材合煮而成的。人们喝了汤，他又把剩下的羊肉和药材捞出来切碎，用面皮包成耳朵的样子，称作“娇耳”（有的写作“矫耳”、“胶耳”），下锅煮熟，分给人们每人两只。喝汤吃“娇耳”后，人们浑身发暖，两耳起热，治好并保住了冻坏的耳朵。后来每到冬至日，人们就模仿张仲景做“娇耳”煮食并喝热汤，日久成俗，“娇耳”也传久生变，又有了“饺子”、“扁食”、“水饺子”、“水点心”等地方性名称。冬至日吃饺子的习俗就这样一代一代流传下来。

我国南方有些地区冬至的食俗是吃馄饨和汤圆。馄饨四川人叫“抄手”，广东人叫“云吞”，因其煮熟后像荷包蛋，为混沌初开，故名“馄饨”。据民间传说，春秋时吴王夫差沉湎于歌舞酒色，某年冬至设宴，嫌肉食腻肥，很不高兴。西施乃用面粉和水擀成薄薄的皮子，内裹少许肉糜，滚水一汆之后，随即捞起，加入汤汁，进献夫差。夫差食之赞不绝口，问为何物。西施信口以“混沌”作答。此后，馄饨这一美味就逐渐传至民间。虽然人们平日也偶尔吃吃馄饨，但冬至那天却人人都要品尝一碗，不单是纪念西施的创造，还为了庆贺冬至的“一阳出生”。宋人周密在《武林旧事》中记述当时杭州冬至习俗：“三日之内，店肆皆罢市，垂帘饮博，谓之‘做节’享先则以馄饨，有‘冬馄饨年拢’之谚。贵家求奇，一器凡十余色，谓之百味馄饨。”可见在宋朝，杭州的人们已经有冬至吃馄饨和以馄饨祭祖的风俗。晚清绍兴学者范寅在《越谚·饮食》中说馄饨“或芝麻糖或醢肉裹以面粉，冬至时食”。可见古代绍兴还有甜味的馄饨。

汤圆是南方普遍流传的重要冬至食品之一，又称团子、团圆子、丸子、圆子、冬至圆等，用糯米粉做成，有的加陷儿。古诗有“家家捣米做团圆，如是明朝冬至天”句。因圆子是圆的，可相争

"阳圆"，所以，冬至吃圆子的主要用意是为了庆贺"阳生"，同时寄予祈求团圆喜庆之意。

关于吃圆子的由来，在浙江南部有这样一个传说：相传很早以前，有一位樵夫上山砍柴，不慎跌入深涧，不能脱险，就采摘状如汤圆的野生之物"黄精姜"来充饥，才免饿死。十几年后，樵夫遍体长了毛，身轻若燕，竟然飞回家里，但已经不会说话了，给他米饭也不吃。家里人就为他做了糯米汤圆，他一见汤圆，以为是黄精姜，就吃起来。后来慢慢恢复了本性，在冬至日竟开口与家人说话了。从此便有了冬至吃汤圆的习俗。我国台湾冬至也吃汤圆，并且要做成红、白两种颜色。按老辈人的说法：不吃金丸（红汤圆）、银丸（白汤圆），不长一岁。

七、小寒进补食谱

小寒时节，天气寒冷但还没有达到极点，此时正值"二九"，饮食起居要注意防寒保温，不要扰动阳气，使人体也"冬藏"相应。小寒时节的进补食谱择优介绍如下：

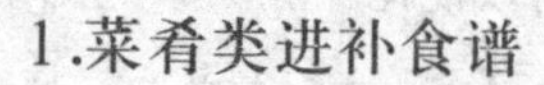

1.菜肴类进补食谱

（1）淮药泥

【原料】淮药200克，豆沙150克，京糕100克，水豆粉50克，白糖150克，猪油100克。

【制作】将淮药粉碎成细末，加入白糖50克、水少许，搅成细泥；京糕加工成细泥，加白糖25克，拌匀；豆沙另置碗中，均上笼蒸透后，取出待用。

将炒锅烧热，下猪油，依次再炒京糕、淮药泥，然后再加猪油炒豆沙，待用。

将炒锅置武火上，加清水少许、白糖75克，烧沸去沫，用水豆粉勾成黄汁，浇在三泥上面即成。

【功效】健脾和胃。

(2) 山药芝麻酥

【原料】鲜山药300克，黑芝麻15克，白糖120克，菜油500克（实耗70克）。

【制作】黑芝麻淘洗干净，炒香待用，鲜山药洗干净。净锅置于火上，注入菜油，油温烧至七成热时，下山药块油炸，成外硬、中间酥软，浮于油面时捞出待用。砂锅置于火上烧热用油滑锅后，放入白糖，加水少量溶化，炼至糖汁成米黄色，随即倒入山药块，并不停地翻炒，使其外面包上一层糖浆，直至全部包牢，然后撒上黑芝麻，装盘即成。

【功效】补肝肾，益脾胃。

(3) 羊肉炖白萝卜

【原料】白萝卜500克，羊肉250克，姜、料酒、食盐适量。

【制作】白萝卜、羊肉洗净切块备用，锅内放入适量清水将羊肉入锅，开锅后5、6分钟捞出羊肉，水倒掉，重新换水烧开后放入羊肉、姜、料酒、盐，炖至六成熟，将白萝卜入锅至熟。

【功效】益气补虚，温中暖下。

(4) 二冬参地炖猪脊髓

【原料】猪脊髓150克，天冬30克，麦冬30克，熟地黄60克，生地黄60克，人参15克。

【制作】天冬、麦冬（去心）、熟地黄、生地黄、人参洗净，放入炖盅

内，加开水适量，炖盅加盖，文火隔水炖3小时即可。

【功效】滋补气血，养阴健肾。

2.汤羹类进补食谱

（1）附片羊肉汤（热）

【原料】附片10克，羊肉500克，生姜、葱、胡椒、食盐各适量。

【制作】将附片用纱布袋装好扎口；羊肉用清水洗净，放入沸水锅内，加生姜、葱各25克，煮至断红色。将羊肉捞出，剔去骨，切成块，再放入清水中，浸漂去血水。

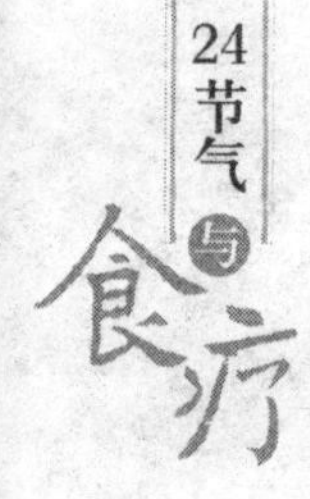

将沙锅内加入清水，置于火上，下入羊肉、生姜、胡椒，再把附片药包放入汤内。先用武火加热至沸30分钟后，再用文火炖至羊肉熟烂（2~3小时），即成。

【功效】温肾壮阳，补中益气。

【禁忌】阴虚火旺者不宜多食。

（2）壮阳狗肉汤（热）

【原料】狗肉500克，菟丝子20克，制附片10克，食盐、葱白、生姜、绍酒、清汤各适量。

【制作】将狗肉清洗干净，整块下锅内，用沸水煮透，捞入凉水内，洗净血沫，晾干，切成2厘米见方的块；生姜、葱白洗净，姜切成片，葱切成段。

将锅置火上，放入狗肉、姜片煸炒，烹入绍酒炝锅，然后一起倒入大沙锅内。同时将菟丝子、附片用纱布包好，放入沙锅内，加清汤、食盐、葱白，置武火上烧沸，打去浮沫，盖好盖子，用文火炖约2小时，待狗肉炖至熟烂，即成。

【功效】补中益气，温肾助阳。

【禁忌】阴虚火旺者不宜多食。

(3) 芡实粉核桃粥

【原料】芡实粉50克，核桃肉25克，大枣（大核）7枚。

【制作】将核桃肉打碎。将芡实粉用凉开水打成糊状，放入滚开水中搅拌，再入核桃肉、红枣肉，煮熟成粥，加糖食用。

【功效】和血益气，养心安神，滋阴补血。

(4) 鱼肚薏苡仁粥

【原料】鱼肚30克，意苡仁30克，粳米30克，葱、姜、酱、麻油适量。

【制作】把鱼肚、薏苡仁洗净，葱、姜打碎。将鱼肚、薏苡仁、粳米同煮为粥。粥成时加入姜、葱末、酱、麻油，煮沸即成。

【功效】和胃养肾，补血安神。

(5) 三色汤

【原料】黄豆芽2两，姜丝20克，红大椒1个，植物油、白醋、湿淀粉、鸡汤、食盐、麻油、味精各适量。

【制作】将油锅烧热，下黄豆芽煸炒几下，放入白醋炒至八分熟，出锅备用；将锅内放入鸡汤，姜丝，烧开后把红大椒入锅再次滚开后，将黄豆芽、盐、入锅，再用湿淀粉勾芡，淋上麻油出锅即成。

【功效】祛风除湿，活血通络。

3.饮料类进补食谱

(1) 柿子汁

【原料】柿子500克，白糖30克，冷开水适量。

【制作】将柿子去皮、核，用冷开水浸泡3~5分钟。用纱布取柿子汁液，放入杯中，加入白糖，拌匀即成。

【功效】清热，润肺，止渴。

(2) 姜橘土豆汁

【原料】土豆100克，生姜10克，橘子1个。

【制作】将土豆去皮，生姜去皮，洗净，切碎；橘子一个去皮、核。用白布绞取汁液，装入茶杯内即成。

【功效】和胃益气，消积化淤。

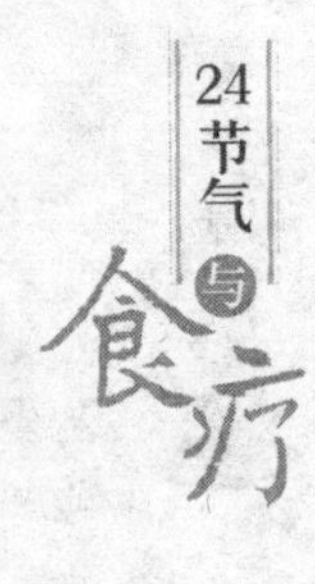

(3) 牛奶蜂蜜饮

【原料】牛奶50克，蜂蜜50克。

【制作】用牛奶稀释蜂蜜，此为1次量。

【功效】增强体质、益气养血。

附：腊月里的民间习俗：吃腊八粥

农历腊月初八为传统的腊八节。在中国民间节日中，腊八节虽然不象春节、端午、中秋、重阳那样隆重热闹，但由于历史悠久，传说动人，还是颇有影响的。按照习俗，这天家家都要煮腊八粥。腊八节前一天，就要把配料准备好，五更前要把腊八粥煮成，天不亮全家就围坐一起，共同品尝，享受节日快乐。因为腊八粥象征着五谷丰登，有的还把果树上涂一点，“大树小树吃

腊八，来年多结大疙瘩”。

腊八粥也叫“五味粥”、“七宝粥”。腊八粥根据地域不同，各有不同风味。如北方人喜欢用江米、红小豆、枣、薏米、莲子、桂圆、核桃仁、黄豆、松子等为料煮成甜味腊八粥；而南方人则喜欢用大米、花生、黄豆、蚕豆、芋艿、荸荠、栗子、白果，加上蔬菜、肉丁和麻油煮成咸味腊八粥。有的还在粥里加上桂皮、茴香同煮，以增加其风味。西北地区在粥内还要加入羊肉。

每逢腊八节，民间除了煮食腊八粥外，还有泡腊八蒜、酿腊八酒等习俗。腊八蒜是将蒜头剥去皮后，泡在米醋内，月余之后，蒜呈浅绿色，味道鲜美。说是食后可驱疾病，避瘟邪。腊八酒，是腊八节用糯米酿成的酒，越年之后，酒呈暗红色，晶莹透亮，酒香浓郁。

八、大寒进补食谱

大寒，是冬季最后一个节气，也是一年中最后一个节气。大寒时节，气温很低，人们应固护精气，滋养阳气，将精气内蕴于肾，化生气血津液，促进脏腑生理功能。大寒时节的进补食谱如下。

1.菜肴类进补食谱

(1) 冰糖麻雀

【原料】麻雀1~2只，冰糖适量。

【制作】将麻雀宰杀干净，与冰糖放入大碗内，隔水炖2~3小时即可。

【功效】补中益气，温阳补肾。

【禁忌】因雀肉性热，阳盛之体，有内热之人忌食。雀不与李、酱、白术同食。

（2）虫草炖鹌鹑

【原料】冬虫夏草8条，鹌鹑4只，姜、葱、盐、胡椒粉等调味品适量。

【制作】先将鹌鹑宰杀干净，然后分别将冬虫夏草放入4只鹌鹑的肚内，再放入姜、葱及调味品，用线扎紧，隔水炖30分钟左右，用筷子易插透鹌鹑即可。

【功效】补肾滋肺，强壮身体。

（3）姜桂炖猪肚

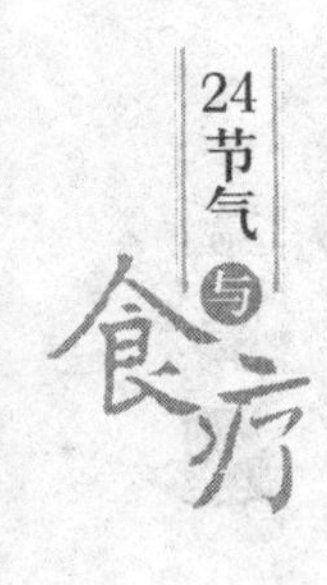

【原料】猪肚1个，生姜10～15克，肉桂3～5克，盐等调味品适量。

【制作】将猪肚洗净，切成小块，加入生姜片、肉桂及调味品，隔水炖至猪肚软熟即可。

【功效】健脾养胃，温中散寒。

【禁忌】素体热盛之人忌食用。

（4）花生煲猪爪

【原料】猪爪500克，花生米适量，盐、南腐乳等调味品适量。

【制作】先将猪爪洗净开边，油锅烧热后将生姜爆香，放入猪爪，加入南腐乳，炒匀，然后加适量水，加入花生，加入调味品，慢火煲2小时

左右，待猪爪软熟即可。

【功效】滋补阴液，补益气血。

【禁忌】腹泻者少食用。

（5）归参炖乌鸡

【原料】当归20克，党参30～50克，乌鸡1只，生姜、葱、盐、料酒等调味品适量。

【制作】先将乌鸡宰杀干净，然后与当归、党参及适量调味品同放入炖盅内，隔水炖1～2小时即可。

【功效】滋补肝肾，补益脾肺，补血生津。

2.汤羹类进补食谱

（1）山药羊肉汤

【原料】羊肉500克，山药150克，姜、葱、胡椒、绍酒、食盐适量。

【制作】羊肉洗净切块，入沸水锅内，焯去血水；姜葱洗净用刀拍破备用；淮山片清水浸透与羊肉一起置于锅中，放入适量清水，将其它配料一同投入锅中，大火煮沸后改用文火炖至熟烂即可食之。

【功效】补脾胃，益肺肾。

（2）黑芝麻粥

【原料】黑芝麻25克，粳米50克。

【制作】黑芝麻炒熟研末备用，粳米洗净与黑芝麻入锅同煮，旺火煮沸后，改用文火煮至成粥。

【功效】补益肝肾，滋养五脏。

（3）白果萝卜粥

【原料】白果6粒，白萝卜100克，糯米100克，白糖50克。

【制作】萝卜洗净切丝，放入热水焯熟备用。先将白果洗净与糯米同煮，待米开花时倒入白糖文火再煮10分钟，拌入萝卜丝即可出锅食之。

【功效】固肾补肺，止咳平喘。

（4）百枣莲子银杏粥

【原料】百合30克，大枣20枚，莲子20克，银杏15粒，粳米100克，冰糖适量。

【制作】莲子先煮片刻，再放入百合、大枣、银杏、粳米煮沸后，改用小火至粥稠时加入冰糖稍炖即成。

【功效】养阴润肺，健脾和胃。

3.饮料类进补食谱

（1）乌鸡酒

【原料】乌鸡1只，白酒2500克。

【制作】将乌鸡宰杀干净，放水锅中与白酒同煮，待酒煮至剩一半，即将酒和乌鸡装入瓶或罐中即成。

【功效】滋补肝肾。

（2）鹿茸酒

【原料】鹿茸3克，白酒500克。

【制作】将鹿茸装入纱袋内，扎紧口，放入盛有白酒的瓶或罐中，密封，浸泡7天即可。

【功效】补肾壮阳。

【禁忌】素体阳盛者、阴虚阳亢者忌饮。

（3）对虾酒

【原料】对虾1～2对，白酒500克。

【制作】将大对虾洗净，放入盛有白酒的瓶中，浸泡1星期即可。

【功效】补肾壮阳。

【禁忌】动风者、发疥疮者禁饮用。

（4）海马酒

【原料】海马1对，白酒500克。

【制作】将海马洗净，放入盛有白酒的瓶中，浸泡半月即可。

【功效】温肾壮阳，活血祛瘀，散结消肿。

（5）菟丝子酒

【原料】菟丝子30克，五味子30克，白酒500毫升（或米酒）。

【制作】将菟丝子、五味子装布袋，置净器中，用白酒浸泡，7天后弃药渣饮用。

【功效】补肾益精，养肝明目。

（6）板栗酒

【原料】板栗500克，白酒1500毫升。

【制作】洗净板栗，逐个切口，放入白酒中浸泡，7天后饮用。

【功效】滋补心脾，补肾助阳。

九、冬季六节气因人而异的饮食进补

冬令进补是对健康的一种投资。但是，进补也有一定的学问。冬季六节气饮食进补要因人而异，人有男女老幼之别，体有虚实寒热之分，顺应冬季六节气适合不同人的饮食进补方案择优如下。

1.老年人的饮食进补方案

冬季六节气老年人应以补益肾气为主，顺应冬季六节气老年饮食进补方案如下。

（1）茴香炖猪腰

【原料】茴香15克，猪腰（猪肾）1对，调料适量。

【制作】将猪腰洗净后，在凹处剖一小口，将茴香、盐装入剖口内，封好口。放入锅内，加水及其他调料（葱、姜、酒等）炖煮熟烂后食用。

【功效】壮腰补肾，强身健骨。

（2）红烧兔肉

【原料】兔肉500克，山楂5枚。

【制作】将兔肉切块，放入砂锅内与山楂同煮烂。再入食盐、姜、葱、料酒、糖、味精调味服用。

【功效】补脾胃，益气血。

（3）天麻猪蹄汤

【原料】猪蹄1个，天麻20克，调料适量。

【制作】取新鲜猪蹄，洗净后加水于锅中煮至脱骨，加入切成丝的天麻再以小火煮约30分钟即可。

【功效】活血通络。

（4）黄鸡粥

【原料】黄雌鸡1只（约500克重，常规加工），肉苁蓉12克，山药20克，茯苓

6克，粳米150克。

【制作】将肉苁蓉、山药、茯苓，慢火焙干，研细末。用诸药末，加入黄雌鸡肉、粳米煮粥。可供四季早晚餐服食。

【功效】补养气血，健脾益肾。

（5）桂圆鸡蛋汤

【原料】龙眼肉10克，鸡蛋2个。

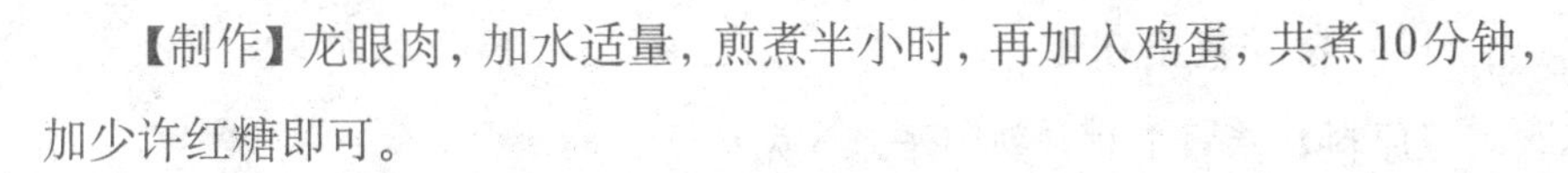

【制作】龙眼肉，加水适量，煎煮半小时，再加入鸡蛋，共煮10分钟，加少许红糖即可。

【功效】补养气血。

2.中年的人饮食进补

中年人长期劳倦内伤，损失肾气；冬季六节气饮食进补应以补肾固阳，养血固精为本。其方案主要有以下种类：

（1）羊脊骨粥

【原料】大羊脊骨1具、青小米100克、食盐适量。

【制作】先将羊脊骨砸碎，煮沸后捞出羊骨，取汁。再将青小米洗净后，加入羊骨汁内煮粥。粥熟后加适量食盐即可服用。

【功效】益阴补髓，润肺泽肤。

（2）炒鹌鹑

【原料】鹌鹑2只、萝卜200克、菜油、生姜、葱、醋、食盐、料酒、味精各适量。

【制作】将鹌鹑放水中淹死后去毛和内脏，洗净血水，把它切成长、宽各1.6厘米的块。萝卜切成长3.3厘米、宽1.6厘米的块，备用。将再锅置武火上，放上菜油烧沸，将鹌鹑块下锅，用铝铲反复翻炒至肉变色，再将萝卜放入混炒，然后放入葱、生姜末、料酒、醋、盐，加水少许，煮数分钟，待鹌鹑肉煮熟即成。

【功效】补肾气，壮腰膝，强身体。

(3) 韭菜炒羊肝

【原料】韭菜100克，羊肝120克。

【制作】将韭菜去杂质洗净，切1.6厘米长。羊肝切片，与韭菜一起用铁锅旺火炒熟。

【功效】温肾固精。

(4) 猪肾煨附子

【原料】猪肾1对，熟附子末3克。

【制作】将猪肾1对，切开去膜，加入熟附子末，湿棉纸裹煨熟。

【功效】补肾益精。

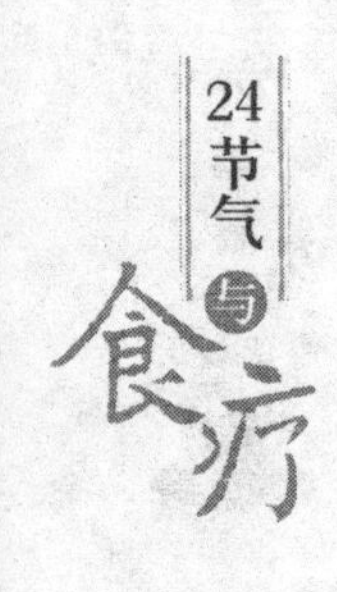

(5) 猪腰核桃

【原料】猪腰1对，杜仲30克，核桃肉30克。

【制作】将猪腰与杜仲、核桃肉同煮熟。

【功效】益肾助阳，强腰益气。

(6) 猪脊髓煲莲藕

【原料】猪脊髓500克（连脊骨），莲藕250克。

【制作】以上2味同放锅内熬煲。

【功效】补血益肾。

3.青年人的饮食进补

青年人处在成长阶段，需要充足营养，而冬季易伤脾胃功能，严重影响人体

营养摄入，故青年人冬季六节气饮食进补重在健脾益胃。

（1）健脾莲花糕

【原料】党参15克，白术15克，麦芽15克，枳壳20克，陈皮12克，六曲15克，山楂10克。

【制作】以上原料研成末，将鸡蛋1只去壳，打入盆内加白糖，顺着一个方向，约搅3～5分钟，呈现乳白色时，筛入面粉适量，入中药末，并加以轻轻搅匀，变呈淡红色。将模型莲花蛋糕盒洗净，每个盒内抹上熟猪油，舀入糕浆料，放入笼内，用旺火蒸熟，趁热撒上芝麻，取出蛋盒，翻入盘内即成。

【功效】健脾消食，行气消肿。

（2）八宝糕

【原料】人参、茯苓、山药、芡实、莲子肉各30克，糯、粳米各150克、白糖、蜂蜜各适量。

【制作】先将人参、山药等原料及糯、粳米研为细粉，和匀；再将白糖、蜂蜜放入沸水中烊化；然后将药、米粉与糖、蜜液调匀，压紧，切条，蒸熟，火上烘干，瓷器贮藏。

【功效】补脾，益气，开胃。

（3）卤羊肝

【原料】羊肝500克，茴香1颗，桂皮1小块花椒12粒。

【制作】羊肝用花椒、盐擦抹腌30分钟。锅中水沸，加入肝、姜片、葱结和用纱布包的茴香、桂皮，再煮沸撇沫，加黄酒、调味品，改用小火焖煮1.5小时，取出羊肝切片食用。

【功效】益血，补肝，明目。

(4) 枸杞叶猪肝汤

【原料】用鲜枸杞叶100克，猪肝100～150克。

【制作】煮汤调味食用。

【功效】补虚，益精，明目。

(5) 羊肝胡萝卜粥

【原料】羊肝150克，胡萝卜100克。大米100克（淘净）。

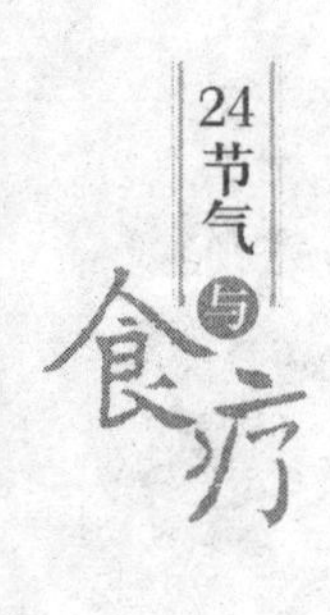

【制作】将羊肝和胡萝卜洗净，切成约5毫米见方小丁，肝丁用酒、姜汁渍10分钟。再用热油爆香蒜茸后，倒入肝丁，略炒盛起，大米加水熬成粥后，加入胡萝卜丁，焖煮15～20分钟，再入肝丁、调味品后服食。

【功效】明目，护眼。

4.儿童的饮食进补

儿童处于发育期，在冬季六节气进行饮食进补主要有以下方案：

(1) 猪皮大枣烩蹄筋

【原料】油发猪皮（皮肚）200克,大枣100克，水发蹄筋50克，调料适量。

【制作】油发猪皮与水发蹄筋切成小块，加调料炖煮约20分钟；大枣另用小锅煮20分钟后去核，合在一起再炖煮约20分钟即成。

【功效】强筋壮骨。

(2) 蚬肉山药姜枣汤

【原料】新鲜蚬肉200克，山药60克，生姜4片，红枣8枚，调料适量。

【制作】上料洗净后加水煮约2小时。

【功效】健脾益胃，增进食欲。

(3) 枸杞桂圆汤

【原料】枸杞子49粒，桂圆7颗。

【制作】将7粒枸杞子塞进1颗桂圆肉内,49粒枸杞子刚好塞进7颗桂圆肉里，然后加适量蒸熟服用。

【功效】补肾益精，养肝明目。

(4) 决明子蒸鸡肝

【原料】决明子10克，鸡肝1具，调料适量。

【制作】决明子研成细末，鸡肝捣烂，两物以白酒少许调和后隔水蒸熟即可。

【功效】消积化痞，和肝养胃。

(5) 油炸泥鳅汤

【原料】泥鳅鱼100克，调料适量。

【制作】将泥鳅洗净，沥干水，用油炸成金黄色后加水与调料煎成浓汤。

【功效】滋阴去燥，强身健体。

5.女性的饮食进补

女性生理特点不同于男性，在不同的生理期应进行不同的进补冬季六节气女性饮食进补方案主要介绍如下。

（1）血糯花生红枣粥

【原料】血糯米50克，花生米50克，红枣10克，红糖适量。

【制作】以上原料加水熬成粥，加红糖。

【功效】养血补虚，增强抵抗力。

（2）母鸡小米汤

【原料】母鸡1只（1500克左右），小米150克，调料适量。

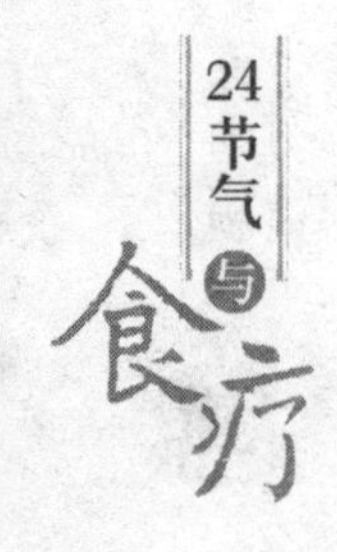

【制作】母鸡洗净切块后，加小米、水与调料，煮至鸡酥米稠。

【功效】有利安胎，预防流产。

（3）萝卜桂圆羊肉汤

【原料】白萝卜500克，桂圆肉15克，肥羊肉700克，调料适量。

【制作】以上原料洗净后加水炖至羊肉熟烂即可。

【功效】补血，益气，安神。

（4）当归生姜羊肉汤

【原料】当归30克，生姜10克，羊肉250克。

【制作】以上原料洗净后加水炖至羊肉熟烂即可。

【功效】健体，补血，暖腹，预防痛经。

（5）阿胶粥

【原料】阿胶10克，糯米100克。

【制作】糯米加水煮成粥时，放入阿胶末，再煮一下即可。

【功效】养血益气，安胎，保胎。

（6）黄豆花生红枣汤

【原料】黄豆30克，花生30克，红枣30克。

【制作】以上原料加水煮至豆烂即可。

【功效】丰胸健体。

（7）甘麦大枣粥

【原料】大麦50克，粳米50克，大枣30枚，甘草10克。

【制作】先用甘草加水煎煮一会儿，去渣；后入粳米、大麦、大枣同煮为粥。

【功效】益气安神。

（8）糯米酒蒸鸡蛋

【原料】糯米酒150毫升,鸡蛋1枚。

【制作】将鸡蛋打入糯米酒中，隔水蒸熟。

【功效】补养气血。

（9）桂圆鸡露

【原料】光鸡500克，桂圆肉30克，糯米酒50毫升。调料适量。

【制作】鸡洗净切成大块，与其他各料装入碗内，密封碗口，蒸2~3小时。

【功效】益气补血。

(10) 杞笋炒肉丝

【原料】枸杞30克,冬笋30克,瘦猪肉丝100克，调料适量。

【制作】上料用油炒熟。

【功效】对头目昏眩、经血量多的更年期妇女有效。

十、通过饮食进补预防冬季多发病

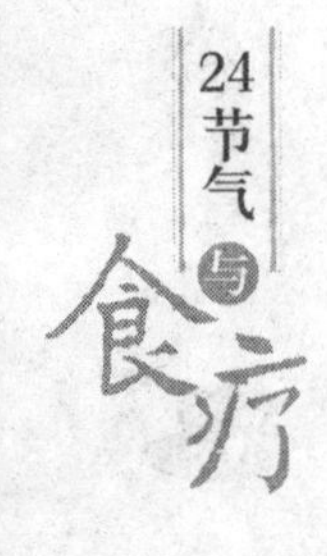

“药补不如食补”,对于冬季六节气多发病,可以通过饮食进补的方法进行预防，这是一种既安全又不苦口，且简便宜行也为人们乐于接受的方式。

1.预防慢性咽炎

慢性咽炎为慢性感染所引起的弥漫性咽部痛变。慢性咽炎的主要症状：

是咽部干燥而痛，咽部暗红，多由阴虚津伤，虚火上灼所致，通过饮食进行防治的方法如下。

(1) 岗梅根煲鸭蛋

【原料】岗梅根30~60克，青壳鸭蛋1个。

【制作】二味洗净，加水2碗同煎，蛋熟去壳再煎15分钟，饮汤食蛋。

【功效】清热解毒，活血生津。

(2) 芒果茶

【原料】芒果1只。

【制作】切碎块，加水适量，煎沸取汁，代茶饮。

【功效】清热利咽。

（3）地瓜果茶

【原料】地瓜果10克。

【制作】晒干，开水冲泡，代茶饮。

【功效】清热消肿。

（4）丝瓜番茄豆腐羹

【原料】丝瓜150克，嫩豆腐400克，番茄100克，调料适量。

【制作】丝瓜去皮，切成斜块，植物油烧熟略降温后，下姜丝爆香，放入丝瓜块煸炒透。加少许水，推入豆腐，边用勺划散，加精盐、白糖调味煮沸，下番茄片再煮2分钟，勾薄芡，加味精，淋上麻油食用。

【功效】清热解毒。

2.预防流感

冬令时节易发流行性感冒。流行性感冒是由流感病毒引起的急性呼吸道传染病。

常用的防治流感饮食方法主要如下：

（1）橄榄煲萝卜

【原料】橄榄250克，萝卜500～1000克。

【制作】煎汤代茶，分多次服。

【功效】清热，生津，利咽，止咳。

（2）板蓝根茶

【原料】板蓝根18克。

【制作】研粗末，水煎，代茶饮。

【功效】防治流感。

（3）芦根茶

【原料】芦根50克，鲜萝卜200克，葱白7

段，青橄榄7个。

【制作】水煎，代茶饮。

【功效】防治流感。

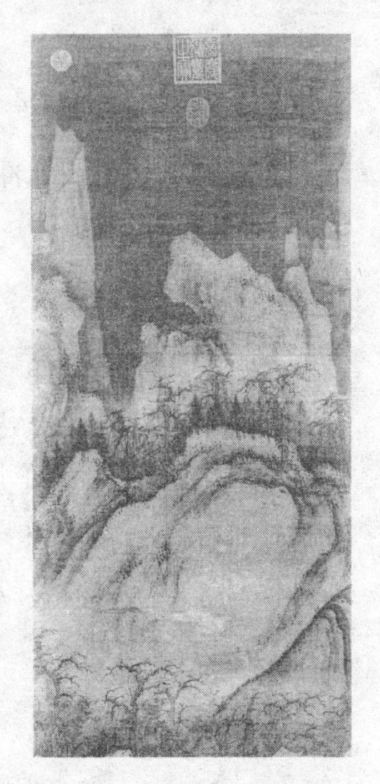

3.预防面神经麻痹

在北风怒吼、寒风刺骨的冬季，若不注意头部的保暖，或让头部长时间受到冷风的侵袭，皆易发生面神经麻痹症。

面神经麻痹症的主要表现是：口角向右侧歪斜，眼睛闭合不完全，左半侧脸比往日拉长，口水不断流出。

常用的防治面神经麻痹的饮食方法主要如下：

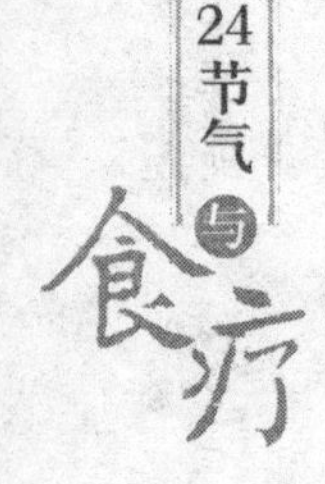

(1) 小红参酒

【原料】小红参、女金芦、泽兰各150克，白酒2500毫升。

【制作】以上浸泡半月后使用。每次20～40毫升，日服1次。

【功效】祛风除湿，补血活血。

(2) 大豆独活酒

【原料】大豆200克，独活50克，白附子10克，米酒1000毫升。

【制作】先将大豆炒熟，与后两味同捣碎，加入酒内煎数沸，去渣备用。每日早晚饮酒各1次，每次10毫升。

【功效】祛风通络。

十一、常见病的冬季六节气饮食疗法

对于常见病，在不同的季节应顺应时节采取不同的饮食疗法，才能收到较好的治疗效果在冬季六节气运用饮食方法治疗常见病的方案，介绍如下。

1.肝炎病的饮食疗法

肝炎病在这里泛指各种类型的肝炎。

对于肝炎病，在冬季六节气运用饮食进行辅助治疗的方法如下。

(1) 大麦芽汤

【原料】大麦芽50克，茵陈50克，橘皮25克。

【制作】三物同煎后，取汁食用。

【功效】本品适治患急慢性肝炎者在恢复过程中出现的胸闷、食欲不振等症状。

(2) 鸡骨草煮鸡蛋汤

【原料】鸡骨草30克，鸡蛋2枚。

【制作】鸡骨草和鸡蛋同煮，待鸡蛋煮熟后，去壳，再投入煮半小时。将鸡蛋和汤服下。

【功效】对患慢性肝炎有胸胁痛、转氨酶不正常者有效。

(3) 泥鳅豆腐汤

【原料】泥鳅250克放盆中养1～2天，玉米须30克，豆腐100克。

【制作】把泥鳅与玉米须用布包好和豆腐一同放入砂锅内，加水炖煮，待烧熟后调味食用。

【功效】对急性黄疸性肝炎疗效明显。

2.眼病的饮食疗法

在这里眼病是泛指眼睛疾患，如夜盲症、白内障等。对其进行饮食辅

助治疗的方法如下：

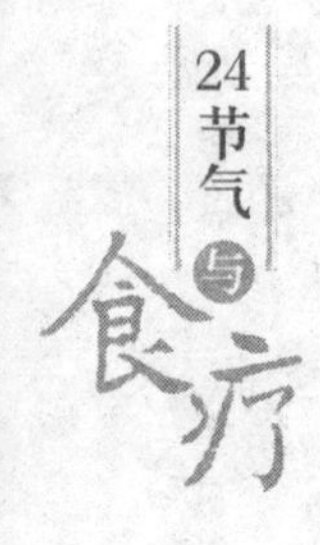

（1）猪肝菠菜汤

【原料】猪肝60克，菠菜250克，调料适量。

【制作】上料共煮汤。

【食法】调味后分2次食用，一天吃完，连食数日。

【功效】有提高视力的作用。可用于防治夜盲和视力减退，亦有助于小儿麻疹后的视力恢复。

（2）桂圆杞枣汤

【原料】桂圆肉15枚，枸杞子15克，红枣7枚。

【制作】上料洗净后加水煮成汤。

【食法】喝汤吃果肉。常食。

【功效】滋补明目，提高视力，可用于防治白内障。

（3）黑芝麻粉冲蜜奶

【原料】黑芝麻粉20克，蜂蜜20克，牛奶250克。

【制作】将热牛奶冲调黑芝麻粉，并调以蜂蜜。

【食法】每日1～2次。

【功效】能改善眼球代谢和免疫功能，可防治白内障。

（4）小豆点心

【原料】赤小豆30克，金针菜30克，蜂蜜3匙。

【制作】将小豆、金针菜煮熟。

【食法】当点心，吃时加蜂蜜。

【功效】防治青光眼。

（5）菊花汤

【原料】甘菊花10克，糯米酒酿适量。

【制作】将菊花洗净剪碎，和糯米酒酿放铝锅内拌匀，煮沸。

【食法】顿食，每日2次。

【功效】防治肝阳亢之青光眼。

3.中风的饮食疗法

冬令时节，气候寒冷，人体腠理关闭，血管收缩，阴不制阳，则情绪不稳，急躁易怒，肝阳上亢，是中风的高发季节。对中风运用饮食进行辅助防治的方法如下：

（1）茶饮方

【原料】绿茶、槐花、菊花各3克。

【制作】共置杯中，白开水冲泡，加盖5分钟。

【食法】代茶频频饮用。

【功效】适用于高血压而有头痛、眩晕等症者，对中风有一定的预防作用。

（2）双耳汤

【原料】白木耳、黑木耳各10克。

【制作】以温水泡发并洗净，放入小碗中，加水和冰糖适量，隔水蒸1小时。

【食法】1次或分次食用。

【功效】预防中风。

(3) 菊楂决明饮

【原料】菊花3克，生山楂、草决明各15克。

【制作】放入保温杯中，以沸水冲泡，盖严，温浸半小时。

【食法】频频饮用。

【功效】预防中风。

4.脱发的饮食疗法

冬季气候干燥，若保养不当，容易损伤肺气，肺气虚则毛发不固。故冬季脱发相对增多。运用饮食治疗脱法的方法主要有以下几种。

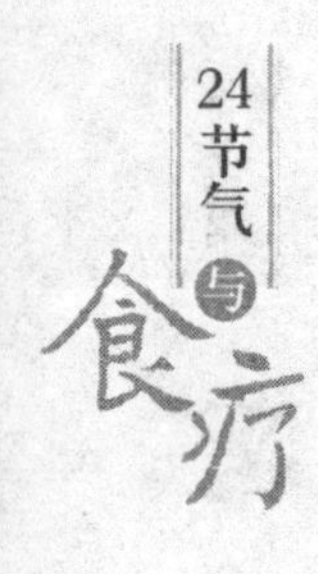

(1) 首乌烧羊肉

【原料】熟首乌50克，羊肉750克，核桃仁30克，胡萝卜100克，生姜15克，大葱15克，大茴、花椒、胡椒粉、料酒、酱油、精盐、味精各适量。

【制作】羊肉洗净，切成方块；胡萝卜洗净，切成滚刀块；生姜切片，葱切成段。羊肉下锅油炸3分钟，捞出，控油；锅内留少许油，入姜葱、炒出香味时，放入肉块及各种佐料和首乌、核桃仁，注入清水1500毫升，大火烧沸，除去浮沫，改用小火慢烧。待羊肉七成熟时，加入胡萝卜块，烧至羊肉烂熟，入味精调味、收汁即成。

【食法】佐餐，1日2次，2日食完，宜常食。

【功效】乌须发，补肝肾，益精血。

（2）花生核桃炖猪肝

【原料】花生米100克，核桃仁50克，鲜猪肝200克，水发黑木耳20克。

【制作】将花生米、核桃仁洗净入锅，加水适量，同生姜、花椒、精盐煮至八成熟时，再将切成块的猪肝放入，炖熟后，加味精即成。

【食法】佐餐。宜常食。

【功效】补肾益精，养血健脑，防治脱发。

5.肿瘤的饮食疗法

对肿瘤在进行药物治疗的同时，配合饮食调养甚为重要，饮食应清淡而富有营养，冬季六节气运用饮食辅助治疗肿瘤的方法如下：

（1）生炒鲨鱼

【原料】鲨鱼肉750克（切片），姜丝15克。

【制作】放油锅内稍煸，入鲨鱼片炒熟，加调料适量。

【功效】食用鲨鱼肉有抗癌作用。

（2）绿茶郁金汤

【原料】绿茶1～2克，醋制郁金粉5～10克，炙甘草5克，蜂蜜25克。

【制作】以上原料加水1000毫升，煮沸10分钟。

【食法】少量饮多次，徐徐饮之。

【功效】对肝癌、胃癌、食管癌有减轻症状的作用。

(3) 绿茶黄芩汤

【原料】黄芩5～10克，甘草5克。

【制作】以上原料加水500毫升煮沸15分钟，去渣，加入绿茶1～2克。

【食法】饭后分3次温饮。

【功效】对肺癌有效，也可用于其他癌症发热者。

(4) 虫草炖鸭

【原料】水鸭（野鸭）1只。

【制作】水鸭去毛及内脏洗净，将冬虫夏草10克洗净放入鸭腹，加水适量隔水蒸熟，以食盐调味。

【食法】饮汤食鸭肉。

【功效】对肿瘤晚期病人出现的虚弱、食欲不振、失眠等症有效。